Buch

Janet Beerbaum würde alles für ihre Söhne tun. Die Zwillinge Maximilian und Mario, die sich gleichen wie ein Ei dem anderen, standen schon immer im Mittelpunkt ihres Lebens. Für sie hat Janet sogar vor Jahren auf ihre große Liebe verzichtet, um den Jungen die Familie und den Vater zu erhalten. Doch eine Tragödie erschütterte damals jäh das Leben aller Familienmitglieder...

Maximilian, der die vergangenen sechs Jahre in einer psychiatrischen Klinik verbracht hat, steht kurz vor der Entlassung. Aber sein Vater Philipp weigert sich, den jungen Mann wieder in die Familie aufzunehmen. Verzweifelt fährt Janet nach London und flüchtet sich in die Arme ihres einstigen Liebhabers. Doch dann erreicht sie ein besorgter Anruf aus Deutschland: Mario ist mit seiner Freundin in die Provence gereist, um dort einen Urlaub zu zweit zu verbringen. Und Janet bricht Hals über Kopf nach Frankreich auf. Warum nur gerät sie so sehr in Panik? Werden die Schatten der Vergangenheit sie ewig verfolgen? Welches furchtbare Geheimnis teilt sie mit ihren über alles geliebten Söhnen?

Charlotte Link schreibt so gut und so britisch,
daß selbst ihre englische Kollegin
Minette Walters vor Neid erblassen würde!
SWR

Charlotte Link beweist außergewöhnliches Talent
für spannende Unterhaltung.
dpa

Die Schriftstellerin Charlotte Link versteht es prachtvoll,
Lebenslinien zu einem Spannungsnetz zu verknüpfen.
GONG

Charlotte Link

Die Sünde der Engel

Roman

blanvalet

FSC

Mix
Produktgruppe aus vorbildlich
bewirtschafteten Wäldern und
anderen kontrollierten Herkünften

Zert.-Nr. SGS-COC-1940
www.fsc.org
© 1996 Forest Stewardship Council

Verlagsgruppe Random House FSC-DEU-0100
Das für dieses Buch verwendete FSC-zertifizierte Papier
Holmen BookCream liefert Holmen Paper, Hallstavik, Schweden

2. Auflage
Taschenbuchausgabe Juni 2009
bei Blanvalet, einem Unternehmen der Verlagsgruppe
Random House GmbH, München.
Copyright © 1995, 2009 bei Verlagsgruppe
Random House GmbH
Umschlaggestaltung: bürosüd°, München
Umschlagfoto: Tim Bird / CORBIS
Lektorat: SKW
Herstellung: RW
Satz: Uhl + Massopust, Aalen
Druck und Einband: GGP Media GmbH, Pößneck
Printed in Germany
978-3-442-37291-1

www.blanvalet.de

Denn es ist hier kein Unterschied:
Sie sind allzumal Sünder . . .

(RÖM. 3,23)

Das Ringlestone Inn war, wie der Wirt stolz erklärte, im Jahre 1533 erbaut worden und diente seit dem 17. Jahrhundert als Pub – und seither hatte sich kaum etwas darin verändert. Die niedrige Decke wurde von schweren, rußgeschwärzten Eichenholzbalken getragen, bleigefaßte Butzenglasscheiben setzten sich zu winzigen, in die dikken, weiß gekalkten Mauern eingelassenen Fenstern zusammen. Ein gewaltiger gemauerter Kamin empfing die Gäste gleich am Eingang mit einem prasselnden Feuer. Um von einem Raum in den nächsten zu gelangen, mußte man den Kopf einziehen und darauf achten, nicht über unvermutet auftauchende Stufen oder Bodenleisten zu stolpern. Bänke, Stühle und Tische standen dicht gedrängt, uralte Lampen schaukelten von der Decke. Niemand hätte sich ernsthaft gewundert, wäre plötzlich Oliver Cromwell hereingestapft, in Stulpenstiefeln und mit Federhut, im wehenden, schwarzen Mantel, mit wachsamem Blick, mißtrauisch, ob sich Royalisten in einem Winkel des Hauses versteckt hielten.

Auf dem Platz neben dem Haus sollten Pferde stehen, nicht Autos parken, dachte Janet, sie würden weit besser hierher passen.

Schon die ganzen letzten Stunden war sie sich vorgekommen wie in ein weit zurückliegendes Jahrhundert versetzt. Sie war von London hergefahren, hatte die Straße Richtung Dover jedoch kurz vor Rochester verlas-

7

sen und war nach Süden abgebogen. Der Weg führte sie durch idyllische, vom Fortschreiten der Zeit scheinbar vergessene Dörfer, vorbei an stillen, verträumten Häusern aus elisabethanischer Zeit, die umgeben waren von moosbewachsenen, bröckeligen Mauern, entlang zugewucherter Gärten, deren Bäume über die holprige Straße hinweg Dächer aus Blättern und Zweigen bildeten. Irgendwann zeigten ihr die Schilder an, daß sie bald an der Küste landen würde, und gleichzeitig wurde ihr bewußt, daß sie seit dem knapp bemessenen Imbiß im Flugzeug am Morgen nichts mehr gegessen hatte. Sie beschloß, abseits von der Hauptstraße ein wenig kreuz und quer herumzufahren und die Augen nach einem Gasthaus offenzuhalten. Der Maiabend war hell; der Himmel war, nach einem Tag voller Regen, plötzlich leergefegt von allen Wolken und sandte eine Flut von Sonne über das feuchte, dampfende Land. Janet hatte Kent immer gemocht, sich aber selten so verzaubert gefühlt wie an diesem Abend. Ihre Sorgen hatten sich mit den Wolken aufgelöst. Für einige Stunden war sie eine Frau ohne Vergangenheit oder Zukunft, ohne Verpflichtungen, ohne Bindungen. Niemand wußte, wo sie war, niemand konnte etwas von ihr erwarten oder verlangen.

Als sie vor dem Ringlestone Inn hielt und aus dem Wagen stieg, fröstelte sie in der frischen Abendluft und hatte sich dennoch in ihrem Innern lange nicht mehr so warm gefühlt.

»Sie möchten sicher nach Folkstone?« fragte der Wirt. Janet schüttelte den Kopf. »Nein. Ich fahre wahrscheinlich heute noch nach London zurück.« Sie strich sich mit beiden Händen über die nackten Arme und wies mit einer Kopfbewegung auf den leeren Tisch vor dem Kamin. »Darf ich mich da hinsetzen?«

»Selbstverständlich.« Eifrig rückte ihr der Wirt einen

Stuhl zurecht. Janet nahm Platz. Es herrschte eine brütende Hitze am Feuer, sie würde es kaum länger als eine halbe Stunde dort aushalten, aber sie konnte ihre Knochen aufwärmen, und vielleicht trockneten ihre noch immer regenfeuchten Schuhe. Sie ließ den Blick umherschweifen und stellte fest, daß sich wohl vorwiegend Leute aus den umliegenden Dörfern hier aufhielten; ältere Männer, die Bier tranken, politisierten, über die nächste Ernte fachsimpelten. Niemand beachtete Janet. Das wohlige Gefühl der Entspanntheit verstärkte sich. Sie bestellte Huhn mit Reis und ein Glas Ginger Ale und machte sich darüber her wie eine Verhungernde. Sie ließ keinen Krümel auf dem Teller zurück, und als sie fertig war, verzehrte sie zum Nachtisch noch ein Stück Kuchen. Seit Jahren litt sie an Eßstörungen, mußte häufig erbrechen, aber sie spürte, daß sie dies heute nicht zu fürchten brauchte. Sie würde alles bei sich behalten.

Als sie ihren Kaffee trank und dazu eine Zigarette rauchte, gesellte sich der Wirt zu ihr. Er war erpicht auf eine Unterhaltung und leitete sie originellerweise mit einer Bemerkung über das Wetter ein. »War wohl besseres Wetter da, wo Sie herkommen?« fragte er. Janet runzelte die Stirn.

»Weil Sie so sommerlich angezogen sind«, erklärte er.

Janet sah an sich hinunter. Kurzärmeliger Baumwollpullover, ein leichter Rock, feuchtfleckige Wildlederschuhe. Sie lachte. »Ich bin heute früh von Hamburg nach London geflogen. In Hamburg war es richtig warm.«

»Hamburg? Da war mein Vater mal nach dem Krieg!«

»Wirklich?« sagte Janet. Der Wirt sah sie strahlend an, als hätten sie gerade einen gemeinsamen Urahn ausfindig gemacht. Sie fühlte sich bemüßigt, erklärend hinzuzufügen: »Ich bin aber gebürtige Engländerin.«

»Wie lange leben Sie schon in Deutschland?«

»Seit fünfundzwanzig Jahren. Ich habe einen Deutschen geheiratet.«

Sie erschrak fast bei dieser Auskunft. Ein Vierteljahrhundert! Mit achtzehn war sie fortgegangen. Zu jung, um zu wissen, was sie tat.

»Und jetzt statten Sie der Heimat einen Besuch ab«, stellte der Wirt fest. »Es ist schön, nach Hause zu kommen, nicht? Sie stammen aus dieser Gegend?«

»Nein. Ich bin in Cambridge geboren und aufgewachsen. Und heute wollte ich eigentlich nach Edinburgh.«

»Oh . . .« Der Wirt zeigte sich überrascht. Es schien ihm eigentümlich, daß jemand nach Edinburgh wollte und statt dessen im Ringlestone Inn zwischen Maidstone und Canterbury im Südosten Englands landete.

Janet warf einen Blick auf ihre Armbanduhr. »In zehn Minuten startet mein Flugzeug von Heathrow nach Edinburgh«, sagte sie zufrieden.

»Na, *den* Flieger erwischen Sie nicht mehr«, meinte der Wirt und lachte etwas verlegen. Ihm ging allmählich auf, daß mit der Frau irgend etwas nicht stimmte. Er hätte nicht sagen können, was ihm dieses Gefühl gab, aber es war etwas an ihr . . . Sie schien entspannt, aber Angst und Unruhe lagen spürbar auf der Lauer.

»Na ja«, meinte er unsicher, »es gehen jeden Tag Flüge nach Edinburgh, nicht? Dann fliegen Sie eben morgen.«

»Ich glaube«, sagte Janet, »daß ich überhaupt nicht fliegen werde.«

Im Grunde hatte sie das schon am Vormittag beschlossen, als sie gegen zehn Uhr in London aus dem Flugzeug stieg. Sie hatte die Flüge absichtlich so gebucht, daß ihr elf Stunden Aufenthalt dazwischen blieben; dann könne sie, hatte sie Phillip, ihrem Mann, erklärt, ein ausgedehntes *sightseeing* in London einlegen.

»Als ob du London nicht kennen würdest wie deine Westentasche!« hatte Phillip bemerkt. »Was willst du denn noch anschauen?«

»Ich war lange nicht mehr da. Ich will einfach London atmen, riechen, fühlen.«

In Wahrheit wollte sie in den elf Stunden irgendeinen Weg finden, Edinburgh zu vermeiden.

Aus dem *sightseeing* wurde nichts, der Regen floß in Strömen und wurde eher heftiger, als daß er nachließ. Janet flüchtete schließlich zu Harrod's und ließ sich durch die Stockwerke treiben. Sie kaufte Tee, Orangenmarmelade und Cookies für Phillip, eine Swatch-Uhr für Mario. Sie bezahlte ein Pfund, um Zugang zu den luxuriösen Gold- und Marmortoiletten im ersten Stock zu bekommen, und versuchte dort, sich ein wenig frisch zu machen. Der Spiegel über dem Waschbecken zeigte ihr, daß sie ziemlich zerrupft aussah. Ihre regennassen Haare kräuselten sich zu eigenwilligen Locken, ihr blasses Gesicht hatte jeden Anflug von Farbe verloren. Mit Lippenstift und Rouge polierte sie es etwas auf, aber der verhärmte, sorgenvolle Ausdruck blieb. Um ihrem Kreislauf etwas auf die Beine zu helfen, trank sie in einem Stehimbiß im Keller zwei Gläser Sekt. Danach fühlte sie sich so weit wiederhergestellt, daß sie in der Lage war, zum Flughafen zurückzufahren, ein Auto zu mieten und sich, soweit sie konnte, von der Hauptstadt zu entfernen. Der Linksverkehr bereitete ihr zunächst einige Probleme, aber als sie sich auf der Autobahn befand, wurde es besser, und später, auf den kleinen Landstraßen in Kent, fühlte sie sich schon sehr sicher. Immer wieder murmelte sie vor sich hin: »Ich muß nicht fliegen, wenn ich nicht will. Ich muß überhaupt nichts tun, was ich nicht will!«

Aber sie wünschte, sie hätte die Souveränität besessen, einfach hinzugehen und den Flug nach Edinburgh zu stornieren, anstatt sich selbst auszutricksen und etwas zu tun, das sie daran hinderte, pünktlich wieder in Heathrow zu sein. »Immer noch das kleine Mädchen, das keine Verantwortung für sein Tun und Lassen übernehmen will«, murmelte sie unzufrieden vor sich hin.

Immerhin, ihre Flucht vor der Verantwortung hatte ihr einen schönen Tag beschert. Sie war in England herumgekurvt und hatte ein bezauberndes Pub entdeckt. Dies erinnerte sie an die Zeit mit Andrew. Mit ihm war sie oft ins Blaue losgefahren und dann irgendwo eingekehrt, am liebsten in Orten, wo sich Fuchs und Hase gute Nacht sagten.

Der Wirt hatte sich für einige Augenblicke entfernt und kehrte nun mit zwei Schnapsgläsern zurück. »Einladung des Hauses«, erklärte er. Er hob sein Glas. »Auf Ihr Wohl!«

Janet prostete ihm zu, beide leerten sie in einem Zug ihre Gläser.

»Und wann kehren Sie nach Deutschland zurück?« fragte der Wirt.

Janet zuckte mit den Schultern. »Eigentlich morgen. Aber wer weiß . . .« Sie vollendete den Satz nicht, und um das Thema zu wechseln, fragte sie ihrerseits zurück: »Gehört Ihnen das Ringlestone Inn?«

»Nein, nein. Ich arbeite hier nur. Ich wohne in Harrietsham.«

»Aha.«

»Ich habe eine Frau und fünf Kinder«, sagte er stolz, »das sechste ist unterwegs!«

Janet schauderte ein wenig, verbarg ihr Entsetzen jedoch.

»Ich wollte immer viele Kinder«, erklärte der Wirt. »Haben Sie Kinder?«

»Ja. Zwei.«

»Jungen oder Mädchen?«

»Zwei Jungen. Zwillinge.«

»Zwillinge!« Der Wirt war entzückt. »Das haben wir noch nicht geschafft! Wie alt sind die beiden?«

»Vierundzwanzig.«

»Was? Dafür sehen Sie viel zu jung aus!«

Janet lächelte. »Danke. Ich war neunzehn, als sie geboren wurden.«

»Und sie sehen einander wirklich gleich?«

»Völlig. Ich meine, ich kann sie natürlich auseinanderhalten. Der Ausdruck ihrer Augen, das Lachen... Ich würde sie nie verwechseln. Aber andere Leute sind unfähig, sie zu unterscheiden. Sogar ihren Vater haben sie immer wieder hinters Licht führen können.«

Der Wirt war so fasziniert und bohrte so lange nach, bis sie ihm ein Photo zeigte. Sie hatte nur eines dabei; da waren die Jungen zehn und saßen am Eßtisch im Wohnzimmer. Beide trugen die gleichen roten Rollis und blauen Jeans. Aus sanften Augen blickten sie in die Kamera. *Zu* sanft, wie Janet wieder einmal dachte. Zwei kleine Engel.

Der Wirt konnte sich kaum beruhigen. »Das ist nicht zu fassen! Nicht der geringste Unterschied! Guter Gott, ich würde nie wissen, wer welcher ist!«

»In der Schule wußten es die Lehrer auch nie. Einige Male haben sie mich gebeten, die beiden wenigstens unterschiedlich anzuziehen, aber da war nichts zu machen. Sie wollten immer die gleichen Sachen tragen. Sie waren...« Janet stockte, aber dann fuhr sie doch fort: »Sie fühlten sich wie *ein Mensch*, verstehen Sie? Ständig tauschten sie die Namen, weil sie keine Bedeutung für sie hatten. Und sie sprangen immer füreinander ein.«

Der Wirt starrte wieder auf das Bild. »Wahnsinn!« murmelte er.

»Das hier ist Maximilian«, erklärte Janet. »Und das ist Mario. Er ist fünfeinhalb Minuten älter.«

»Liebe Gesichter haben sie, nicht? Da müßten Sie mal meine fünf sehen. Rotzfreche Gören, mit allen Wassern gewaschen!«

Natürlich hatte er stapelweise Bilder dabei, die er Janet nun präsentierte. Seine drei Söhne hatten allesamt Zahnlücken und Sommersprossen, seine zwei Töchter sahen ebenfalls aus wie Jungen und streckten auf den meisten Photos die Zunge heraus. Janet fand sie ziemlich gewöhnlich und plump, aber das mochte auch daran liegen, daß die Diskrepanz zwischen diesen Kindern und ihren eigenen zu groß war und ihr dies schmerzlich auffiel. Sie sagte höflich: »Wie nett!« und: »Wirklich reizend!«, dann griff sie entschlossen nach ihrer Brieftasche und bat um die Rechnung. Der Wirt schien enttäuscht und ein wenig verstimmt, aber er kam ihrem Wunsch umgehend nach. Janet belohnte seine Freundlichkeit mit einem fürstlichen Trinkgeld, dann stand sie auf und verließ das Haus. Draußen war es jetzt richtig kalt geworden, und natürlich herrschte inzwischen tiefe Finsternis. Immerhin war der Himmel klar, und Janet hoffte, daß ihr auch unterwegs nirgendwo mehr Regen begegnen würde. Sie sah ohnehin sehr schlecht bei Nacht, und Regen machte alles noch schlimmer. Im Auto stellte sie die Heizung auf die höchste Stufe, aber das würde sich erst nach einer Weile bemerkbar machen. Sie irrte ein wenig herum, ehe sie die M 20 nach London fand, verließ sie aber gleich wieder und nahm die Landstraße Richtung Maidstone. Vielleicht würde sie dort übernachten. Das alte Gefühl der Beklommenheit holte sie wieder ein. Sie mußte Phillip anrufen, heute noch, das war klar. Sie hatte ihm versprochen, sich spätestens von Edinburgh aus zu melden. Wenn sie es nicht tat, würde er glauben, ein Unglück sei geschehen.

In Maidstone hielt sie an der ersten Telefonzelle. Sie kramte all ihr Kleingeld zusammen und wählte. Phillip mußte neben dem Telefon gesessen haben, denn er nahm nach dem ersten Klingeln ab. »Janet! Ich dachte, du meldest dich mal zwischendurch! Bist du schon in Edinburgh?«

»Nein. Phillip, ich bin in Maidstone. In Kent.«

Schweigen. Dann fragte er verwirrt: »Was?«

»Ich habe mir einen Wagen gemietet und bin ein wenig in der Gegend herumgefahren. Dabei habe ich die Zeit vergessen.«

»Das gibt's doch nicht! Wie willst du denn jetzt rechtzeitig nach Schottland kommen? Du hast morgen früh um neun diesen Termin bei Mr. . . . Mr. . . . .«

»Mr. Grant.«

»Ja, Mr. Grant. Du weißt doch, wie schwer es war, dies alles zu organisieren! Janet, dieser Mann ist weiß Gott nicht angewiesen auf uns, vielleicht empfängt er dich zu einem anderen Termin gar nicht mehr . . . Himmel, was machen wir denn jetzt?« Er schien völlig aufgelöst. Janet warf Geld nach. Sein Entsetzen tat ihr weh. Es zeigte wieder einmal, auf welch verschiedenen Positionen sie beide standen, wie unvereinbar das war, was jeder von ihnen wollte.

»Ich konnte es nicht, Phillip«, sagte sie leise.

Aus Hamburg kam ein tiefer Seufzer. »Du hast die Maschine absichtlich versäumt, ja?«

Sie schwieg. Phillip klang verzweifelt. »Was sollen wir jetzt tun? Wir hatten doch alles besprochen! Janet, es gibt keinen anderen Ausweg. Das hattest du doch zum Schluß eingesehen!«

»Nein, das hatte ich nicht. Ich habe nachgegeben, weil du mich immer mehr unter Druck gesetzt hast.«

»Janet, Maximilian kann nicht zu uns zurückkommen!

Es geht einfach nicht. Wir können diese Verantwortung nicht übernehmen, und ...«

Das Telefon hatte schon zweimal eindringlich gepiept, jetzt riß die Verbindung ab. Janet hätte Geld nachwerfen können, aber sie mochte nicht. Phillip würde daheim wie ein Tiger im Zimmer hin- und hergehen und verzweifelt hoffen, daß sie erneut anriefe, und sie spürte einen Moment lang das Aufkeimen eines schlechten Gewissens, weil sie ihn in dieser aufgewühlten Verfassung hängenließ. Aber dann dachte sie trotzig, daß er es nicht anders verdient hatte. Er hatte so lange lamentiert und gestritten, bis sie nachgab; das Risiko, daß sie es sich anders überlegen könnte, wäre sie ihm erst entkommen, hätte er einkalkulieren müssen. Dann wäre er jetzt nicht aus allen Wolken gefallen.

Janet machte eine rasche Bewegung mit den Schultern, als schüttle sie eine Last ab. Dann warf sie das restliche Geld ein und wählte die Nummer von Andrew.

Phillip stand tatsächlich wie angewurzelt vor dem Telefon und wartete, daß Janet noch einmal anrufen würde. Als nach einer halben Stunde noch immer kein Klingeln ertönt war, gab er auf und ging in die Küche, nahm den Weißwein aus dem Kühlschrank und schenkte sich ein Glas ein. Entweder hatte sie kein Kleingeld mehr, oder – was wahrscheinlicher war – sie mochte sich nicht auseinandersetzen und entzog sich auf diese Weise einer Diskussion. Typisch Janet. So hatte sie es immer gemacht. Wenn die Probleme überhand nahmen, ergriff sie die Flucht, entweder ganz buchstäblich, indem sie verschwand und nicht auffindbar war, oder sie zog sich in irgendeine mysteriöse Krankheit zurück, bei der sie tatsächlich heftige Schmerzen und hohes Fieber produzierte.

»Du bist ein ewiges kleines Mädchen!« hatte Phillip sie

einmal angebrüllt. »Du wartest, daß irgend jemand oder irgend etwas kommt und dich beschützt. Anstatt selber aufzustehen und die Dinge in die Hand zu nehmen!«

Er hätte wissen müssen, daß sie auch diesmal ausbrechen würde.

Müde und ausgelaugt blieb er am Küchentisch sitzen, leerte ein zweites Glas Wein und lauschte auf das zarte Rauschen, mit dem es draußen zu regnen begann. Erst als er hörte, wie leise die Haustür aufgeschlossen wurde, hob er den Kopf.

»Du mußt nicht schleichen!« rief er. »Ich bin wach!«

Mario, sein vierundzwanzigjähriger Sohn, kam in die Küche. Seine dunklen Haare waren naß vom Regen, er hielt einen tropfenden Strauß Flieder in der Hand und blickte etwas unsicher drein.

»Du wartest auf mich?« fragte er. »Ich habe Blumen gepflückt.«

Phillip sah ihn etwas verwundert an. Es war Nacht, und es regnete. »Du hast Blumen gepflückt?«

»Ich . . . war nicht allein.« Mario nahm eine Vase aus dem Küchenschrank, füllte sie mit Wasser und ordnete die Zweige. Er wirkte schuldbewußt, was Phillip nicht recht verstand. Er hatte also ein Mädchen kennengelernt – und sich offenbar verliebt. Nur in verliebtem Zustand pflückte man nachts im Regen Blumen. Es wurde höchste Zeit, daß er sich für den weiblichen Teil der Menschheit zu interessieren begann, und trotz all seiner Sorgen verspürte Phillip Erleichterung. Er verspürte immer Erleichterung, wenn er in seiner Familie auf Anzeichen von Normalität stieß.

»Wie heißt sie?« fragte er.

»Tina. Ich . . . ich kenne sie schon eine Weile.«

Phillip hob die Arme. »Du mußt mir keine Erklärungen abgeben. Ich freue mich für dich, Mario!« Sein Sohn wirkte ein wenig in die Enge getrieben, und so wechselte Phillip taktvoll das Thema. »Wie spät ist es?«

»Kurz vor Mitternacht. Läßt du dich vollaufen?«

»Nein. Ich habe zwei Gläser getrunken, mehr nicht.«

»Hast du etwas von Janet gehört?« Schon mit sieben Jahren hatten Mario und Maximilian begonnen, ihre Mutter mit deren Vornamen anzureden. Janet war darüber unglücklich gewesen, aber die Zwillinge waren nicht mehr davon abgegangen. »Sie hat angerufen«, antwortete Phillip nun auf Marios Frage, »aus Maidstone. Das liegt in Kent.«

Mario starrte ihn an. »Wieso? Sie müßte doch längst in Schottland sein!«

»Sie hat es sich anders überlegt. Das heißt, vermutlich hatte sie nie wirklich vor, Mr. Grant aufzusuchen. Ich bin ein Idiot!« Phillip schlug sich mit der Faust an die Stirn. »Ich hätte auf jeden Fall selber fliegen müssen. Es war nur ... du kennst ja mein miserables Englisch. Und dann noch ein wichtiger Termin im Büro ... aber ich hätte es trotzdem tun müssen.«

»Und was geschieht jetzt?«

»Ich muß morgen früh Mr. Grant anrufen und ihn bitten, mir einen neuen Termin zu geben. Er hat es wirklich nicht nötig, das private Hin und Her einer deutschen Familie mitzumachen. Plätze auf der Blackstone Farm sind heiß begehrt.«

Mario ließ sich auf einen Stuhl fallen. »Vielleicht hat Janet ja recht«, meinte er, »und das Ganze ist ohnehin nichts für Max.«

»Was ist denn dann das Richtige für ihn?« fragte Phillip heftig.

»Er will nach Hause. Er will wieder mit uns leben.«

»Das geht nicht.«

»Aber ich glaube, daß ...«

»Mario, es ist ausgeschlossen. Niemand kann diese Verantwortung übernehmen. Jedenfalls niemand, der nicht dafür ausgebildet ist.«

»Er ist gesund, Vater. Professor Echinger sagt . . .«

»Darauf verlasse ich mich nicht. Das kann niemand garantieren.«

Sie starrten einander an, Phillip aufgebracht und zutiefst beunruhigt, Mario nachdenklich und etwas traurig.

»Du wüßtest ihn am liebsten für den Rest seines Lebens hinter Schloß und Riegel, Vater, das stimmt doch«, sagte er leise.

»Wundert dich das?« fragte Phillip schroff.

Marios Stimme klang sanft. »Ich kann nicht so fühlen wie du. Er ist mein Bruder. Mein Zwillingsbruder. Manchmal vermisse ich ihn so sehr. Nachts höre ich, wie er mit mir spricht. Es bedrückt mich, daß ich ihm nicht antworten kann.«

Phillip schwieg. Schließlich sagte er: »Ich rufe trotzdem morgen früh Mr. Grant an.«

Mario nickte und stand auf. »Ich gehe schlafen. Ich habe morgen um neun die erste Vorlesung.«

»Gute Nacht«, sagte Phillip. Draußen rauschte der Regen nun stärker, schwoll zu einem Prasseln auf dem Dach an. Mario wartete noch einen Moment, aber der Vater schien bereits wieder in seinen Grübeleien zu versinken. Leise verließ er die Küche.

Tina Weiss hatte ihre Mutter kaum gekannt, und es hatte daher selten einmal einen schmerzlichen Augenblick gegeben, in dem sie wehmütig das Vorhandensein einer weiblichen Bezugsperson in ihrem Leben vermißt hätte. Ihr Vater hatte ihr Photos gezeigt, und Tina hatte die schöne, blonde Frau darauf ehrfürchtig betrachtet – ohne daß mehr als eine schattenhafte Erinnerung in ihr erwacht wäre. Sie war zweieinhalb gewesen, als Marietta Weiss an Krebs gestorben war, aber auch bis dahin war ihre Mutter selten um sie gewesen. Es gab vom Vater sorgfältig gesammelte Zeitungsausschnitte und längere Presseberichte, die sich mit der Theaterschauspielerin Marietta Weiss enthusiastisch beschäftigten.

»Sie war eine große Künstlerin«, hatte der Vater erzählt, »und deshalb war sie auch immer unterwegs. Sie hatte ein Engagement nach dem anderen. Ich habe sie angefleht, es nicht zu übertreiben, denn sie litt unter entsetzlichem Lampenfieber. Wenn sie vor den Vorhang mußte, war sie grün im Gesicht und zitterte am ganzen Körper.«

»Warum hörte sie dann nicht auf?« fragte Tina, voller Mitleid für die fremde Frau.

Michael Weiss schüttelte den Kopf. »Das konnte sie nicht. Die Leidenschaft fürs Theater hielt sie fest. Sie konnte nur dafür leben.« Leiser fuhr er fort: »Und sterben. Ihr Körper hielt die ständige Anspannung nicht aus. Schließlich hat er sich gerächt.«

Was Liebe, Fürsorge, Zuwendung anging, mußte Tina nichts entbehren. Ihr Vater überschüttete sie förmlich damit. Sie waren einander alles, und manchmal ertappte sich Tina bei dem Gedanken, daß sie sich die Anwesenheit eines dritten Menschen in dieser verschworenen Zweisamkeit gar nicht vorstellen konnte, ja sie kaum hätte ertragen können. Die Liebe des Vaters teilen? Undenkbar. Sie mochte es im Grunde schon nicht, daß eine gerahmte Photographie ihrer Mutter noch immer auf Michaels Nachttisch stand; allerdings hätte sie nicht gewagt, ihr Mißfallen zu äußern. Sie tröstete sich damit, daß keine andere Frau in sein Leben eindringen konnte, solange er sich von Marietta nicht verabschiedet hatte, und das wäre zweifellos die wahre Katastrophe gewesen. Tina zog das Bild einer Frau *neben* seinem Bett entschieden einer Frau aus Fleisch und Blut *in* seinem Bett vor.

Aber seit einiger Zeit hatte sich ihr Verhältnis getrübt. Tina kam das an diesem Freitagmorgen erneut zu Bewußtsein, als sie ihrem Vater am Frühstückstisch gegenübersaß und seine steile Unmutsfalte auf der Stirn betrachtete. Er hatte schlecht geschlafen, das war ihm anzusehen, und es hing mit seiner Tochter zusammen. Genaugenommen mit ihrer späten Heimkehr am Abend zuvor und mit der Tatsache, daß sie wieder einmal mit »diesem Mario« herumgezogen war.

»Du bist heute ziemlich schweigsam, Vater«, sagte Tina.

Michael nahm seinen Löffel und rührte etwas zu heftig in seiner Kaffeetasse herum. »Es war fast zwölf gestern, als du heimkamst«, erwiderte er.

Tina seufzte leise. »Wir haben Blumen gepflückt. Flieder. Hast du ihn im Wohnzimmer gesehen?«

»Nein.«

»Vater, Mitternacht ist nicht *so* spät!«

»Zu spät für ein junges Mädchen, das in drei Tagen seine mündliche Abiturprüfung hat!«

»Da mußt du dir doch keine Sorgen machen!«

Das stimmte. Ihre Noten waren immer hervorragend gewesen.

»Mir ist dieser Mario einfach suspekt, das ist es«, sagte Michael ehrlich, »du bist ohnehin zu jung für einen Freund!«

»Ich bin achtzehn. Und meine Freundinnen ...« Tina stockte, entschied im letzten Moment, ihrem Vater gegenüber nicht preiszugeben, mit welch atemberaubenden Erlebnissen ihre Freundinnen prahlten. Selbst wenn die Hälfte davon erfunden war, blieb genug, um Michael tief zu schockieren und um ihr, Tina, das Gefühl zu geben, ein Gänschen zu sein, das dringend ein paar äußerst wichtige Erfahrungen schnellstens nachholen mußte.

Michael hatte den begonnenen Satz nicht registriert. Er betrachtete seine Tochter mit einem Gefühl echten Schmerzes, und für Sekunden begriff Tina, die seinem Blick standhielt, voll Mitleid, was in ihm vorging. Aber der Egoismus der Jugend brach sich umgehend wieder Bahn. Von ihrem Vater erwartete sie, daß er, reif und vernünftig, etwas tolerierte, was sie selber im umgekehrten Fall bei ihm nie abzeptiert hätte: das Ausbrechen aus ihrer beider jahrealten, zärtlichen Kameradschaft, die mit fliegenden Fahnen vollzogene Hinwendung zu einem neuen Objekt der Liebe.

Sie hatte Mario Anfang Februar kennengelernt, an einem frostig-kalten Abend, an dem eine ihrer Freundinnen sie zu der Geburtstagsparty ihres älteren Bruders eingeladen hatte. Es waren nur Studenten auf dem Fest gewesen, und Tina hatte sich sehr verloren gefühlt. Sie stand mitten im Gedränge, hielt sich an einem Glas mit Cola fest und überlegte, wie sie unauffällig verschwinden könnte, als ein junger Mann sie ansprach. Er hatte dunkle Haare und sehr dunkle Augen und war dabei auffallend blaß im Gesicht. Wie sich später herausstellte, war er vom Gastgeber, der seine Gäste offenbar aufmerksam beobachtete, leise gebeten worden, sich um die schüchterne Christina Weiss zu kümmern. Sie kamen schnell ins Gespräch, fanden bald heraus, daß sie sich beide nicht besonders gut auf dem Fest amüsierten, und beschlossen, irgendwo zusammen essen zu gehen. Als Tina schließlich nach Hause kam, war es ein Uhr. Ihr Vater stand in der Tür und war außer sich vor Zorn.

»Wir hatten halb zwölf vereinbart!« rief er, packte sie am Arm und zerrte sie herein. »Wo warst du?«

»Ich bin von einem sehr netten jungen Mann zum Essen eingeladen worden«, antwortete Tina und rieb sich ihr schmerzendes Handgelenk, »und dabei haben wir die Zeit vergessen.«

»Du wirst ihn nie wiedersehen!«

»Ich bin achtzehn, Vater«, sagte Tina und sah Michael trotzig in die Augen.

Am folgenden Abend unterzog Michael sie einem Kreuzverhör. »Wie alt ist er? Was tut er? Wie heißt er? Was machen seine Eltern?«

Tina beantwortete alle Fragen in der Hoffnung, auf diese Weise einen länger andauernden Streit mit ihrem Vater zu vermeiden. »Er heißt Mario Beerbaum. Er ist vierundzwanzig und studiert Jura.«

»Ach«, sagte Michael, der Staatsanwalt war, überrascht.

»Er ist vor sechs Jahren mit seinen Eltern von München nach Hamburg gezogen. Sie haben hier eine Steuerberatungskanzlei aufgebaut und sind recht wohlhabend.«

»Hm. Hat er Geschwister?«

»Nein.«

Nichts von alldem, das mußte Michael zugeben, klang in irgendeiner Weise argwohnerweckend. Trotzdem paßte ihm die Geschichte einfach nicht. Er weigerte sich, Mario kennenzulernen, und er litt Qualen, wenn Tina mit ihm herumzog.

»Gestern abend, während du fort warst, hat übrigens deine Tante Paula angerufen«, berichtete er nun. »Sie wollte wissen, wie es mit deinem Abitur steht.«

»Gut, wie soll es sonst stehen?« sagte Tina mißmutig. Sie mochte Tante Paula nicht besonders. Es war Michaels ältere Schwester, eine humorlose, strenge Frau, die nie geheiratet hatte. Sie lebte in Berlin und verteidigte hartnäckig die Behauptung, dort vor vierzig Jahren einen Verehrer gehabt zu haben, der unglücklicherweise an einer Lungenentzündung gestorben war, ehe er sie hatte ehelichen können. Tina bezweifelte, daß das stimmte. Ihrer Ansicht nach wollte sich Paula damit nur vor dem Makel der Altjüngferlichkeit schützen, der ihr aufgrund der knochigen Gestalt, der schmalen Lippen und der völligen Abgekehrtheit von allen irdischen Freuden ohnehin anhaftete. Bruder und Nichte behandelte sie gleichermaßen von oben herab und nörglerisch, wobei Michael jedoch begriff, daß sie trotzdem an ihnen beiden aus tiefster Seele hing. Er sah die Tragik ihres einsamen, unfrohen Lebens, während Tina sich weigerte, Verständnis für eine Frau aufzubringen, die ständig an ihr herumerzog und sie ununterbrochen kritisierte.

»Paula möchte dich nach dem Abitur zu sich nach Berlin einladen«, sagte Michael, »sie will dir Stadt und Umgebung zeigen.«

»Gott, ich *kenne* Berlin«, sagte Tina, »wir waren hundertmal dort!«

»Aber immer nur kurz. Und von der Umgebung kennst du gar nichts, da durfte man ja früher nie hin.«

»Vater, nein! Ich will nicht hinter diesem staubtrockenen, wandelnden Geschichtsbuch hertrotten und mir dabei auch noch dauernd sagen lassen, ich solle meine Haare anständig kämmen und nicht so enge Jeans tragen!«

»Sie meint es doch gut. Sie will dir eine Freude machen, und . . .«

»Es geht sowieso nicht«, unterbrach Tina hastig. Sie sah ihren Vater nicht an. »Nach dem Abi werde ich mit Mario für einige Zeit verreisen.«

Schweigen. Dann kam von Michael ein leises: »Was?«

»Es muß sein. Ich werde es tun.«

»Warum *muß* es sein?«

»Das verstehst du nicht«, sagte Tina kurz. Ihr Vater war der letzte Mensch, mit dem sie hätte besprechen mögen, daß sie mit Mario ein großes Problem hatte.

Das Haus war alt, vor über hundert Jahren gebaut, von außen ein behäbiges, steinernes Gebäude, innen verwinkelt, verwohnt, anheimelnd. Es stand inmitten weiter Wiesen und Weiden. Ein breiter, gepflasterter Hof lag vor dem Portal, eine Allee windgezauster Weidenbäume säumte den Weg bis hin zur Landstraße, die sich als graues Band durch die Rapsfelder schlängelte und selten einmal von einem Auto befahren wurde. Hier oben, im äußersten Norden Deutschlands, kaum zwei Kilometer von der dänischen Grenze entfernt, verliefen die Tage und Nächte ruhig. Ein paar vereinzelte Gehöfte aus roten Klinkersteinen, gescheckte Kühe auf saftig grünen Wiesen, kleine Ortschaften, in denen jeder jeden kannte. Touristen kamen eher auf der Durchfahrt hierher, wollten entweder weiter nach Skandinavien oder hinüber zu den nordfriesischen Inseln. Die verträumten kleinen Buchten entlang der Ostsee waren noch nicht wirklich entdeckt worden.

Das alte Haus war früher Mittelpunkt eines großen Gutes gewesen, aber Ställe und Scheunen hatte man inzwischen abgerissen. Die Familie, die hier residiert hatte, war zerstreut in alle Winde. Irgendwann hatte es sich für die junge Generation nicht mehr gelohnt, das feudale Herrenhaus weiterhin zu erhalten und unter ungeheurem Kostenaufwand praktisch das ganze Jahr über leerstehen zu lassen. Dann und wann war die eine oder andere Urenkelin des Erbauers hierher geflüchtet, um einen Liebeskummer zu überwinden oder sich auf ein Examen vorzubereiten; ab und zu hatte eine Familie den Sommerurlaub hier verbracht und sich gründlich gelangweilt; vereinzelt war auch der Versuch unternommen worden, Weihnachts- oder Silvesterfeiern für alle Mitglieder des Clans in den alten Räumen zu organisieren – was nie zu etwas anderem als zu handfesten Krächen und vorzeitigen Abreisen geführt hatte. Anfang der achtziger Jahre hatte man sich endlich geeinigt, das Anwesen zu verkaufen. Den Zuschlag hatte ein alleinstehender Herr, ein Professor der Psychotherapie aus Hamburg, erhalten. Der fünfzigjährige Friedrich Echinger, im richtigen Moment in den Besitz einer Erbschaft gelangt, hatte sich einen Lebenstraum erfüllt und in der nordischen Einsamkeit seine eigene Privatklinik für Nervenheilkunde und Psychotherapie gegründet. Nach einigen Anfangsschwierigkeiten riß man sich inzwischen darum, hier einen Platz zu ergattern. Echinger hatte hervorragende Ärzte eingestellt, idealistische, engagierte Leute, die die Weltabgeschiedenheit dieses Ortes nicht schreckte. Die Betreuung galt als vorbildlich.

Maximilian Beerbaum stand an einem Fenster im ersten Stock und blickte hinaus in den verregneten Maitag. Gerade jetzt wurde der Regen, der die ganze Nacht vom Himmel gerauscht war, schwächer. Die Wolken rissen auf, Blau blitzte hervor. Die tropfend nassen Rapsfelder wiegten sich im leisen Wind. Die riesigen Farnblätter im Garten glänzten dunkelgrün und feucht. Mit schrillem Gesang begrüßten die Vögel die ersten tastenden Sonnenstrahlen. Ein Rotkehlchen hatte sich auf der Mauer, die den Garten umschloß, niedergelassen und pickte heftig in den Ritzen zwischen den Steinen. Die Mauer, stilvoll aus rechteckigen, feldgrauen Steinen zusammengesetzt, war drei Meter hoch und gehörte zu den wenigen Dingen, die daran erinnerten, daß man in diesem Haus nicht ohne weiteres kommen und gehen durfte.

»Es hört auf zu regnen«, sagte Maximilian und wandte sich vom Fenster ab. Professor Echinger saß in seinem schwarzen Ledersessel an der Stirnseite des Raumes, die Beine übereinandergeschlagen, die Hände auf dem Schoß gefaltet. Er betrachtete Maximilian über den schmalen Goldrand seiner Lesebrille hinweg.

»Vermutlich werden Sie dann nachher wieder zu einer Ihrer langen Wanderungen aufbrechen«, bemerkte er.

Maximilian zuckte mit den Schultern. »Ich weiß noch nicht. Als ich vor einem Jahr zum erstenmal allein und unbewacht durch die Pforte da unten gehen durfte, war es wie ein Wunder für mich. Ich konnte nicht genug davon bekommen. Durch die Wiesen streifen, an einem Teich liegen und Frösche beobachten . . .«

»Sie haben Ihre Freiheit sehr vermißt in all den Jahren, nicht wahr?« fragte Echinger behutsam.

Maximilian nickte. Er ging zu seinem Sessel zurück, der dem des Professors gegenüber stand, und setzte sich wieder. Er lehnte sich jedoch nicht entspannt zurück, sondern stützte beide Arme auf die Knie und den Kopf in die Hände.

»Am Anfang ging es mir sehr schlecht, das wissen Sie ja. Die ersten zwei Jahre waren . . . ach, vergessen wir's lieber. Dann kam eine Phase, da war ich dankbar, hier zu sein und nicht im Gefängnis. Ich war bereit, das Gute an meiner Situation zu sehen. Aber Dankbarkeit ist kein besonders haltbares Gefühl, finden Sie nicht auch? Die Depressionen kamen nicht wieder, aber trotzdem fühlte ich mich... als sei *dies* hier ein Gefängnis.« Maximilian schwieg einen Moment, dann blickte er auf und sah den Professor an. »Ich hoffe, ich kränke Sie nicht mit meinen Worten?«

»Durchaus nicht«, erwiderte Echinger, »ich kann Ihre Gefühle sehr gut verstehen. Sagen Sie, was empfinden Sie, wenn Sie jetzt daran denken, nach Hause zurückzukehren?«

Maximilian lachte leise auf, erhob sich erneut und blieb hinter seinem Sessel stehen. »Nach Hause! Sie wissen doch, daß es das für mich nicht mehr gibt!«

»Die Dinge haben sich immer noch nicht geklärt?«

»Mein Vater lehnt es strikt ab, mich wieder aufzunehmen. Meine Mutter ist anderer Meinung, aber sie wird sich nicht durchsetzen können. Der Platz auf dieser entsetzlichen Farm in Schottland ist mir so gut wie sicher.«

»Sie haben keinerlei Ambitionen, dorthin zu gehen?«

In Maximilians Augen trat ein zynischer Ausdruck. Professor Echinger wurde sich einmal mehr bewußt, wie intelligent und wie – um das banale Wort zu gebrauchen – *schön* dieser junge Mann aussah. Seine Augen waren von einem so tiefen Braun, daß sie schwarz wie Kohle wirkten. Er besaß ein Lächeln, mit dem er jeden zu umarmen schien, dem er es schenkte. Zeitlebens würde er fremde Menschen in Sekundenschnelle für sich gewinnen können. Unglücklicherweise würde ihm diese Fähigkeit das Leben jedoch keineswegs leichter machen.

»Sie wissen doch, was für Leute auf dieser Farm sind? Drogenabhängige. Kriminelle. Alkoholiker. Das einfache

Leben auf dem Land in einer kleinen Gemeinschaft, die Verantwortung für Tiere, die harte Arbeit auf dem Feld soll ihnen den Weg zurück ins bürgerliche Leben ermöglichen. Es mag sein, daß das manchem hilft, aber . . .«

»Projekte dieser Art haben sich bereits sehr bewährt.«

»Ja. Aber ich bin doch ohnehin gesund. Wozu muß ich einen Acker pflügen und auf einer Holzpritsche schlafen?«

»Die anderen jungen Leute, die dorthin kommen, sind auch nicht mehr krank«, sagte Echinger. »Es sind *ehemalige* Drogenabhängige. *Ehemalige* Alkoholiker. *Ehemalige* Kriminelle. Sie müssen nun lernen . . .«

»Ehemalige Kriminelle«, unterbrach Maximilian. »Wie ich.«

»Sie sind vierundzwanzig Jahre alt. Erwachsen. Und frei. Aufgrund mehrerer voneinander unabhängiger Gutachten hat das Landgericht die Aussetzung Ihrer Unterbringung hier bestimmt. Niemand kann Sie zwingen, irgendwohin zu gehen, wohin Sie nicht wollen. Sie unterliegen einer gewissen Kontrolle durch Ihre Führungsaufsicht, und die hat dem Schottland-Plan zwar zugestimmt, wird ihn aber nie gegen Ihren Willen durchsetzen wollen. Sie können nein sagen.«

Maximilian lächelte. »Theoretisch vielleicht. Aber wie sehen denn meine Lebensumstände aus, wenn ich diese Mauern hier verlasse? Ich habe keinen Schulabschluß, geschweige denn eine Ausbildung. Ich habe kein Geld. Dafür habe ich Papiere, die einen sechsjährigen Aufenthalt in einer psychiatrischen Klinik belegen. Ganz abgesehen von . . .« Er biß sich auf die Lippen.

»Ja?« sagte Echinger.

»Das, weswegen ich überhaupt hierhergekommen bin«, sagte Maximilian leise.

Echinger schaute auf die kleine Uhr, die vor ihm auf

einem Tisch stand und es ihm ermöglichte, die Zeit zu kontrollieren, ohne den Patienten nervös zu machen – wie er es mit einem Blick auf eine Armbanduhr getan hätte. »Unsere Zeit ist leider vorbei. Ich werde mit Sicherheit noch einmal mit Ihrem Vater sprechen.«

»Das wird nichts nützen. Er will mich so weit weg haben, wie es nur geht. Schottland! Eine abgelegene Farm irgendwo in der Einsamkeit. Glauben Sie, die hat er *zufällig* gewählt? Eigentlich ein Wunder, daß er mich nicht gleich nach Amerika schickt!« Maximilian ging zur Tür. Der Professor erhob sich, nahm die Brille ab. Es war ein Privileg, das wußte Maximilian, hier in der Klinik von Echinger selbst therapiert zu werden. Der Mann hatte hohe Qualitäten. Das Problem war, daß sein Einfluß spätestens am Ende der Auffahrtsallee seines Herrenhauses endete. Er konnte einen Patienten auf die Füße stellen, mußte ihn dann jedoch alleine laufen lassen. Maximilian hatte plötzlich das Gefühl, als lauere jenseits dieser wilden, regennassen Einsamkeit um ihn herum eine Welt, die außer Gefahr und Feindseligkeit nichts bereit hielt – und mit der er nach den Jahren der Geborgenheit nicht würde zurechtkommen können. Für Sekunden überschwemmte ihn die Panik, die er hier erst kennengelernt, gegen die er während des letzten Jahres bis zur völligen Erschöpfung gekämpft hatte. Er spürte, wie er bleich wurde. Auch dem Professor war der kritische Moment nicht entgangen.

»Ihr Bruder«, sagte er, »Ihr Zwillingsbruder ... *er* will Sie doch zu Hause haben, oder?«

Maximilian, die Hand schon auf der Türklinke, drehte sich um. »Mario ... ich weiß nicht. Er ist verändert seit einiger Zeit. Irgend etwas ... er spricht nicht darüber. Ich habe das Gefühl, er entfernt sich von mir.« Er verließ den Raum, die Tür fiel hinter ihm zu.

Nachdenklich trat der Professor an seinen Schreibtisch, nahm ein großes, ledergebundenes Notizbuch aus der Schublade und begann, ein paar Informationen aus der vergangenen Stunde schriftlich festzuhalten. Er fragte sich, warum er sich auf einmal so müde fühlte. So mutlos und alt.

Er legte den Stift weg, stand auf, trat ans Fenster und öffnete es. Tief atmete er die frische, feuchte Luft.

Es hatte ihn immer deprimiert, einen Patienten hergeben zu müssen. Kritisch, wie er sich selbst gegenüber zu sein pflegte, sagte er sich oft, daß er damit in ein Fehlverhalten fiel, das einem Therapeuten nicht angemessen war. Sosehr er es zu vermeiden suchte, schlüpfte er doch in eine Vaterrolle gegenüber dem jeweiligen Menschen, der ihm auf dem Stuhl gegenüber saß und ihm Einblick in seine Psyche gewährte, der Rat, Trost, Hilfe bei ihm suchte, der ihn für einige Zeit zur obersten Instanz in Fragen der Lebensbewältigung erhob. Wenn er sie dann hinausschicken mußte aus den beschützenden Mauern seines Hauses, wenn er sie wieder der Welt und dem Leben und allen damit verbundenen Unwägbarkeiten überantworten mußte, war es ihm, als risse er sich seine Kinder vom Herzen und werfe sie in einen Fluß – letzten Endes immer unsicher, ob sie schwimmen konnten. Wenn er in der Verfassung war, besonders hart mit sich ins Gericht zu gehen, dann warf er sich vor, sich mit der angeblichen Angst um das weitere Schicksal seiner Schützlinge etwas in die eigene Tasche zu lügen – denn wenn es auch nicht hätte sein dürfen, daß er seine Patienten als Kinder empfand, so trug dieses Gefühl doch den schönen Mantel der Sorge, des Mitgefühls, der Verantwortung. Weit schlimmer und unverzeihlicher wäre es, wenn er es in Wahrheit nicht ertrüge, seinen Einfluß zu verlieren, nicht länger der Anker zu sein, an den sie sich klammerten. Wie größenwahnsinnig wurde man hier in der Abgeschiedenheit der Klinik, hinter den hohen Mauern, in denen man Vater, Mutter, Gott für die Patienten war?

Warum bedrückte ihn gerade das Schicksal des Maximilian Beerbaum? Weil er die schweren Probleme kannte, die auf den jungen Mann zukamen, wenn sich sein Vater tatsächlich fortdauernd gegen ihn sperrte? Oder weil er einen Patienten gehen lassen mußte, der sich nie wirklich an ihn geklammert hatte, nicht in den ersten beiden Jahren seiner schlimmen Depressionen (da hatte er nach Mutter und Bruder verlangt), und nicht später, als er gesundete. Im Gegenteil, manchmal hatte er mit seiner zynischen Intelligenz eine Mauer zwischen ihnen errichtet, hatte häufig eine spöttische Distanz zu seinem Therapeuten herausgekehrt. Kratzte Maximilian Beerbaum – so stolz er auf seine glänzende Entwicklung als »Fall« sein konnte – als Mensch an seinem, Echingers, Selbstwertgefühl?

Der Gedanke war zutiefst beunruhigend. Und bei aller harten Ehrlichkeit sich selbst gegenüber würde er diese Frage nicht befriedigend lösen können. Wann aber gab die menschliche Seele je auf irgend etwas eine befriedigende – und er hätte befriedigend in diesem Fall als *eindeutig* definiert – Antwort?

Vielleicht lag dies seiner Müdigkeit zugrunde: die lebenslange Beschäftigung mit einer Wissenschaft, die im strengen Sinne keine Wissenschaft war. In der zwei und zwei nicht vier, sondern fünf oder acht ergaben. In der das Nachdenken über die Psyche, die eigene oder fremde, leicht in neurotisches und nie endenwollendes Zerfleischen führen konnte.

Es macht müde, dachte er, es macht müde, nie eine Antwort zu finden.

Er schloß die Augen.

Andrew Davies wohnte noch immer in der kleinen Stadtwohnung in Chelsea, deren Adresse er Jahre zuvor Janet
als sein letztes Lebenszeichen nach Deutschland geschrie-
ben hatte.

Als Janet am Abend zuvor von Maidstone aus bei ihm
angerufen hatte, war sie fast überzeugt gewesen, daß sich
irgendein Fremder melden und sie erfahren würde, daß
Andrew schon vor langer Zeit fortgezogen war. Als sie
seine Stimme – unverkennbar – »Hello?« sagen hörte,
blieb ihr vor Überraschung die Sprache weg. Erst als von
Andrew ein ärgerliches »Wer ist denn da?« kam, faßte sie
sich wieder.

»Ich bin es. Janet.«

Nun schwieg Andrew. Nach einer Weile fragte er ungläubig: »Janet? Das gibt es doch nicht!«

»Doch. Ich bin zufällig gerade in England, und da
dachte ich, ich rufe dich an.«

»Bist du hier in London?«

»Nein, in Maidstone. Ich komme aber morgen früh
nach London.« Sie würde zwar noch heute nacht in London eintreffen und sich ein Hotel suchen, aber er sollte
nicht den Eindruck haben, überfallen zu werden.

»Morgen früh?« Er überlegte. »Du meinst, wir könnten
uns treffen?«

»Ja. Wenn du Zeit hast.«

»Morgen den ganzen Tag über leider nicht. Aber ich
wäre so ab halb sechs abends frei. Bist du da schon wieder
weg?«

Janet überlegte, ob er sie im Grunde vielleicht gar nicht
sehen wollte und nur in der Hoffnung, sie wäre dann
schon nicht mehr da, den nächsten Abend anvisiert hatte.
Sie beschloß, das Risiko einzugehen.

»Ich bleibe länger in England«, sagte sie, »ich hätte also
Zeit.«

Andrew wirkte aufrichtig erfreut. »Dann paßt es doch gut. Wo wollen wir uns treffen?«

»Ich könnte dich einfach abholen. Um sechs Uhr.«

»Okay. Janet – ich freue mich!«

Dann hatten sie das Gespräch beendet, und Janet war noch bis London gefahren, hatte den Wagen zurückgegeben und sich ein Hotelzimmer genommen. Am nächsten Morgen stellte sie fest, daß sie, wenn sie wirklich länger bleiben wollte, dringend ein paar Kleidungsstücke und vor allem Wäsche zum Wechseln kaufen mußte. Ihre Kreditkarte lief auf ihr und Phillips gemeinsames Konto, und sie konnte sich vorstellen, daß er nicht begeistert sein würde, wenn sämtliche Ausgaben ihres ungeplanten England-Trips abgebucht würden, aber sie verdrängte den Gedanken daran. Sie ging wieder zu Harrod's, kaufte Wäsche, Strümpfe, ein paar feste Schuhe, Jeans, zwei Pullover und ein Kleid. Wann immer sie drohte, in Grübeleien über Phillip und Mario zu versinken, befahl sie sich sofort, sich mit etwas völlig anderem zu beschäftigen – zum Beispiel, mit einem indiskutablen Kleid in einer Umkleidekabine zu verschwinden und sich hineinzuquälen, nur um über das viel zu aufreizende Dekolleté zu lachen und sich einen Moment lang zu fragen, ob es wirklich Frauen gab, die sich damit in die Öffentlichkeit wagten. Auf diese Weise schaffte sie es, sich bis zum Nachmittag von all den ungelösten Problemen daheim abzulenken, und dann war sie so nervös wegen der bevorstehenden Begegnung mit Andrew, daß sie ohnehin an nichts anderes mehr denken konnte.

Sie fand auf einmal, daß sie völlig unattraktiv aussah. Das Kleid, das sie sich gekauft hatte, stand ihr nicht, es wirkte altbacken und bieder. Ihre Haare schienen stumpf und strähnig. Ihre Augen sahen müde aus. Ängstlich faßte sie sich an den Hals, tastete mit den Händen, suchte mit dem Blick gnadenlos nach jeder Falte. Sie hatte nie zu den Frauen gehört, die sich in Angst vor dem Älterwerden verzehren, aber jetzt kam ihr zu Bewußtsein, daß sie fünfundzwanzig gewesen war, als Andrew sie zuletzt gesehen hatte – fünfundzwanzig, sehr sexy, sehr aufreizend und dann und wann ziemlich schamlos.

»Und heute bist du dreiundvierzig«, sagte sie zu ihrem Spiegelbild. »Warum gehst du überhaupt zu diesem Mann?«

Das schien ihr eine gute Frage. Sie hatte sich sowieso unmöglich benommen. Andrew hatte überlegt, wo sie sich treffen könnten, und sie hatte sofort gesagt, sie werde zu ihm in die Wohnung kommen. Gehörte sich das – selbst wenn man mit dem betreffenden Mann die wahnsinnigsten Nächte seines Lebens verbracht hatte?

»Ich werde einfach nicht hingehen«, sagte sie sich, »er weiß nicht, in welchem Hotel ich bin, also kann er auch nicht anrufen und fragen, wo ich bleibe. Er wird genauso kaltgestellt wie Phillip.«

Aber Andrew war eben nicht Phillip, und Janet hatte ihn schon immer anders behandelt. Andrew wurde nicht einfach ohne Absage sitzengelassen, sowenig, wie sie ihn je mit ihren Launen traktiert, mit Gebrüll entnervt, mit zähem Schweigen zerrüttet hatte. Phillip hatte Türenschlagen, Tränenströme, zerworfenes Geschirr und wochenlange sexuelle Verweigerung für ein einziges falsches Wort abbekommen; Andrew war von ihr noch mit Samthandschuhen angefaßt worden, als er sie schon fortlaufend betrogen und erniedrigt hatte.

Und so machte sich Janet auch jetzt auf den Weg, nachdem sie sich mit einem Piccolo aus der Minibar noch etwas Mut angetrunken hatte. Sie ließ sich mit dem Taxi bis zum Chelsea Embankment bringen und ging dann zu Fuß am Fluß entlang, bis zum Cheyne Walk. Der warme Maiabend bewirkte, daß sie sich sofort besser fühlte. Es hatte den ganzen Tag nicht mehr geregnet, und es war seit gestern deutlich wärmer geworden. Die Bäume standen in voller Blüte, und ihre Zweige spielten im Wind, es roch nach Fluß und Algen, und auf der Themse schaukelten weiße Boote. Das goldfarbene Abendlicht lockte viele Menschen zu einem Spaziergang: Herren in grauen Anzügen, die auf dem Heimweg von ihren Büros waren; Liebespaare, die engumschlungen unter den Bäumen wandelten; ältere Leute, die auf den Bänken dösten; Kinder, die spielten oder mit ihren Skateboards fuhren. Janet bog in die Old Church Street ab. Als sie die King's Road erreichte, war sie blendender Laune, fing an, sich schön zu finden, sich mit dem Kleid, das sie trug, auszusöhnen. Empfindungen erwachten in ihr, die so lange verschüttet gewesen waren, daß Janet sie schon längst vergessen geglaubt hatte: Freiheit, Leichtigkeit, ein sorgloses, neugieriges Abwarten dessen, was kommen mochte.

Andrew wohnte am Chelsea Square. Als Janet bei »Davies« klingelte, spürte sie, daß sich ihre Wangen gerötet hatten, wußte sie, daß ihre Augen den müden Ausdruck verloren hatten. Der Summer erklang, sie trat ein. Andrew beugte sich über das obere Treppengeländer und fragte: »Janet?«

Nach der Helligkeit draußen hatten ihre Augen Schwierigkeiten mit dem Dämmerlicht. Sie blinzelte.

»Ja, ich bin es.« Sie ging die Treppe hinauf.

Als Mario am Abend nach Hause kam, war er erstaunt, seinen Vater im Garten anzutreffen. Phillip machte sich in seiner langsamen, umständlichen Art am Rosenbeet zu schaffen. Er hatte überhaupt keine Beziehung zu Pflanzen und besaß nicht die mindeste Geschicklichkeit im Umgang mit ihnen; daher vermied er jegliche gärtnerische

Tätigkeit nach Kräften. Er mußte sich in einer akuten Krise befinden, wenn er das Haus verließ und in der Erde zu wühlen begann.

»Ich dachte, du wolltest nach Schottland«, sagte Mario.

Phillip hielt eine Gartenschere wie ein Bajonett in den Händen und schnitt die Rosensträucher zu winzigen Krüppeln zusammen.

»Ich habe bei Grant angerufen«, erklärte er wütend, »dieser Mann ist der arroganteste Mensch, der mir je begegnet ist. Nachdem es Janet nicht für nötig befunden hat, zum vereinbarten Termin pünktlich zu erscheinen, so sagte er, habe er den Platz bereits anderweitig vergeben.«

Phillip spitzte den Mund und imitierte Mr. Grant mit affektierter Fistelstimme. »Was glauben Sie, wie lang die Liste unserer Anfragen ist? Ich kann es mir nicht leisten, andere Hilfebedürftige warten zu lassen, nur weil Ihre Frau sich nicht entscheiden kann!«

Ein zorniges Schnappen der Schere folgte, und ein dicker Zweig mit einer dunkelroten Knospe daran flog durch die Luft. Mario hielt Phillips Hand fest. »Was machst du denn mit den armen Rosen?«

»Die muß man doch ab und zu zusammenschneiden, oder?« meinte Phillip etwas unsicher.

»Im Herbst eher. Jedenfalls bestimmt nicht jetzt«, sagte Mario. Er nahm seine Sonnenbrille ab, mit der er wie ein charmanter, leichtsinniger italienischer Schauspieler aussah. »Wann kommt Janet?«

Phillip gab es auf, die Rosen zu traktieren, und legte die Schere weg. Langsam zog er die Gartenhandschuhe aus. »Ich weiß nicht«, antwortete er. »ich habe seit gestern abend nichts mehr von ihr gehört.«

Mario starrte ihn überrascht an. »Sie hat sich nicht mehr gemeldet?«

»Nein.«

»Ja, aber . . . das sagst du so einfach? Vielleicht ist ja etwas passiert!«

»Was soll ich denn deiner Ansicht nach tun?«

»Ich weiß nicht . . . aber wir können doch auch nicht einfach *nichts* tun!«

»Vielleicht besucht sie Freunde von früher. Ich habe ihre Tante Liz in Ely angerufen. Falls Janet bei einem von ihnen auftaucht, wird Liz das erfahren und mich verständigen.«

»Ich finde das nicht richtig von Janet«, sagte Mario verärgert, »sie gondelt irgendwo in England herum und läßt uns völlig im Ungewissen!«

»Ich denke, im Augenblick läuft sie vor der Last der Probleme davon. Sie weiß genausowenig wie ich, was mit Maximilian werden soll, und da taucht sie einfach unter.«

»Wirklich, Vater, ich verstehe das alles nicht. Warum kann er nicht einfach wieder bei uns leben?«

»Niemand hier weiß, daß es ihn überhaupt gibt. Wie sollen wir denn sein Auftauchen erklären?«

»Geht es dir nur um die *Leute*?«

»Wir haben uns hier etwas aufgebaut, Mario. Ich bin Steuerberater. Ich bin darauf angewiesen, daß die Leute zu mir kommen und mir vertrauen. Ich weiß, daß das gerade in deiner Generation als spießig gilt, aber für mich ist es existentiell wichtig, einen guten Ruf zu haben. Wenn sich herumspricht, daß mein Sohn . . .« Er sprach nicht weiter. Achtlos warf er seine Handschuhe ins Gras. »Komm. Wir gehen hinein und sehen nach, was wir uns zum Abendessen machen könnten.«

Als sie beide in der Küche standen, Tomaten schnitten und Gurken raspelten, sagte Mario beiläufig: »Tina macht am Montag ihre mündliche Abiturprüfung.« Phillip stutzte, dann fiel es ihm wieder ein. Tina, das Mädchen, von dem Mario am Abend zuvor berichtet hatte.

»Wie lange kennst du sie schon?« fragte er.

»Seit Anfang Februar.«

»Du hast nie etwas gesagt.«

Mario zuckte mit den Schultern. »Ich wollte es eben erst mal für mich behalten.«

»Verstehe. Und nun macht sie Abitur?«

»Ja. Und eine Woche später, am Pfingstmontag, würden wir gerne zusammen wegfahren. Für länger, meine ich.«

Phillip kippte die Tomaten in eine Salatschüssel. »Klar. Sie wird Erholung nötig haben, nicht? Wohin wollt ihr denn?«

»Darüber wollte ich eben mit dir sprechen. Ich dachte an die Provence.«

»An Duverelle etwa?«

»Seit Ewigkeiten war keiner von uns mehr im Häuschen. Es wäre auch eine gute Gelegenheit, nach dem Rechten zu sehen.«

»Ich trage mich schon seit einiger Zeit mit dem Gedanken, das Haus zu verkaufen«, sagte Phillip, »es kostet nur noch Unterhalt und wird nicht mehr genutzt.«

»Aber es verbinden sich so viele Erinnerungen damit. Alle unsere Ferien früher . . .«

»Ja«, sagte Phillip, »früher . . .« Einen Augenblick lang hing er ein paar schönen, verschwommenen Bildern nach, dann bemerkte er, daß sein Sohn ihn abwartend ansah.

»Von mir aus könnt ihr dort gerne Urlaub machen. Jederzeit. Ich fürchte nur, deine Tina wird sich dort langweilen. Sie würde doch sicher lieber in ein schickes Hotel an der Côte d'Azur fahren?«

»Es wird ihr schon gefallen«, meinte Mario, »ich treffe sie nachher, da werde ich ihr gleich die gute Nachricht überbringen.«

Etwas in seinem Tonfall irritierte Phillip. Er betrachtete seinen Sohn nachdenklich. Mario hatte weder glücklich geklungen, noch sah er glücklich aus. Er schien keineswegs erpicht darauf, mit Tina zu verreisen.

»Irgend etwas mußt du falsch machen«, sagte Dana. Sie saß auf dem Fensterbrett in Tinas Zimmer, die Füße auf die Rückenlehne eines Sessels gestützt, ein aufgeschlagenes Physikbuch auf dem Schoß. »Wahrscheinlich ermutigst du ihn nicht genug.«

Tina lag mitten im Zimmer auf dem Bauch, ebenfalls ein Physikbuch vor sich und offenbar genausowenig mit seinem Inhalt beschäftigt wie ihre Freundin. Sie und Dana kannten sich seit dem ersten Schuljahr. Sie vertrauten einander ohne jeden Vorbehalt; es gab nichts, was sie nicht geteilt hätten. Äußerlich waren sie sehr verschieden: Die zierliche, blonde Tina reichte der kräftigen, dunkelhaarigen Dana gerade bis zur Nase. Dana hatte bereits mit zwölf Jahren den Körper einer Frau gehabt, während Tina selbst jetzt mit achtzehn noch wie ein mageres Kind aussah. Es deprimierte Tina manchmal, miterleben zu müssen, welch eine heftige Wirkung Dana auf Männer hatte; sie zog sie geradezu magisch an, wo immer sie ging und stand. Selbstverständlich hatte sie bereits die wesentlichen Dinge des Lebens in ihrer ganzen Bandbreite ausprobiert: Sex, Hasch rauchen und mit windigen Typen durchbrennen. Sie war mit einer Motorradgang nach Spanien zu einem Rockfestival gebraust und auf eigene Faust durch Kanada getrampt. Mit einem ältlichen Liebhaber hatte sie sich ein Jahr lang – sie war fünfzehn gewesen – einmal pro Woche in einer Suite im »Atlantic« getroffen, sich mit Kaviar füttern lassen und eine ganze Kollektion Modellkleider abgestaubt. Gleichzeitig war sie mit einem langhaarigen Herumtreiber liiert gewesen, mit dem sie sich auf dem Rücksitz seines altersschwachen, buntbemalten Käfers amüsiert hatte. Dana hatte weder Dünkel noch Prinzipien. Sie nahm mit, was ihr Spaß machte, und da ihre Mutter, eine alleinerziehende, liberale Journalistin, schlechthin *alles* erlaubte, stieß sie nie an eine Grenze. Trotz allem hing sie mit einer rührenden Liebe an der altmodischen Tina, die ihr, zusammen mit dem konservativen Michael, den Halt gab, nach dem sie, ohne es zu wissen, ständig suchte.

»Vielleicht hat ihn eingeschüchtert, was ich ihm von meinem Vater erzählt habe«, meinte Tina nun, Danas Bemerkung aufgreifend. »Er denkt sicher, wenn er mir nur einen Schritt zu nahe kommt, wird Vater ihn erschießen.«

»Ganz unbegründet wäre diese Sorge natürlich nicht«, sagte Dana. Sie trug Jeans, dazu ein Oberteil, das ihren Nabel freiließ und so über ihren vollen Brüsten spannte, daß Michael, der ihr unten im Flur begegnet war, verlegen zur Seite geblickt hatte. »Trotzdem, dieser Mario ist ein junger Typ von vierundzwanzig Jahren. Er sollte Manns genug sein . . .«

»Was?« fragte Tina.

Dana grinste. »Mein Gott, Tina, ihr seid oft genug allein! Ich meine, dein Vater sieht's dir hinterher schon nicht an.«

Tina wurde rot, Dana übersah dies taktvoll. »Nur gut, daß du darauf bestanden hast, daß er mit dir verreist«, sagte sie.

»Er fragt heute seinen Vater, ob er das Haus bei Nizza haben kann«, erklärte Tina.

»Also, ich würde sagen, das ist seine letzte Chance. Wenn er da auch nicht mit dir schläft, stimmt etwas nicht mit ihm!«

»Dana, du redest, als ginge es um irgendeine Prüfung! Seine letzte Chance! Ich liebe Mario. Es spricht doch für ihn, daß er es nicht so eilig hat. Wir sind ja auch erst seit vier Monaten zusammen.«

»Schlimm genug«, sagte Dana. Sie kramte eine Zigarette hervor und zündete sie an. »Irgendwie... ich weiß nicht...«, sagte sie sehr unbestimmt und blickte dem Rauch nach.

Tina sah ihre Freundin eindringlich an.

»Dana, sei bitte ganz ehrlich, wie gefällt dir Mario?«

»Oh, ich kenne ihn ja kaum«, wich Dana sofort aus. Tatsächlich waren sie und Mario einander erst zweimal begegnet. Ganz flüchtig bei jener ersten Party, auf der auch Tina ihn kennengelernt hatte, und dann auf Danas Geburtstag im April. Es waren immer zu viele Menschen dabei gewesen, als daß sich Dana länger und genauer mit Mario hätte befassen können, aber Tina wußte, daß sie sich trotzdem ein Bild gemacht hatte. Dana bildete sich immer sofort ein Urteil – und lag dabei meist richtig.

»Du hast doch irgendeine Meinung zu ihm«, bohrte Tina nach.

Dana gab sich einen Ruck. »Okay. Wenn du es unbedingt wissen willst – ich mag ihn nicht besonders.«

»Aber als ich dich das erste Mal gefragt habe, hast du gesagt, du findest ihn ganz nett«, sagte Tina etwas verletzt.

»Ja, das hab' ich gesagt.« Dana war verlegen, weil sie geschwindelt hatte, was Tina gegenüber noch nie vorgekommen war. »Ich wollte dir nicht weh tun. Außerdem fand ich es so gut, daß du dir endlich mal einen Kerl an Land gezogen hast, da mochte ich nicht riskieren, ihn dir auszureden.«

»Und warum magst du ihn nicht?«

»Nur ein Gefühl. Ich kann's nicht erklären. Es ist etwas an ihm... liebe Güte, ich kann es wirklich nicht in Worte fassen. Wahrscheinlich bilde ich mir was ein.«

»Wahrscheinlich«, stimmte Tina erleichtert zu. Ihrer Ansicht nach würde Dana gegenüber jedem Mann mißtrauisch werden, der nicht sofort über eine Frau herfiel. Insgeheim hielt sie Mario vermutlich für schwul.

»Dein Vater läßt dich so ohne weiteres wegfahren?« fragte Dana nun, bestrebt, das Thema zu wechseln.

Tina schüttelte den Kopf. »Nein. Keineswegs ohne weiteres. Er wollte es mir am liebsten verbieten. Ich habe zum ersten Mal darauf gepocht, daß ich volljährig bin. Seitdem ist es zwischen uns nicht mehr, wie es war. Er weiß, daß er die Reise nicht verhindern kann, und ich habe irgendwie ein schlechtes Gewissen.«

»Großer Gott, du wirst es dir doch hoffentlich nicht anders überlegen? Wenn du nicht mit ihm verreist, wird das nie etwas!«

»Ich tue es ja«, sagte Tina kurz. Plötzlich dachte sie, es wäre besser gewesen, sie hätte niemals jemandem von Mario erzählt. Dann hätte Dana nicht sagen können, daß sie ihn nicht mochte, und ihr Vater hätte nicht darauf beharren können, ihn vor der Reise nun doch noch kennenzulernen. Ein gemeinsames Abendessen war für den kommenden Sonntag geplant. Tina hatte auf einmal Angst. Wenn ihr Vater ihn nun nicht leiden konnte? Wenn irgend etwas schieflief, ein Fiasko passierte, Michael wie ein Inquisitor auftrat, Mario in seiner Nervosität etwas Falsches sagte ...?

Am liebsten wäre sie mit ihm bei Nacht und Nebel heimlich nach Südfrankreich geflüchtet, ohne sich vorher noch die Ansichten der vielen wohlmeinenden Menschen in ihrer Umgebung anzuhören.

Das erste, was Janet und Andrew nach den vielen Jahren wie aus einem Mund sagten, war: »Du hast dich überhaupt nicht verändert!« Janet war fünfundzwanzig gewe-

sen bei ihrer letzten Begegnung, Andrew sechsunddrei-
ßig; heute war sie dreiundvierzig und er vierundfünfzig.
Natürlich hatten sie sich verändert. Dennoch hatte keiner
dem anderen nur plump schmeicheln wollen. Die Ver-
trautheit zwischen ihnen bestand in so ungebrochener
Weise, daß es kaum einen Tag her zu sein schien, daß sie
voneinander Abschied genommen hatten. Andrews
graue Haare und die feinen Fältchen um Janets Augen
kamen dagegen nicht an, auch nicht die Spuren von Lachen und Weinen, von Einsamkeit und Euphorie in ihren
Gesichtern. Dies sollte sich erst in den folgenden Tagen
deutlicher bemerkbar machen, als sie Gelegenheit bekamen, einander eindringlich und sorgsam zu mustern.

Andrew hatte Janet einfach in den Arm genommen und
sie auf beide Wangen geküßt. »Janet! Es ist so schön, dich
wiederzusehen!« Er nahm ihre Hände, zog sie in die Wohnung. »Komm, gib mir deinen Mantel! Möchtest du etwas
trinken? Immer noch am liebsten Gin Tonic?«

»Immer noch.« Sie sah sich im Wohnzimmer um, während er sich in der Küche zu schaffen machte. Genauso
hatte sie sich eine von ihm eingerichtete Wohnung immer
vorgestellt: hell, sachlich, viele Bücher. Auf dem Fensterbrett stand eine gerahmte Photographie. Janet trat näher.
Ein Junge und ein Mädchen, beide zwischen zehn und
zwölf Jahre alt.

»Meine Kinder«, erklärte Andrew hinter ihr. Er war
unbemerkt ins Zimmer gekommen, zwei Gläser in den
Händen. »Pamela und Nicolas. Sie leben mit ihrer Mutter
in New York.«

»Du bist . . .«

»Ich *war* verheiratet. Wir haben uns vor drei Jahren
scheiden lassen.«

»Oh . . .« Sie betrachtete ihn forschend.

»Clare ist Amerikanerin«, sagte Andrew, »sie wollte

44

nach unserer Trennung in ihre Heimat zurück. Sie hat das Sorgerecht, und so nahm sie die Kinder mit.«

»Dann hast du kaum noch etwas von ihnen.«

»Nein.« Einen Moment lang glitt ein Ausdruck von Traurigkeit über sein Gesicht, dann hatte er sich wieder völlig im Griff. Er reichte ihr ein Glas.

»Hier. Laß uns auf unser Wiedersehen anstoßen.«

Sie plauderten eine Weile, wobei Janet allerdings sorgfältig den ursprünglichen Anlaß für ihre Englandreise unterschlug. Sie habe einfach Sehnsucht nach zu Hause gehabt, erklärte sie, und daher beschlossen, für ein paar Tage auf die Insel zu reisen.

»Dann willst du sicher auch nach Cambridge?« fragte Andrew.

»Ich weiß nicht. Vielleicht. Es muß nicht sein.«

Später gingen sie zum Essen in ein chinesisches Restaurant, und Andrew erzählte von seiner Arbeit. Er hatte als junger Mann vorgehabt, Rechtsanwalt zu werden, hatte jedoch nach seinem Studium und einigen Jahren praktischer Arbeit umgesattelt und war zu Scotland Yard gegangen. Er hatte Janet damals brieflich darüber unterrichtet, und sie hatte sich verwirrt gefragt, was der Grund für diesen Sinneswandel gewesen sein mochte. Sie hatte es nie verstanden, wollte aber auch jetzt nicht gleich danach fragen. Er arbeitete als Inspektor, aber Janet hörte aus der Art, wie er davon erzählte, heraus, daß ihm dies keineswegs genügte. Er war nicht zufrieden – weder mit seinem Dienstgrad noch mit seiner Arbeit.

»Immer wieder habe ich es mit wirklich scheußlichen Verbrechen zu tun. Mit Menschen, die widerliche Dinge tun, die aber teilweise selbst eine Vorgeschichte haben, bei der man den Eindruck gewinnt, sie konnten kaum anders, als auf die schiefe Bahn geraten. Und im Grunde steht man unendlich hilflos daneben.«

»Bereust du es, dich nicht doch für die Justiz entschieden zu haben?« fragte Janet. »Würdest du heute wieder diesen Weg einschlagen?«

Andrew überlegte kurz, nickte dann. »Ja. Ich jammere viel, aber letzten Endes würde ich dasselbe wieder tun.« Über den Tisch griff er nach Janets Hand. »Erzähle von dir. Wie geht es deinen Jungen?«

»Gut. Alles in Ordnung«, sagte Janet nervös.

Andrew musterte sie. »Stimmt etwas nicht?«

»Nein. Es ist wirklich alles okay.«

»Und ... wie geht es Phillip?«

Janet sah Andrew nicht an. »Er weiß nicht, wo ich bin.«

»Er weiß nicht, daß du in England bist? Du bist durchgebrannt?«

»Er weiß, daß ich in England bin. Aber ich habe mich von hier dann nicht mehr gemeldet. Vermutlich telefoniert er bei meinen Verwandten herum, um herauszufinden, wo genau ich mich herumtreibe.«

»Willst du ...?«

Sie erriet, was er fragen wollte, und unterbrach ihn. »Nein. Ich will nicht darüber sprechen. Nicht jetzt. Ich weiß nicht, wie lange ich in England bleibe, vielleicht ein paar Tage, vielleicht ein paar Wochen. Und in der Zeit möchte ich einfach nicht über daheim nachdenken.«

»In Ordnung. Können wir uns ein paarmal sehen, solange du hier bist?«

»Natürlich. Wenn du Zeit hast.«

Andrew lachte. »Ich habe so viele durchgearbeitete Abende hinter mir, ich habe mir ein paar Stunden mit dir wirklich verdient.«

Am Samstag nahm Andrew sie mit zu der Geburtstagsparty eines befreundeten Kollegen. Niemand behelligte sie dort mit Fragen, jeder hielt sie einfach für Andrews neue Freundin und begrüßte sie mit großer Herzlichkeit.

Natürlich, dachte Janet, sieht man mir nicht an, daß ich verheiratet bin und meinen Mann, meine Söhne im Stich gelassen habe. Ob sie mich, wenn sie das wüßten, auch noch so reizvoll finden würden?

Während der Party hatte Janet einige Male Gelegenheit, Andrew aus der Distanz zu beobachten, während er mit anderen Leuten sprach. Er gehörte zu den größten Männern im Raum, zugleich zu den schlanksten. Er war früher fast mager gewesen, und das hatte sich kaum geändert. Es hing mit seiner chronischen Nervosität zusammen, nahm Janet an. Fast immer, wenn er redete, zuckte es um eines seiner Augen; der überwache Ausdruck seines Gesichtes verriet eine extrem angespannte Wahrnehmungsbereitschaft gegenüber allem, was um ihn herum vorging. Früher, das wußte Janet nur zu gut, hatte vor allem sein brennender Ehrgeiz dafür gesorgt, daß er keine Sekunde abschalten konnte, und heute war das vermutlich noch immer so. Als sie einander zum erstenmal trafen, war Janet sechzehn gewesen, Andrew siebenundzwanzig. Er hatte in Cambridge studiert und strebte bei Janets Vater eine Promotion an. Manchmal hatte Janet geargwöhnt, er habe sich deshalb mit ihr angefreundet, aber sehr schnell stellte sich heraus, daß er sich damit in jedem Fall verrechnet hätte, denn Professor Hamilton, Janets Vater, geriet außer sich, als er hinter die Liaison kam. Andrew blieb trotzdem bei Janet und promovierte schließlich bei einem anderen Professor. Er tat alles für seinen Erfolg, aber er ließ sich nicht erpressen. Bei all seinem Ehrgeiz zog er doch eine eindeutige Grenze dort, wo er sich selbst hätte verraten müssen.

Nach der Party, als Andrew Janet vor ihrem Hotel absetzte, sagte er: »Es war schön, daß du dabei warst, Janet. In den letzten drei Jahren bin ich überall allein hingegangen. Ich wußte gar nicht mehr, wieviel Spaß es zu zweit macht.«

Unvermittelt fragte Janet: »Warum hast du dich von deiner Frau getrennt?«

Andrew schwieg einen Moment überrascht, dann erwiderte er: »Anderthalb Jahre vor unserer Scheidung hatte ich eine Affäre. Ich habe sie wirklich relativ schnell beendet, aber Clare kam nicht darüber hinweg. Zum Schluß drehte sie durch, wenn ich nur zehn Minuten später daheim war, als ich angekündigt hatte. Irgendwann hatte es einfach keinen Sinn mehr.«

Janet lächelte etwas bitter. »Immer noch der alte«, sagte sie. Sie öffnete die Wagentür, stieg aus.

»Bleib sitzen«, sagte sie, als sie bemerkte, daß Andrew ebenfalls aussteigen wollte, um sie zu verabschieden. »Heute möchte ich keinen Gutenachtkuß.« Sie schlug die Tür zu und lief zum Hoteleingang. Andrew stieg trotzdem aus, blieb aber neben seinem Wagen stehen. »Morgen ist Sonntag«, rief er hinter Janet her, »wir könnten aufs Land fahren!«

Sie wandte sich nicht um. »Hol mich um zehn Uhr ab«, erwiderte sie und verschwand durch die Drehtür.

Tina hatte gewußt, daß der Abend mit Mario und ihrem Vater in einem Fiasko enden würde, und tatsächlich schien von Anfang an alles schiefzugehen. Schon das Essen mißglückte. Tina war eine recht gute Köchin, aber an diesem Sonntag wollte ihr nichts gelingen. Das Fleisch blieb zäh, das Gemüse schmeckte zuerst fad, später, als sie es nachgewürzt hatte, war es zu salzig. Die Vorspeise, eine Suppe, war einigermaßen in Ordnung, dafür brannte der Boden der Erdbeertörtchen, die es zum Nachtisch geben sollte, leicht an. Nur mit Mühe schaffte es Tina, nicht in Tränen auszubrechen; es hätte dem Abend die Krone aufgesetzt, wenn sie mit verheulten Augen herumgelaufen wäre. Michael deckte im Eßzimmer den Tisch und benutzte dafür das beste Porzellan, die schönsten Gläser, das alte Silber aus Mariettas Familienerbe. Tina wußte, daß er das keineswegs tat, um Mario besonders zu ehren, sondern um ihn von vorneherein einzuschüchtern. Ihm lag nicht das geringste daran, diese erste Begegnung mit dem Freund seiner Tochter zwanglos über die Bühne gehen zu lassen. Im Gegenteil. Später verschwand er in seinem Zimmer, und als er wiederkam, trug er einen dunklen Anzug, hatte die grauen Haare sorgfältig gebürstet und sah aus wie ein englischer Lord.

Unnahbarer könnte nicht einmal die Queen auftreten, dachte Tina schaudernd.

Mario erschien pünktlich um sieben Uhr. Er hatte vor

dem Haus im Auto gewartet, um mit dem Glockenschlag die Türklingel zu betätigen. Er überreichte Tina einen Blumenstrauß, ihrem Vater eine Flasche Wein. Auf den ersten Blick stand fest, daß Michael ihn nicht mochte.

Die Unterhaltung kam beim Essen nur schleppend in Gang. Ganz gleich, welches Thema Mario und Tina auch anschnitten, Michael antwortete so einsilbig, daß kein Gespräch entstehen konnte. Mario wurde darüber so nervös, daß ihm zweimal klirrend die Gabel auf den Teller fiel und er sich beim Trinken heftig verschluckte, minutenlang mit einem Hustenreiz zu kämpfen hatte, ehe er wieder sprechen konnte. Tina merkte, wie die blanke Wut in ihr aufstieg. Bornierter, alter Dickkopf, der ihr Vater war! Es hätte ihn nichts gekostet, Mario ein wenig entgegenzukommen.

Erst nach dem versalzenen Hauptgang stellte Michael eine Frage an Mario. »Sie studieren Jura?«

Marios Erleichterung war rührend. »Ja. Im vierten Semester.«

»So. Welche Scheine?«

»Äh . . . Strafrecht, beide. Den kleinen BGB hab' ich gemacht, aber ich weiß noch nicht, ob ich ihn bestanden habe.«

Michael zog die Augenbrauen hoch. »Das ist nicht viel. Öffentliches Recht ist wohl nicht gerade Ihre große Liebe?«

»Nein«, sagte Mario tapfer.

»Das ist doch völlig unwichtig«, mischte sich Tina ein. »Vater, Mario ist nicht gekommen, um sich examinieren zu lassen.«

»Ich finde das Studium des jungen Mannes keineswegs unwichtig«, entgegnete Michael kühl. Abrupt wandte er sich wieder an Mario. »Waren Sie bei der Bundeswehr?«

O Gott, dachte Tina.

»Ich . . . nein . . .« antwortete Mario unsicher.

Michaels Gesicht glich einer Maske aus Stein. »Verweigerer?«

»Ich . . . ich habe in einem Altenheim meinen Ersatzdienst gemacht . . .«

»Und das finde ich eine großartige Leistung«, sagte Tina schnell. »Alte Leute waschen und füttern und im Bett umdrehen . . . es wäre das letzte, was ich tun wollte!« Sie stand auf. »Ich hole den Nachtisch. Ich hoffe, ihr habt noch etwas Appetit!«

Als sie draußen war, sagte Michael: »Sie wollen also mit meiner Tochter verreisen? Nach Südfrankreich?«

»Ja. Meine Eltern besitzen ein Ferienhaus dort.«

»Aha. Ihre Eltern sind mit dem Plan einverstanden?«

»Ja.« Mario verschwieg, daß seine Mutter überhaupt nichts davon wußte. Es hätte sich nicht besonders gut gemacht, wenn er berichtet hätte, daß Janet im Augenblick in England untergetaucht war und ihre Familie völlig über ihren Aufenthaltsort im unklaren ließ. »Meine Eltern sind ganz froh, daß mal wieder einer von uns runterfährt. Wir waren seit sechs Jahren nicht mehr dort. Ein Mann aus dem Dorf kümmert sich um alles, aber es schadet sicher nicht, ihm hin und wieder auf die Finger zu schauen.«

Michael stand auf, nahm eine flache Zigarrenkiste von einem Ecktisch. »Haben Sie Geschwister?«

»Nein«, sagte Mario und errötete. Glücklicherweise sah ihn Michael nicht an.

»Zigarre?« Er hielt ihm die Schachtel hin.

»Danke.« Mario schüttelte den Kopf. »Ich rauche nicht.«

Kommentarlos zündete sich Michael seine Zigarre an, ließ offen, ob er Mario das Nichtrauchen als Pluspunkt anrechnete.

Vermutlich nicht, dachte Mario. Er war deprimiert und fühlte sich ungerecht behandelt. Er hatte sich weiß Gott nicht darum gerissen, mit Tina in die Ferien zu fahren, er hatte ihrem wochenlangen Drängen nachgegeben, und nun tat dieser Mann so, als wollte er seine Tochter entführen, verschleppen und was auch immer mit ihr anstellen. Warum mußte Tina diesen schwierigen, unleidlichen Vater haben?

Aber dann dachte er, daß Tina so war, wie sie war, *weil* sie diesen Vater hatte. Er war verantwortlich für diese fühlbare Ausstrahlung von Unschuld, die Mario vom ersten Moment an zu ihr hingezogen hatte. In Tina hatte er sich verlieben können, weil sie anders war als alle anderen. In Marios Augen war sie vollkommen, aber die Erfahrung hatte ihn gelehrt, daß nichts im Leben ohne Haken zu haben war. In Tinas Fall bestand der Haken aus dem Zigarre rauchenden Kotzbrocken, der am Kopfende des Tisches thronte.

Als Mario schließlich gegangen war, hatte Tina Kopfschmerzen und einen schlechten Geschmack im Mund. Laut scheppernd stellte sie die Teller zusammen, trug sie in die Küche, wo sich schon das übrige Geschirr stapelte, und fing an, mit wütenden Bewegungen die Spülmaschine einzuräumen. Als Michael in der Tür erschien, ging gerade ein Glas zu Bruch.

»Hoppla!« Er zuckte zusammen. »Warum *wirfst* du die Sachen alle in die Maschine?«

»Weil ich sauer bin, deshalb!« Tina angelte mit den Fingern zwischen den Spülkörben hindurch, um die Scherben zusammenzuklauben. »Du warst unmöglich, Vater. Du hast ihn entweder ignoriert oder ihn wie ein Stück Dreck behandelt. Du hast es darauf angelegt, ihn völlig zu verunsichern. Und es war geradezu peinlich, wie du ihn wegen seines Studiums ausgefragt hast!«

»Ich habe ja wohl das Recht, alles über den Mann zu erfahren, der mit meiner gerade eben volljährigen Tochter in den Urlaub fahren will!«

»Du sagst es. Volljährig. Ich bin erwachsen. Kannst du mir nicht vertrauen? Vater, du hast dich aufgeführt, als hättest du einen Zeugen vor dir, den du befragen und einschüchtern mußt. Mario ist kein Verbrecher. Und du bist nicht rund um die Uhr Staatsanwalt!«

Michael schwieg einen Moment. »Ich mag ihn nicht«, sagte er dann.

»Das hatte ich nicht anders erwartet«, erwiderte Tina ironisch. Gleich darauf schrie sie auf. »Au!«

Blut quoll aus dem Zeigefinger der rechten Hand. Tina hatte direkt in die scharfen Zacken einer Scherbe gegriffen. Michael war mit zwei Schritten neben ihr, zog ein Taschentuch hervor und schlang es um die Wunde. Er hat immer, *immer* ein sauberes Taschentuch zur Hand, dachte Tina, und unvermittelt brach sie in Tränen aus. Sie schluchzte heftig und in einer zu Herzen gehenden Verzweiflung, weinte noch, als Michael sie in seine Arme nahm und an sich drückte, sie zitterte und zuckte wie eine Kerze unter einem Luftstrom und durchweichte das blütenweiße Hemd ihres Vaters mit Bächen von schwarzer Wimperntusche.

Trotz der leichten Mißstimmung vom Vorabend hatten Janet und Andrew einen schönen Sonntag verbracht. Sie waren zuerst nach Windsor gefahren und zwei Stunden lang in den Schloßanlagen herumgebummelt, dann hatten sie die zauberhaften Häuser am Themseufer in Henley angeschaut und einen langen Spaziergang entlang des Flusses gemacht. Irgendwann am Nachmittag aßen sie Sandwiches in einem Pub, und zum Abendessen kehrten sie in einen Landgasthof bei Newbury ein. Draußen neigte sich ein sonniger Maitag seinem Ende zu, ein kühler Wind kam auf. Andrew saß Janet gegenüber am Tisch und betrachtete sie mit einem Ausdruck zärtlicher Nachdenklichkeit in den Augen.

»Du siehst besonders jung aus heute«, sagte er, »windzerzauste Haare und rote Wangen stehen dir sehr gut.«

»Und du bist ein bißchen braun geworden. Das macht sich sehr schick zu deinen grauen Haaren.«

Er lachte, aber das Lachen verbannte nicht die Angespanntheit aus seinem Gesicht. Sacht berührte Janet seinen Arm. »Irgend etwas beschäftigt dich den ganzen Tag schon. Worüber denkst du nach?«

»Das gehört nicht hierher.« Andrew nickte der Kellnerin zu, zum Zeichen, daß er die Rechnung haben wollte. »Ein berufliches Problem.«

»Es würde mich interessieren.«

»Ein Fall, der mir an die Nieren geht... ein Psychopath, den ich für den Rest seines Lebens hinter Gittern sehen möchte. Sein Anwalt wird auf Unzurechnungsfähigkeit plädieren, aber ich hoffe, die Gegenseite setzt das höchste Strafmaß für ihn durch.« Andrew strich sich mit der Hand über die Augen, er wirkte plötzlich sehr müde. »Ich habe immer noch nicht gelernt, mich innerlich rauszuhalten aus diesen Geschichten.«

»Was hat er getan?« fragte Janet.

»Willst du das genau wissen?«

»Ja...«

»Er hat vier Morde begangen – oder vielmehr, vier Morde hat er gestanden. Möglicherweise sind es mehr. Er mordet nur Frauen, solche, die jung sind und attraktiv.«

Janet schluckte. »Wie hat er sie ermordet?«

»Er hat sie in einsamen Gegenden überfallen und in einem kleinen Kombi verschleppt. Es gab ein halb verfal-

54

lenes Landhaus in der Nähe von Basildon, dorthin hat er sie gebracht. Er selber lebte in London.«

»Wem gehört das Haus?«

»Es war völlig verwahrlost. Der Besitzer war fortgezogen. Das Haus sollte schon längst abgerissen werden, aber aus irgendeinem Grund wurde die Sache verschleppt, und es blieb stehen und bröckelte vor sich hin.«

»Du hast in diesem Fall ermittelt?«

Andrew nickte. »Es verschwanden immer wieder Frauen aus der Londoner Gegend. Spurlos. Sie hatten, was Lebensumstände und dergleichen anging, nichts gemeinsam, aber sie waren, wie gesagt, alle recht jung und auffallend attraktiv. Wir gingen monatelang jeder winzigen Spur, jedem kleinsten Hinweis nach. Ohne Erfolg. Und dann konnte ihm ein Opfer entkommen.«

»Aus diesem Haus?«

»Ja. Er hatte Pech gehabt: Sie war eine hervorragend trainierte Langstreckenläuferin. Sie konnte sich losreißen und davonrennen, und er schaffte es nicht, sie einzuholen. Sie verständigte uns und führte uns zu dem Haus.«

Janet schluckte. »Und dort habt ihr . . .?«

». . . die Leichen von vier Frauen gefunden, ja. Dazu jede Menge pornographisches Material, bergeweise einschlägige Magazine, aber auch Utensilien aus Sexshops, vorwiegend zum sado-masochistischen Gebrauch.«

»Wie entsetzlich«, flüsterte Janet, »die armen Frauen!«

»Ihre Rechnung, Sir«, sagte die Kellnerin. Sie legte einen Zettel auf den Tisch. »War ein schon fast sommerlicher Tag heute, nicht?«

»Hoffentlich hält der Sommer, was dieser Frühling verspricht«, erwiderte Andrew und kramte sein Geld hervor. Janet, die ihn eindringlich musterte, stellte zum ersten Mal an diesem Tag fest, daß der dunkelblaue Pullover, den er trug, handgestrickt war: Er enthielt einige, irgendwie liebenswert anzusehende Unregelmäßigkeiten. Janet fragte sich, wer ihn gestrickt haben mochte. Andrews Frau?

Sie verließen den Gasthof und gingen zum Auto zurück. Die Dunkelheit nahte jetzt rasch. Als sie im Wagen saßen, fragte Janet: »Er hat die Frauen also in diesem Haus getötet?«

Andrew startete das Auto, sah konzentriert auf die Straße, so, als versuche er sich von dem, was er sagte, nicht zu stark gefangennehmen zu lassen. »Er hat sie zu Tode gequält. Ich habe die Leichen gesehen; erspare mir bitte die Einzelheiten. Er hat sie dann in einem ehemaligen Schuppen neben dem Haus notdürftig verscharrt . . .«

»Habt ihr ihn in dem Haus aufgegriffen? Da auf ihn gewartet?«

Andrew schüttelte den Kopf. »Dafür war er zu schlau. Er ist nie wieder dort aufgetaucht. Nein, nach den Angaben des entflohenen Opfers wurde ein Phantombild gezeichnet, das in Presse und Fernsehen erschien. Wir erhielten einen anonymen Anruf, vermutlich aus der Nachbarschaft von Fred Corvey – so heißt der Mann. Als wir dort auftauchten, fanden wir Corvey in hoffnungslos betrunkenem Zustand vor. Er gestand sofort alles.«

»Er hat gestanden?«

»Dieses erste Geständnis hätte niemals irgendeine Beweiskraft, denn er war, wie gesagt, betrunken. Als er wieder nüchtern war, haben wir ihn vernommen. Er wurde natürlich auf seine Rechte hingewiesen, darauf, daß er die Aussage verweigern kann, daß aber alles, was er dennoch sagt, gegen ihn verwandt werden kann. Er erklärte, das habe er begriffen, und bekannte sich abermals aller gegen ihn erhobenen Vorwürfe für schuldig. Darüber hinaus sagte er nichts.«

»Hast du ihn noch öfter vernommen?«

Andrew hob bedauernd die Schultern. »Darf ich nicht. Vernehmungen finden ganz zu Anfang statt. Nach der Verhaftung ist nichts mehr möglich.«

»Aber du hast ein Geständnis!«

»Ja. Und ich habe Anklage erhoben. Ich hoffe, das war kein Fehler. Denn über das Geständnis hinaus habe ich nichts in der Hand.«

»Gibt es trotzdem eine Verhandlung?«

»Es fand eine Vorprüfung statt, und der Richter hat entschieden, daß es auch zur Hauptverhandlung kommt. Ein Geständnis ist natürlich ein schwerwiegendes Beweismittel. Und in der englischen Justiz ist es anders als in der deutschen: Zu Beginn der Hauptverhandlung wird der Angeklagte gefragt, ob er schuldig oder nicht schuldig ist. Bekennt er sich schuldig, kann praktisch sofort das Urteil gefällt werden, ohne jede weitere Beweisaufnahme. Das heißt, wenn Corvey dabei bleibt, kann nichts schiefgehen.«

»Und du meinst, er bleibt vielleicht *nicht* dabei?«

»Ich hab' so ein dummes Gefühl . . .«

»Aber«, beharrte Janet, »er hat ein Geständnis abgelegt. Er ist auch unterrichtet worden, daß dies als Beweis *gegen* ihn verwandt wird. Du hast gerade gesagt, es ist ein schwerwiegendes Beweismittel. Er wird nicht einfach sagen können, haha, ich hab' nur Spaß gemacht!«

»So einfach ist es natürlich nicht. Aber es sind schon Sachen passiert . . . vielleicht sehe ich auch nur unnötig schwarz.«

»Es gibt doch noch die Frau, die ihm entkommen konnte?«

»Ich vermute, sie hat Angst vor dem Tag, an dem er entlassen wird. Jedenfalls hat sie bei der Gegenüberstellung einen Rückzieher gemacht. Sie konnte ihn nicht zweifelsfrei identifizieren.«

»In dem Haus muß es Fingerabdrücke geben!«

»Nein. Corvey ist verdammt clever. Er trug immer Handschuhe. Außer von den Opfern ist da kein Fingerabdruck. Es gibt Fußspuren im Staub, deren Größe mit Corveys Schuhgröße übereinstimmt, aber wir haben nirgendwo bei ihm Schuhe mit dem entsprechenden Profil gefunden. Natürlich hatte er auch jede Menge Zeit, sie verschwinden zu lassen. Sogar sein Kombi ist fort.«

»Er hatte einen Kombi?«

»Einen uralten. Den hat er am Tag vor seiner Festnahme verschrotten lassen.«

»Das ist doch mehr als verdächtig!«

»Natürlich. Ich weiß ja auch, daß er es war. Aber sein Verteidiger wird alle diese Punkte der Anklage aus der Hand schlagen. Es ist nicht verboten, ein Auto verschrotten zu lassen.«

»Die müssen aber sehr schnell gearbeitet haben auf diesem Schrottplatz.«

»Ich nehme an, er hat irgend jemandem Geld gegeben. Und das trauen die sich nicht zuzugeben. Nach ihrer Aussage war es Zufall, daß Corveys Auto so schnell drankam.«

»Das gibt es doch alles nicht!«

»Er hat eine Tante in Basildon, war oft dort. Kein Wunder, daß er auf einem seiner Streifzüge das alte Haus entdeckt hat. Aber eine Tante in Basildon reicht auch nicht als Beweis.«

»Es gibt schließlich das Phantombild«, beharrte Janet, »das ist doch auch etwas wert.«

»Kaum. Es sieht ihm nicht einmal so ausgesprochen ähnlich. Ich bin sicher, der anonyme Anrufer hatte seine eigenen Gründe, Corvey für den Täter zu halten, deshalb meine ich auch, daß er aus der Nachbarschaft stammt. Sicher hat er etwas Verdächtiges beobachtet. Wir versuchen noch immer, ihn zu finden. Aber wir stoßen gegen eine Mauer. Sie haben alle Angst, und das wundert mich nicht. Wenn Corvey getan hat, dessen er angeklagt ist, dann ist er kein Mensch, sondern ein Monster.«

»Gibt es Spuren von Sperma?«

»Nein. Die Frauen wurden nicht vergewaltigt. Wir nehmen allerdings an, daß sich der Täter sexuell befriedigte, während er sie quälte, aber er hat perfekt aufgepaßt. Weder auf dem Fußboden noch an den Wänden, noch überhaupt irgendwo ist Sperma zu finden.«

Eine Weile schwiegen sie beide, dann sagte Janet unvermittelt und heftig: »Warum tun Männer Frauen so etwas an?«

Überrascht von der Schärfe in ihrer Stimme wandte sich Andrew ihr zu. Inzwischen war es völlig dunkel geworden, aber er konnte erkennen, wie bleich und angespannt ihr Gesicht war. »Was genau meinst du?«

»Warum finden sie Gefallen daran, Frauen zu quälen? Zu erniedrigen? Und im äußersten Fall zu töten?«

»Ich weiß es nicht.« Er sah wieder auf die Straße hinaus. »Ich kann es nicht nachvollziehen. Ich habe das Bedürfnis nicht.«

»Mit verschwindend geringen Ausnahmen kommt das bei Frauen nicht vor. Natürlich, Frauen töten auch Männer, aber das Opfer ist dann ein bestimmter Mann, und es gibt ein konkretes Motiv: Eifersucht, Habgier, Angst, die Kinder an ihn zu verlieren . . . irgend etwas in der Art. Aber wie oft hattest du den Fall, daß eine Frau zu ihrer sexuellen Befriedigung hingeht, wahllos Männer verschleppt und in irgendeinem Versteck regelrecht abschlachtet?«

»Den Fall gab es bei mir noch nicht. Allerdings hatte ich es durchaus mit Mörderinnen zu tun, die keineswegs zimperlich mit ihren Opfern umgegangen sind. Du hast allerdings recht: Die Motive, wie verwerflich sie gewesen sein mochten, hatten immer eine konkrete und irgendwo nachvollziehbare Basis.«

»Dieser... dieser Fred Corvey... er muß Frauen abgrundtief hassen...«

»Sein Haß auf Frauen ist wohl erst die zweite Stufe. Ein Psychologe spricht in einem solchen Fall vor allem von der tiefen Angst, die der Täter vor Frauen hat. Angst ist meist die Ursache dafür, daß ein Mann nur dann sexuell erregt werden kann, wenn eine Frau sich in einer unterlegenen Situation befindet und er völlig willkürlich mit ihr verfahren kann.«

Janet starrte angestrengt durch die Scheiben hinaus in die Dunkelheit, sah die schwarzen Schatten von Büschen und Bäumen vorüberjagen. Sie fröstelte. »Könntest du die Heizung anstellen?« fragte sie.

Andrew drehte am Schalter. »Ich glaube, ich habe dich aufgeregt«, sagte er, »ich hätte dir nichts erzählen sollen.«

»Es interessiert mich. Warum wird ein Mann so? So wie dieser Corvey? Was meinst du?«

Andrew zuckte mit den Schultern. »Ich weiß nicht. Ich bin kein Psychologe. Die Weichen werden wohl in frühester Kindheit gestellt.«

»Es sind die Mütter«, sagte Janet. Ihre Stimme klang plötzlich schrill. »So heißt es doch immer. Bei diesen total fehlgeleiteten und perversen Männern haben immer die Mütter etwas eklatant falsch gemacht!«

Wieder sah Andrew rasch zu ihr hinüber; es war der Klang ihrer Stimme, der ihn irritierte. »Himmel, Janet, warum regst du dich so auf? Außerdem stellst du es jetzt zu einfach hin. Warum sollen es immer die Mütter sein? Vielleicht sind es auch die Väter oder die Lehrer – oder etwas ganz anderes! Pauschal kannst du das nie beurteilen.«

»Du hast recht«, sagte Janet leise. Sie lehnte die Stirn gegen das kalte Glas der Fensterscheibe. Sie sprachen beide nicht mehr, bis sie London erreichten. Andrew fuhr nicht auf direktem Weg zum Hotel, sondern parkte vor seinem Haus. Er stellte Motor und Scheinwerfer ab.

»Ich möchte jetzt nicht allein sein«, sagte er vorsichtig. »Hättest du Lust, oben noch etwas mit mir zu trinken?«

Janet zögerte. »Andrew . . .« Sie wußte, was unweigerlich geschehen würde, wenn sie mit ihm hinaufging, wußte es deshalb so genau, weil es im Augenblick fast nichts gab, was sie so sehr gewollt hätte. Ein winziger Rest an Loyalität gegenüber Phillip hielt sie zurück.

Andrew nahm ihre Hand. »Janet, ich brauche dir ja wahrscheinlich nichts vorzumachen, ich würde sehr gern mit dir schlafen. Aber das entscheidest du. Es ändert sich nichts zwischen uns, wenn du wirklich nur etwas mit mir trinkst und ich dich dann ins Hotel bringe. Okay?«

»Okay«, sagte Janet und öffnete die Wagentür. Eine Sekunde des Zögerns schien ihr zur Wahrung des Anstands gegenüber ihrem Ehemann ausreichend zu sein; für den Rest der Nacht würde sie ihn vergessen.

»Ich habe einfach kein gutes Gefühl dabei, Tina so allein in die Welt hinausmarschieren zu lassen«, sagte Dana. Sie saß am Küchentisch in der Wohnung ihrer Mutter und lackierte ihre Fingernägel. Karen Graph, ihre Mutter, hatte sich in der Ecke auf einem Schafwollteppich ausgestreckt; sie lag auf dem Rücken, hielt beide Arme in die Seiten gestützt und ein Bein steil in die Höhe gerichtet. Neben ihr, an die Wand gepinnt, hing ein Zettel mit aufgezeichneten Übungen zur Straffung des Gewebes und Stärkung der Muskulatur. Karen hatte stets irgendeine Phase, in der sie ein Projekt mit fanatischer Konsequenz verfolgte. Derzeit widmete sie sich mit Hingabe ihrem Körpertrainingsprogramm. Dana hatte die Phase davor besser gefallen: Einige Wochen lang hatte es sich Karen in den Kopf gesetzt, eine raffinierte Köchin zu werden, hatte sich mit Kochbüchern eingedeckt und Berge von Lebensmitteln herangeschleppt. Einiges war ziemlich danebengegangen, aber sie hatte auch einige sehr gelungene Gerichte auf den Tisch gebracht. Wie gewöhnlich hatte sie von einem Tag zum anderen damit aufgehört und sich auf den nächsten Trip begeben. Jetzt gab es vorwiegend Müsli und Rohkost, aber Dana unterstützte ihre Mutter dennoch auch in dieser Sache. Hauptsache, Karen richtete ihre Energie auf *irgend etwas*. Denn in den Zeiten dazwischen litt sie unter Depressionen und trank zuviel, und das war das allerschlimmste.

»Du solltest froh sein, daß sie endlich einmal etwas Selbständiges unternimmt«, sagte Karen nun auf Danas Bemerkung hin. Sie hörte sich etwas gepreßt an, denn sie hielt ihr Bein nun schon eine ganze Weile in die Luft. »Sie kann doch nicht immer nur daheim bei ihrem Vater sitzen und sich von ihm beschützen lassen!«

»Nein. Deshalb habe ich ihr zuerst ja auch dringend zu dieser Reise geraten. Genaugenommen war es überhaupt meine Idee.« Dana spreizte ihre Finger und wedelte sie durch die Luft, um den Nagellack trocknen zu lassen. »Und jetzt fühle ich mich gar nicht mehr wohl dabei.«

»Wann fahren die beiden denn?«

»Morgen früh brechen sie auf.«

»Ich würde auch gern in die Provence reisen«, sagte Karen seufzend.

»Versuche doch, bei einer Zeitung einen Auftrag für einen Reisebericht zu ergattern«, schlug Dana vor. »Über die Côte d'Azur. Wir könnten sowieso dringend etwas Geld gebrauchen.«

»Ich weiß.« Mit einem erleichterten Aufatmen ließ Karen ihr Bein auf den Teppich sinken und verharrte einen Moment, ehe sie das andere anhob und in die Luft streckte. »Aber im Augenblick herrscht absolute Flaute. Niemand hat Arbeit für mich.«

»Vielleicht solltest du versuchen, etwas seriöser aufzutreten«, meinte Dana vorsichtig. Karen lief ihrer Ansicht nach viel zu schrill herum. Jeder Chefredakteur mußte erst einmal zurückzucken, sobald er ihrer ansichtig wurde. Dana fand es idiotisch, Menschen nach ihrem Äußeren zu beurteilen, aber sie wußte, daß es auf irgendeine Weise praktisch jeder tat, und man mußte mit den Wölfen heulen, wollte man Erfolg haben. Karen mit ihren stoppelkurz geschorenen, karottenrot gefärbten Haaren, mit ihrer Vorliebe für Leggins in Schockfarben und für übergroße Ohrringe, würde nie die Aufträge bekommen, die sie haben wollte und für die sie durchaus befähigt gewesen wäre. Ihr jedoch *dies* zu sagen, erforderte äußerstes diplomatisches Geschick, und Dana wollte einen geeigneten Moment abwarten.

»Ach, irgendwann kommt schon mal wieder etwas«, sagte Karen fröhlich. Sie ließ das Bein sinken, setzte sich auf und sah ihre Tochter an. »Mach nicht so ein Gesicht! Ist es wegen Tina? Du bist ja eine schlimmere Glucke als ihr Vater!«

»Ich mag diesen Mario nicht«, meinte Dana nachdenklich, »irgend etwas an ihm gefällt mir einfach nicht!«

Karen erhob sich, nahm einen Apfel aus einem Korb am Fenster und setzte sich ebenfalls an den Küchentisch. Vor Anstrengung hatte sie einen feinen Schweißfilm auf der Stirn. »Du bist eifersüchtig, mein Schatz«, stellte sie fest. »Egal, wie sehr du Tina immer gedrängt hast, auf eigenen Füßen zu stehen und sich einen Mann an Land zu ziehen – in Wahrheit hattest du dich sehr daran gewöhnt, immer der einzige Mensch für sie zu sein und sie ganz für dich allein zu haben.«

»Unsinn. Wie du sagst, ich habe sie immer ermuntert, endlich allein . . .«

»Natürlich«, unterbrach Karen, »aber du hast eben nicht gewußt, wie sehr es dir an die Nieren gehen würde, wenn sie es wirklich tut. Jetzt rede ihr die Sache keinesfalls aus. Tina sollte endlich einmal nicht mehr eingeschränkt werden, weder von ihrem Vater noch von dir!«

»Vielleicht hast du recht«, murmelte Dana und überlegte, ob es tatsächlich möglich war, daß Eifersucht ihre Objektivität gegenüber Mario trübte. Es schien ihr etwas Wahres an dem zu sein, was ihre Mutter gesagt hatte. Und dennoch – das ungute Gefühl ließ sich nicht vertreiben. Ob gerechtfertigt oder nicht, es bedrängte sie, machte sie unruhig und nervös. Sie würde in den folgenden Wochen viel Energie aufbringen müssen, um ihren Gedanken eine andere Richtung zu geben.

»Und ihr habt überhaupt kein Lebenszeichen von Janet?« fragte Maximilian ungläubig. Er saß im feinen, weißen Sand in der Sonne, ließ die nackten Füße von den noch kalten Wellen der Ostsee umspülen. Nichts störte die nachmittägliche Stille in der kleinen Bucht, bis auf die Schreie einiger Möwen, die am ungetrübt blauen Himmel dahinschossen. In weiter Ferne brummte ein Flugzeug. Bienen summten. Mario saß auf einem Stein. Er trug Jeans und T-Shirt wie sein Bruder, hatte aber im Unterschied zu ihm Schuhe und Strümpfe anbehalten. Er sah blaß und nervös aus.

»Nein, kein Lebenszeichen«, sagte er nun, »sie ist wie vom Erdboden verschluckt.«

»Will Vater denn nicht die Polizei verständigen? Schließlich kann ihr etwas zugestoßen sein.«

Mario blickte über das Wasser. Wie immer, wenn er am Meer war, überkam ihn ein Gefühl von Ruhe und Gelassenheit. Der Aufruhr in seinem Innern, der ihn so oft zu überwältigen drohte, wurde vom Wellenrauschen und dem Geruch nach Salz und Algen besänftigt.

»Vater glaubt nicht, daß ihr etwas passiert ist«, sagte er.

Überrascht sah ihn Maximilian an. »Ist er so sicher?«

»Wir haben nicht darüber gesprochen. Er *scheint* sicher zu sein. Und ich weiß, was er denkt.«

»Woher weißt du...« Maximilian unterbrach sich, atmete tief. »Er denkt... Andrew Davies?«

»Ich denke es auch.«

»Nach all den Jahren... hältst du das wirklich für möglich?«

»Das zwischen den beiden hat nie wirklich aufgehört.

Nicht in ihren Gedanken. Janet hat sich immer nach ihm verzehrt.«

»Dann hätte sie bei ihm bleiben sollen«, sagte Maximilian heftig. Er nahm eine Handvoll Sand auf, warf ihn mit einer wütenden Bewegung ins Wasser. »Das wäre hart, aber fair gegenüber Vater gewesen.«

»Vielleicht hat sie es wegen uns nicht getan. Oder um sich zu schützen.«

»Sich zu schützen? Wovor denn?«

»Vor Davies. Sie hat vielleicht gewußt, daß er ihr sehr weh tun würde, wenn sie bei ihm bliebe.«

»Hatte sie dafür einen Anhaltspunkt?«

»Er hatte so etwas an sich . . . etwas Unstetes, Unberechenbares . . .«

Maximilian musterte seinen Bruder nachdenklich. »Du kannst dich aber noch sehr genau erinnern an ihn. Wir waren doch erst sechs, als die beiden auseinandergingen.«

»Ich habe später noch Photos von ihm gesehen«, sagte Mario, »in Janets Schreibtisch.«

Maximilian lachte. »Du hast hinter ihr hergeschnüffelt?«

»Ja.«

»Verstehe. Hast du sonst noch etwas gefunden? Briefe?«

»Nichts. Nur die paar Bilder.«

Maximilian nickte langsam. Dann fragte er unvermittelt: »Du fährst morgen früh nach Duverelle?«

»Ich will gegen sieben Uhr aufbrechen.«

»Ich möchte wissen«, sagte Maximilian, »was du da so allein tun willst. Es könnte sehr einsam sein.«

Mario erhob sich, setzte seine Sonnenbrille auf, strich sich über die dunklen Haare. »Vielleicht suche ich gerade das«, sagte er.

Wie schön er ist, dachte Maximilian. Wie so oft, wenn er sich der körperlichen Attraktivität seines Bruders so blitzartig bewußt wurde wie in diesem Moment, vergaß er für Sekunden, daß sie Zwillinge waren. Er konnte ihn mit den bewundernden Augen eines Fremden beobachten, sich in die Ebenmäßigkeit seiner Gesichtszüge, in die schlanken, kräftigen Linien seiner Gestalt vertiefen. Es waren seltene, eigentümliche Empfindungen von Zweigeteiltsein. Meist waren sie zu sehr verschmolzen miteinander, als daß dieses Heraustreten aus der *einen* Seele und die Verwandlung in den Beobachter möglich gewesen wäre. Sie hatten oft miteinander über ihr Zwillingsdasein gesprochen, über ihre schicksalhafte, lebenslange Gemeinsamkeit. Beide empfanden sie gleich: Sie waren eins. Mario und Maximilian, Maximilian und Mario. Ihre Namen waren Zufall und hätten genausogut anders verteilt sein können. Ihre zwei Körper waren Zufall; der Körper des einen hätte ebensogut zum Namen des anderen gehören können. Daß sie mit *zwei* Identitäten herumliefen, erschien ihnen als eine eigenwillige Laune der Natur, die sich einen Spaß daraus gemacht hatte, eine Seele mit zwei Körpern auszustatten, und als Zeichen hilflosen Unverständnisses ihrer Eltern, die ihnen zwei Namen gegeben hatten.

Und auch jetzt, da Maximilian für Augenblicke seinen Bruder aus der ungewöhnlichen Perspektive des Außenstehenden betrachten konnte, wußte er, daß sich dieses Gefühl sofort wieder auflösen würde; und noch während er dies dachte, schoben er und Mario sich schon wieder übereinander, und es war *sein* Spiegelbild, in das er blickte, *seine* Schönheit, die er bewunderte.

Er stand ebenfalls auf, nahm seine Schuhe und Strümpfe in die Hand. Der Sand klebte an seinen nassen Füßen.

»Wir sollten in die Klinik zurückfahren«, sagte er. »Du hast noch einen weiten Weg bis Hamburg. Und morgen mußt du früh aufstehen.«

»Du hast recht«, stimmte Mario zu. Einträchtig stapften sie nebeneinander zu Marios Auto zurück. Die Sonne neigte sich bereits dem schwarzen Streifen am Horizont, einem Kiefernwald, zu.

Maximilian blieb plötzlich stehen. Als ob er einer Eingebung folgte, sagte er: »Du verheimlichst mir etwas, oder? Es ist... ich kann es irgendwie fühlen...«

Auch Mario war stehengeblieben. Er entgegnete nichts. Die dunkle Brille verbarg seine Augen, und Maximilian vermochte darin keine Reaktion auf seine Bemerkung zu erkennen.

»Davies«, sagte Phillip, »ja, Andrew Davies. In London. Wie?«

Er lauschte ins Telefon.

»Nein, die Straße weiß ich nicht. Aber es ist Chelsea. Falls er da noch wohnt.«

Einen Brief von Davies an Janet hatte er in all den Jahren gefunden, in ihrem Schreibtisch, in dem er schäbigerweise herumgeschnüffelt hatte. Ein einziger Brief, kurz und sachlich. Davies teilte ihr darin mit, daß er bereits seit Jahren für Scotland Yard arbeite und daß er nach London umgezogen sei. Keine Liebesschwüre, keine Sehnsuchtsbeteuerungen. Phillip hatte nun erneut nach dem Brief gesucht, um die Adresse zu erfahren, hatte ihn aber nicht gefunden. Das konnte bedeuten, daß Janet ihn bei sich hatte, und wozu, wenn nicht sie selbst die Adresse brauchte? Ihm war heiß geworden, und er hatte versucht, sich zu erinnern, wie die Straße hieß. Es fiel ihm nicht mehr ein, aber er meinte, Chelsea gelesen zu haben.

»Ja... ja, danke, ich notiere...« Er klemmte den Telefonhörer zwischen Ohr und Schulter, hielt mit der einen Hand den kleinen Notizblock fest, kritzelte mit der anderen die Nummer, die ihm von der Auslandsauskunft genannt wurde. Dann legte er auf, starrte auf das Papier und überlegte, ob er es *wirlich* wissen wollte ...

Er nahm den Telefonhörer erneut ab, wählte die Vorwahl von England, von London, dann die Nummer von Andrew Davies. Während er auf das Klingelzeichen lauschte, merkte er, daß seine Hände zitterten, daß ihm der Schweiß auf die Stirn trat.

»Es ist alles in Ordnung«, flüsterte er sich beruhigend zu.

In London wurde abgehoben. »Hallo?« fragte eine weibliche Stimme.

Es war Janet.

Phillip ließ den Hörer auf die Gabel fallen, als habe er sich an ihm die Finger verbrannt. Er starrte den Apparat an. Er hatte es geahnt, natürlich, im Grunde war er nicht im geringsten überrascht. Aber es hatte ihn wie einen elektrischen Schlag getroffen, Janet zu hören. Diese vertrauliche Stimme, die sich mit größter Selbstverständlichkeit am Telefon eines anderen Mannes meldete. Lebte sie in seiner Wohnung?

Phillip ging mit langsamen, schweren Schritten ins Wohnzimmer, nahm ein Glas aus dem Schrank und schenkte sich einen Cognac ein. Er hatte sich seine Eifersucht mit so viel Willenskraft abgewöhnt, hatte sie so weit in versteckte Tiefen seines Inneren abgedrängt, daß ihn die Heftigkeit, mit der sie ihn nun überfiel, zutiefst verstörte. Warum tat es noch so weh nach all den Jahren? Er hatte sich längst damit abgefunden – das hatte er jedenfalls geglaubt –, daß Janets Gefühle für ihn rein freundschaftlicher Natur waren. Sie hatte ihn gern, sah in ihm einen zuverlässigen Lebensgefährten, mit dem gemeinsam sich die kleinen Hürden des Alltags besser nehmen ließen als allein. Phillip, der Vater ihrer Kinder, hin und wieder eine Schulter zum Anlehnen. Eine beschissene Rolle im Grunde, die sie ihm zugedacht hatte.

Aber, dachte Phillip nun, während er in kleinen Schlucken seinen Cognac trank und dabei in den sommerlichen Abend hinaussah, was habe ich auch je getan, um meine Situation zu ändern? Nichts. Absolut nichts. Ich hab' mich verdammt gut arrangiert mit den Dingen, wie sie eben waren.

Janet war achtzehn gewesen, als er sie kennengelernt hatte. Sie war als Au-pair-Mädchen von England nach München gekommen. Um die Sprache zu lernen, wie sie sagte. Wie sich später herausstellte, hatte sie in Wahrheit den verzweifelten Versuch unternommen, Andrew Davies zu vergessen.

Phillip eignete sich als Helfer. Er war noch Student und führte ein geselliges Leben, er sah gut aus und hatte viele Freunde. Er nahm Janet mit, wohin er auch ging, sorgte dafür, daß sie nicht allein herumsaß und zu grübeln begann. Sie gingen auf Parties, ins Kino und Theater, sie wanderten in den Bergen und verbrachten einen wunderbaren Sommer bei Bekannten in Südfrankreich. Ein Dreivierteljahr lang blieb ihre Beziehung rein platonisch, obwohl sich Phillip längst heftig in Janet verliebt hatte. Als sie endlich seine Geliebte wurde, spürte er, daß viel Resignation dahinter steckte und wenig Leidenschaft. Er hatte das hingenommen, dabei auf die Wirkung der Zeit gehofft, auf etwas gewartet, das schließlich nie eintrat. Im Grunde hoffte er sogar jetzt noch, da er gerade ihr »Hallo« aus Davies' Telefonapparat vernommen hatte. Er würde bis ins Grab warten, hoffen. Und sich lächerlich machen.

Ich bin ein echter Verlierer, sagte er sich, verlieren

kann jeder, aber ein echter Verlierer ist einer, der gegen seine Niederlage nicht einmal kämpft. Der sie hinnimmt, als gehöre sie unlösbar zu ihm.

Und wahrscheinlich tat sie das auch. Die Niederlage war eine Bestimmung, die dem Verlierer von Anfang an zugedacht war, und er wußte es. Deshalb nahm er sie hin und arrangierte sich in seiner Rolle.

Er stand lange Zeit so am Fenster und merkte nicht, daß es draußen Nacht wurde, eine warme, klare Juninacht, in der Glühwürmchen über den Wiesen tanzten. Erst als er die Haustür klappern hörte, zuckte er zusammen und erwachte aus seiner Versunkenheit. Mario kam ins Zimmer.

»Du bist noch wach?« fragte er verwundert. »Und warum stehst du da im Dunkeln?«

Phillip wandte sich um. »Ich habe nachgedacht. Kommst du von Maximilian?«

»Ja, aber ich bin auch noch in der Gegend herumgefahren. Es ist eine sehr schöne Nacht.«

»Ich habe das gar nicht so genau gemerkt«, gestand Phillip. Unschlüssig drehte er das leere Glas zwischen den Händen. »Hast du schon gepackt? Ihr wollt doch ziemlich früh los morgen.«

»Nein. Ich muß das jetzt noch machen.«

Er will nicht fahren, dachte Phillip.

Er wußte, daß er sich darüber hätte Gedanken machen müssen, aber er hatte zu viele eigene Sorgen, war zu müde von all den Problemen, die ihn bedrängten.

»Ich gehe schlafen«, sagte er, »weck mich dann bitte, egal, wie früh du aufbrichst.«

Er wollte das Zimmer verlassen, doch Mario hielt ihn am Arm fest.

»Hast du irgend etwas von Janet gehört?«

»Nein«, sagte Phillip nur und ging hinaus.

»Kann ich Sie einen Moment sprechen, Herr Professor?«
fragte Maximilian. Er hatte Echinger auf dem Gang vor
dessen Arbeitszimmer abgefangen. In der ganzen Klinik
herrschte Stille, fast alle schliefen schon oder hielten sich
wenigstens in ihren Zimmern auf. Echinger hatte einen
seiner langen, späten Abendspaziergänge unternommen
und würde noch ein oder zwei Stunden am Schreibtisch
sitzen. Er kam mit unglaublich geringen Mengen Schlaf
aus und verursachte bei jedem seiner Mitarbeiter Schuldgefühle, weil man sich in seiner Gegenwart unweigerlich
wie ein hoffnungsloser Faulpelz vorkam.

»Herr Beerbaum!« sagte der Professor überrascht. »Sie
schlafen noch nicht? Ich habe Sie übrigens auch beim
Abendessen vermißt. Sonst hätte ich Ihnen da bereits eine
gute Nachricht übermittelt.« Er öffnete seine Zimmertür.
»Kommen Sie herein.«

Maximilian trat ein. Echinger nahm hinter seinem
Schreibtisch Platz, wühlte in einem Stapel Papiere herum.
»Hier!« Er zog einen Bogen heraus. »Das ist die offizielle
Bestätigung des Landgerichts Flensburg. Mit dem ersten
August dieses Jahres ist Ihre Unterbringung hier in der
Klinik ausgesetzt.«

»Oh«, sagte Maximilian. Er wußte nicht, wohin mit
seinen Händen, schob sie in die Hosentaschen und zog sie
gleich wieder heraus, weil er sich nun wie ein Schuljunge
vorkam.

»Setzen Sie sich doch«, sagte Echinger. Maximilian
setzte sich auf den Stuhl, der gegenüber dem Schreibtisch
stand. Eine eigenartige, ganz andere Perspektive des
Raumes, fand er, eine, die ihn sich auch sofort dem Professor gegenüber anders fühlen ließ. Während der Thera-
piestunden saßen sie einander in zwei Sesseln an der
anderen Seite des Zimmers gegenüber. Der wuchtige,
respekteinflößende Schreibtisch, der jetzt zwischen ihnen

stand, ließ Maximilian sich kleiner fühlen. Und unterlegen.

»Freuen Sie sich?« fragte Echinger. »Ich meine, wir wußten es ja, aber nun ist sozusagen nicht mehr daran zu rütteln.«

»Natürlich. Ich freue mich.«

»Sie fürchten sich auch, nicht? Hat sich mit Ihrem Vater etwas Neues ergeben?«

»Schottland ist gestorben. Meine Mutter ist dort nicht aufgetaucht, und eine zweite Chance geben sie einem da nicht. Mein Vater hat sich natürlich den Mund fusselig geredet, aber es war nichts zu machen. Der Platz wurde anderweitig vergeben.«

»Aha. Erleichtert Sie das?«

Maximilian zuckte mit den Schultern. »In gewisser Weise schon. Aber was ich nun tun soll, steht für mich noch immer in den Sternen. Mit meiner Vergangenheit habe ich nur schlechte Karten.«

Echinger neigte sich vor und sah Maximilian eindringlich an. »Wir haben so oft darüber gesprochen. Sie neigen dazu, alles in schwarzer Farbe zu malen, alles zu Ihren Ungunsten zu interpretieren. Das ist durchaus normal in Ihrer Lage. Sie haben sechs Jahre hinter den dikken Mauern einer Klinik gelebt; natürlich haben Sie Angst vor Ihrer Rückkehr ins Leben. Aber seien Sie nicht ganz blind für die Dinge, die durchaus Hoffnung geben können.«

»Herr Professor...«, setzte Maximilian an, doch Echinger unterbrach ihn.

»Ich habe Ihnen das so direkt noch nie gesagt, Herr Beerbaum, aber Sie sind der intelligenteste Patient, den ich je hatte. Ich gebe zu, mit allem, was hinter Ihnen liegt, haben Sie durchaus eine gewichtige Hypothek mit sich herumzuschleppen. Aber das ist nicht alles. Ihr Kapital ist Ihre Intelligenz, und die kann Ihnen niemand nehmen.«

»Aber es kann sein, daß niemand sie registriert.«

»Ich denke, was stark ist, setzt sich durch«, sagte Echinger, »aber diesen Prozeß sollten Sie sich nicht zu schwer machen, indem Sie als Ihr härtester Gegner in den Ring gehen. Machen Sie sich nicht zum Komplizen derer, die gegen Sie sind.«

Er hat eine überzeugende Art, dachte Maximilian, ein kraftvoller Appell, der Mut zuspricht.

Unvermittelt sagte er: »Meine Mutter ist verschwunden.«

Echinger runzelte die Stirn. »Verschwunden?«

»Sie ist aus England nicht zurückgekehrt. Und hat sich auch nicht gemeldet.«

»Kann es sein, daß ihr etwas zugestoßen ist? Hat Ihr Vater entsprechende Nachforschungen eingeleitet?«

»Nein. Mein Vater ist überzeugt, daß ihr nichts passiert ist. Er und mein Bruder glauben, daß sie bei Andrew Davies ist.«

Nach sechs Jahren Therapie war Professor Echinger mit jedem Detail aus dem Leben der Familie Beerbaum vertraut. Er wußte sofort, um wen es ging.

»Andrew Davies. Das ist der Mann, der . . .«

»Ja. Das ist er. Manches spricht dafür, daß sie bei ihm ist. Sie war immer sehr . . . gierig nach ihm. Die alten Gefühle dürften sie überfallen haben, als sie englischen Boden betrat.«

Echinger überlegte und stellte dann seine Standardfrage: »Was genau empfinden Sie bei der Vorstellung, daß Ihre Mutter jetzt mit Andrew Davies zusammen ist?«

Maximilian schüttelte den Kopf. »Nein, Herr Professor, das ist hier keine Therapiestunde. Auf diese Frage will ich diesmal nicht antworten.«

»Das müssen Sie selbstverständlich auch nicht«, sagte Echinger sanft, »ich dachte nur, da Sie es mir nun einmal mitgeteilt haben . . .«

Maximilian erhob sich. »Ich wollte es Ihnen einfach sagen. Nicht mit Ihnen darüber reden.«

»Sie haben zu dieser späten Stunde lange vor meinem Zimmer gewartet. Daraus schloß ich, daß Sie reden wollen.«

»Ich habe es mir anders überlegt«, sagte Maximilian. Er ging zur Tür, blieb dort jedoch, die Hand auf der Klinke, stehen. »Ich glaube, ich will nicht wissen, was ich beim Gedanken an meine Mutter und Andrew Davies empfinde. Verstehen Sie?«

»Durchaus«, sagte Echinger. Er stand ebenfalls auf, sah Maximilian abwartend an. Der öffnete die Tür, wollte hinausgehen, wandte sich jedoch noch einmal um.

»Was gibt Ihnen die Sicherheit, daß ich gesund bin, Herr Professor?«

»Wie?«

»Daß ich hier herauskomme, liegt in erster Linie an Ihrem Gutachten.«

»Nein. Es liegt in mindestens ebenso starkem Maße an den Gutachten der unabhängigen Sachverständigen, die vom Gericht bestimmt wurden.«

»Okay. Aber Ihr Urteil wiegt schwer nach sechs Jahren. Was gibt Ihnen die Sicherheit?«

»Sie geben sie mir. Ganz einfach.«

»Aber Sie laden auch einige Verantwortung auf sich, nicht? Was, wenn Sie sich irren?« Er wartete die Antwort nicht ab, sondern trat hinaus auf den Flur, schloß leise die Tür hinter sich.

Echinger schüttelte den Kopf und setzte sich wieder. Spiele dieser Art, von Patienten ausgehend, kannte er. Ein Therapeut lud ein zum Provozieren, das ergab sich fast zwangsläufig aus der Situation. Nichts, weswegen er sich aufregen oder gar ärgern müßte.

Maximilian Beerbaum zählte zu den erfolgreichsten Fällen seiner Laufbahn. In den ersten zwei Jahren hatten es seine Depressionen fast unmöglich gemacht, überhaupt an ihn heranzukommen, und er war in hohem Maße suizidgefährdet gewesen, hatte ständig bewacht werden müssen. Aber dann wurde es besser, er begann sich zu öffnen; langsam, in kleinen Schritten gewann Echinger sein Vertrauen und seine Bereitschaft, mit ihm zu arbeiten. Heute würde er seine Hand dafür ins Feuer legen, daß Maximilian gesund war. Würde er das?

Mit einem Seufzer nahm er ein Buch zur Hand, schlug es auf.

Er konnte sich nicht konzentrieren.

Nach zehn Stunden Fahrt begehrte sie auf.

»Lieber Gott, Mario, ich habe Hunger! Und ich bin wahnsinnig müde. Sollten wir nicht langsam überlegen, wo wir essen und übernachten?«

Sie hatten bei Mühlhausen die Grenze nach Frankreich überquert und stießen nun durch Burgund zur Rhône vor. Es war sieben Uhr, der Sommerabend warm und hell. In Hamburg hatte es geregnet am Morgen, aber nach Süden hin war der Himmel immer mehr aufgerissen. Nun segelten nur noch ein paar rosa gefärbte kleine Wolken am Horizont entlang.

»Willst du in irgendeiner *Stadt* essen?« fragte Mario in einem Ton, der besagte, daß er das ganz und gar nicht wollte. »Da ist es doch jetzt überall furchtbar voll.«

»Die Autobahnen sind auch voll.« Tatsächlich bewegten sie sich gerade wieder recht zäh vorwärts. »Und ich hatte gedacht, wir könnten uns ein bißchen was anschauen.«

»Davon hast du nichts gesagt.«

»Ich fand es selbstverständlich, daß wir irgendwo anhalten und uns umsehen. Ich wußte nur nicht wo, weil man ja nicht sagen konnte, wie weit wir heute kommen würden.«

Mario seufzte. Tina wandte sich ihm zu, betrachtete sein schönes, ebenmäßiges Profil. Selbst von der Seite konnte sie erkennen, wie müde er aussah. Seine Lippen jedoch lagen in einer angespannten Entschlossenheit aufeinander, und plötzlich beschlich Tina ein dumpfer Verdacht.

»Du willst doch nicht heute noch bis ans Mittelmeer durchfahren?«

»Warum nicht?«

»Das sind mindestens noch fünfhundert Kilometer! Da brauchen wir ja die ganze Nacht!«

»Dafür gewinnen wir einen Tag, den wir dann dort verbringen können.«

»Ach, ein Tag! Dafür müssen wir uns doch nicht so abkämpfen!«

»Du wolltest doch unbedingt in die Provence«, sagte Mario gekränkt, »und jetzt würdest du glatt einen Tag verschenken!«

»Ich finde nur, wir müssen nicht wie die Verrückten durchbrettern. Du brauchst ja alleine eine Woche, um dich von dieser Fahrt zu erholen!«

»Ich steck' das leicht weg«, behauptete Mario. Dann setzte er hinzu: »Aber wenn du unbedingt willst . . .«

Es klang so mißmutig, daß Tina sofort den Rückzug antrat. »Nein, wir müssen ja nicht. Es war nur ein Vorschlag.«

Mario sah sie an. Er lächelte, sein Gesichtsausdruck wurde warm und entspannt. »Wir essen irgendwo. Würde es dir etwas ausmachen, wenn wir uns einen Gasthof suchen, der nicht zu weit entfernt liegt von der Autobahn? Ich hasse es, in fremden Städten herumzukurven . . .«

Sie landeten dann schließlich an einer Raststätte, aber Tina hatte inzwischen solchen Hunger, daß ihr das völlig egal war. Seit dem Frühstück hatten sie nur einmal gerastet – auf der Höhe von Frankfurt, ebenfalls an einer Tankstelle –, und jeder hatte zwei trockene Sandwiches mit einem nach Plastik schmeckenden Käse darauf verzehrt. Dieser Rasthof nun sah zumindest recht einladend aus. Es hielten sich erstaunlich wenig Menschen dort auf.

Tina und Mario setzten sich an einen Ecktisch und bestellten jeder das gleiche Nudelgericht. Tina wollte dazu ein Glas Weißwein trinken, Mario als Autofahrer nur Mineralwasser. Es duftete durchaus verlockend aus der Küche, und draußen verschwammen die Konturen des Tages in den sanften, graublauen Schleiern der Dämmerung. Eine friedliche, etwas schläfrige Stimmung senkte sich über Tina. Sie betrachtete Mario und dachte, wie schön es doch war, daß sie ihn kennengelernt hatte und daß sie nun zusammen verreisen konnten. Über den Tisch hinweg griff sie nach seiner Hand. »Ich freue mich auf diese Ferien, Mario«, sagte sie leise.

Er hielt ihre Finger fest. »Ich freue mich auch!« Auch er schien sich etwas zu entspannen. Seine Hände fühlten sich angenehm kühl an.

Eine Kellnerin brachte die Getränke. Für einen Moment löste Tina ihren Blick von Marios Gesicht. Dabei entdeckte sie einen Mann, der schräg hinter Mario saß. Er trug einen zu engen braunen Rollkragenpullover aus Kunstfaser und hatte fettige Haare. Er starrte Tina unverwandt an, aus dunklen Augen, die so schmal waren, daß sie asiatisch anmuteten.

Tina schaute zur Seite, aber sie spürte den Blick des Fremden auf sich gerichtet. Sie konnte nicht anders, als rasch noch einmal hinzusehen. Es hatte sich nichts geändert, er fixierte sie noch immer. Es wirkte, als lauerte er auf eine Beute.

»Mario«, flüsterte sie, »dreh dich nachher mal unauffällig um. Da sitzt einer, der glotzt mich an, als hätte er noch nie eine Frau gesehen!«

Natürlich drehte sich Mario weder nachher noch unauffällig um, sondern sofort und unübersehbar. Den Fremden irritierte das nicht. Er wandte keine Sekunde seinen Blick von Tina.

»Möchtest du, daß wir uns woanders hinsetzen?« fragte Mario.

Tina schüttelte den Kopf. »Unsinn. Aber er wirkt ein bißchen verrückt, oder?«

»Ich kann ihn ja verstehen.« Mario lächelte. »Du siehst sehr hübsch aus, Tina.«

Tina wurde einer Antwort enthoben, weil das Essen kam. Die Nudeln mit der fertigen, nur angerührten Käsesoße schmeckten nicht besonders aufregend, aber Tina aß, als wäre sie am Verhungern.

»Was meinst du«, fragte sie, als sie fertig war und sich erleichtert und gesättigt zurücklehnte, »wann werden wir morgen ankommen?«

»Im Laufe der Nacht«, antwortete Mario, »du wirst jetzt einfach schlafen im Auto, und wenn du aufwachst, sind wir schon da.«

»Okay.« Tina war einverstanden. Sie war nicht viel Alkohol gewöhnt, und das eine Glas Wein hatte bereits ausgereicht, sie sehr milde und sanft zu stimmen. Es machte ihr nichts mehr aus, daß Mario ohne Unterbrechung bis nach Nizza fahren wollte. Sie verstand gar nicht mehr, weshalb sie sich deswegen überhaupt geärgert hatte.

Der unheimliche Fremde hatte einen Salat gegessen und ein Bier getrunken. Er legte sein Geld abgezählt neben den Teller und stand auf. Er starrte Tina an . . . Sie blickte zur Seite.

Nachdem Mario bezahlt hatte, beschloß Tina, die Toiletten aufzusuchen. Mario wollte schon hinausgehen und das Auto auftanken. Tina mußte zwei Treppen hinunter und durch einen langen dunklen Gang gehen, in dem ihre

Schritte widerhallten, ehe sie die Damentoilette erreichte. Diese lagen, vom Restaurant aus betrachtet, im Keller; durch die Hanglage des Gebäudes befanden sich die Fenster jedoch nach dieser anderen Seite des Hauses hin knapp über den Erdboden.

Es war niemand da. Tina trödelte ein wenig in dem großen Waschraum herum, kämmte sich ausgiebig die Haare und malte sich die Lippen dunkelrot an. Dana hatte sie zum Kauf des Lippenstiftes überredet.

»Bei diesem Mario mußt du deutliche Signale setzen«, hatte sie gesagt, »bei diesem blaßrosa Zeug, das du immer benutzt, wird das nie etwas!«

Die Wirkung war nicht schlecht, fand Tina. Sie sah mit dem tiefroten Mund deutlich älter und ein wenig aufreizend aus. Ihrem Vater hätte das nicht gefallen, aber sie war gespannt, wie Mario darauf reagieren würde.

Sie schaute in jede Toilettenkabine, bis sie die ausfindig gemacht hatte, die ihr am saubersten schien. Während sie sich noch nach einer Möglichkeit umsah, ihre Handtasche aufzuhängen, hörte sie die schleichenden Schritte.

Sie wußte nicht sofort, aus welcher Richtung sie kamen. Aber dann erkannte sie, daß jemand draußen vor den Fenstern war, suchend und spähend vor jedem einzelnen Fenster innehielt. Das Tappen kam näher. Tina starrte hinauf, mit weitaufgerissenen Augen und jäh ausgedörrtem Mund. Oben tauchte ein Schatten auf. Mehr konnte sie durch das Milchglas nicht erkennen, mehr vermochte der fremde Beobachter auch von ihr nicht zu sehen. Aber zweifellos hatte er gerade herausgefunden, wo sie sich aufhielt.

Er kauerte sich nieder. Durch den schmalen Spalt am oberen geöffneten Fensterrand konnte Tina sein unterdrücktes Atmen hören.

Auf einmal konnte sie sich wieder bewegen. Mit zitternden Fingern drehte sie an dem Türschloß herum. Es bewegte sich nicht, irgend etwas klemmte, oder sie machte etwas falsch in ihrer Fahrigkeit. Sie rüttelte an der Tür, auf einmal völlig aufgelöst in ihrer Panik.

»Mario!« Ihre Stimme klang schrill. »Wo bist du?«

Der Schatten vor dem Fenster entfernte sich eilig. Tina versuchte, langsam und tief durchzuatmen. Es hatte keinen Sinn, zu schreien und wie verrückt an der Tür herumzurütteln. Sie drehte noch einmal am Schloß. Die Tür öffnete sich ohne Probleme.

Tina stürzte durch den Waschraum und stieß beinahe mit einer anderen Frau zusammen, die gerade eingetreten war. Sie schaute verwundert auf das aufgelöste Mädchen, das wie ein Blitz an ihr vorüberjagte.

Immer zwei Stufen auf einmal nehmend, rannte Tina die Treppe hinauf, bezähmte sich dann und lief etwas langsamer durch das Restaurant hinaus ins Freie. Sie entdeckte Mario ein kleines Stück weiter an der Tankstelle; er hatte gerade den Schlauch in die Tanköffnung gehängt und ließ Benzin einlaufen.

»Mario, Gott sei Dank, daß du da bist!« Sie griff aufgeregt nach seiner Hand.

Mario sah sie erstaunt an. »Wo soll ich denn sein?« Er strich ihr eine Haarsträhne aus dem Gesicht. »Denkst du, ich fahre ohne dich weiter?«

»Da war ein Mann vor dem Fenster! Er hat versucht, reinzuschauen!«

»Vor welchem Fenster?«

»An der Toilette. Er hat ganz laut geatmet und versucht reinzuschauen!«

»Soll ich nachsehen? Vielleicht drückt er sich da noch herum.«

»Nein. Er ist bestimmt weg. Ich habe laut geschrien, das hat ihn erschreckt.«

Auf einmal kam sich Tina etwas albern vor. In dem Keller war es unheimlich gewesen, aber hier draußen liefen Leute herum, standen an den Tanksäulen an, Kinder spielten, zwei Hunde bellten einander zornig an. In den Wiesen zirpten Grillen. Was hatte sie so aufgeregt? Irgendein Spanner, der sich vermutlich ständig an den Toilettenfenstern von Autobahnraststätten aufhielt und Frauen erschreckte, dabei aber sicher harmlos war.

»Vielleicht war es der Kerl, der dich so angestarrt hat«, meinte Mario. Er sah sich suchend um. »Hier scheint er nirgends zu sein.«

»Ach, vergiß es. Es spielt ja keine Rolle, wer es war. Ich hab' mich erschreckt, das ist alles. Laß uns weiterfahren.«

Mario bezahlte, dann stiegen sie ein und rollten wieder auf die Autobahn. Tina beschloß gerade, das unselige Vorkommnis endgültig zu vergessen, da sagte Mario plötzlich: »Ein wenig provozierst du derartige Situationen natürlich auch.«

Tina sah ihn an. »Wie bitte?«

Er wandte seinen Blick nicht von der Straße. »Ich habe dich noch nie in einem so kurzen Rock gesehen wie heute!«

Tina war fassungslos. »Entschuldige bitte, es ist Sommer! Wir verreisen! Was ist denn da einzuwenden gegen einen kurzen Jeansrock?«

Endlich schaute er sie an, lächelte. »Kleines, reg dich nicht gleich so auf! Ich habe doch nur gesagt . . .«

»Du hast gesagt, ich provoziere so etwas. Du hast versucht, mir die Schuld zuzuschieben.«

»Von Schuld war doch gar nicht die Rede. Es gibt Männer, für die ist ein kurzer Rock eben eine eindeutige Aufforderung. Das wollte ich dir nur erklären.«

»Du hast von Provokation gesprochen«, beharrte Tina,

»und das bedeutet, daß du mir zumindest einen Teil der Schuld gibst.«

Mario verdrehte die Augen. »Das wollte ich nicht. Ich habe mich vielleicht ungeschickt ausgedrückt.«

»Allerdings«, sagte Tina verstimmt.

Mario schwieg. Schließlich fragte er leichthin: »Was hast du eigentlich mit deinem Mund gemacht?«

»Mit meinem Mund?« Sie hatte den Lippenstift ganz vergessen und wußte nicht sofort, was Mario meinte. Unsicher berührte sie ihre Lippen. »Ist was?«

Er lächelte sanft. »Bißchen viel Farbe.«

»Oh – gefällt dir das nicht?«

»Ich fand den Lippenstift schöner, den du sonst benutzt. Am schönsten ist es, wenn du dich gar nicht schminkst. Dein Gesicht braucht das überhaupt nicht.«

»Ich wollte ein bißchen älter aussehen«, sagte Tina zaghaft. Sie klappte die Sonnenblende mit dem Spiegel hinunter. Ihr Mund war wirklich zu grell. Typisch Dana, ihr eine solche Farbe aufzuschwatzen. Rasch kramte sie ein Taschentuch hervor und wischte den Mund ab.

»Besser?« fragte sie.

Mario hob die Hand, strich ihr kurz und sehr zärtlich über die Wange. »Du bist wunderschön, Tina. Du hast ein Gesicht wie ein Engel.«

Sie lächelte etwas gequält, sah hinaus in die vorübergleitende, sanft gewellte, waldige Landschaft Burgunds und in den herrlichen Sonnenuntergang, und sie fragte sich, warum dieses Kompliment sie nicht freute. Mario hatte nichts weiter gesagt, als daß sie ihm ungeschminkt besser gefiel, und er hatte sie mit einem Engel verglichen.

Warum fühlte sie sich plötzlich so elend? So, als habe sie einen groben Fehler gemacht oder sich völlig daneben benommen?

Sie saßen beim Abendessen, friedlich und in stillem Selbstverständnis wie ein langjähriges Ehepaar. Es gab Lachs und Toastbrot und verschiedene Salate, dazu einen sehr kalten Wein. Leise Musik kam vom CD-Spieler in der Ecke. Gedämpft klangen die Geräusche des Londoner Straßenverkehrs herauf.

Andrew trug seinen alten, blauen Bademantel, ein zerschlissenes Stück, das noch aus seiner Studentenzeit stammte. Den neuen, flauschigen aus dunkelbraunem Frottee hatte er Janet überlassen. Sie mußte ihn an den Ärmeln mehrmals umschlagen und beim Gehen aufpassen, daß sie nicht über den Saum stolperte, aber sie fühlte sich sehr geborgen darin. Der Bademantel roch nach Andrew, nach seiner Seife, seinem Rasierwasser, seinem Körper. Andrew hatte ihn noch waschen wollen, ehe er ihn ihr gab, aber sie hatte das nicht gewollt. Sie mochte ihn so, wie er war.

Ein langjähriges Ehepaar, dachte sie nun, hätte sich wahrscheinlich nicht noch eine Viertelstunde vor dem Abendessen geliebt. Dazu wären beide schon zu frustriert. Sie von dem langen Tag allein zu Hause, er von den Ärgernissen im Beruf.

Allerdings hatte sich Janet kein bißchen gelangweilt. Sie hatte lange geschlafen, ausgiebig gefrühstückt, war dann in die Tate Gallery gegangen und hatte am Nachmittag erstaunt festgestellt, wie viele Stunden sie dort verbracht hatte. Sie hatte für das Abendessen eingekauft und war eine knappe halbe Stunde vor Andrew in die Wohnung zurückgekehrt. Als er kam, sah sie gleich, daß er Sorgen mit sich herumschleppte.

»Fred Corvey?« fragte sie.

Er küßte sie und nickte. »Morgen beginnt die Hauptverhandlung. Ich bin ein bißchen nervös.«

»Du solltest dir nicht so viele Gedanken machen!«

Mit einer resignierten Bewegung strich sich Andrew über die vor Erschöpfung leicht geröteten Augen. »Du hast recht. – Wie war dein Tag?«

Sie erzählte von ihrem Museumsbesuch, dann tranken sie jeder einen Sherry und gingen ins Bett. In der einen Woche, die Janet jetzt ganz in Andrews Wohnung lebte, hatten sie jeden Abend so begonnen. In den Jahren mit Phillip hatte Janet fast vergessen gehabt, wie wunderbar es für sie war, mit Andrew zu schlafen. Es mochte vor allem daran liegen, daß Andrew sie körperlich so stark anzog, weit mehr als Phillip. Zudem verfügte Andrew als Liebhaber über eine Mischung aus Zärtlichkeit und Dominanz, die Janets unausgesprochenen Wünsche mit einer schlafwandlerischen Sicherheit erfüllte. Er ging bis hart an die Grenzen dessen, was Janet mitzugehen bereit war, brachte dabei das Kunststück fertig, es niemals um einen Schritt zu weit zu treiben. So war es immer gewesen, ohne daß sie jemals eine dieser peinlichen, Janet unweigerlich die Röte in die Wangen treibenden Diskussionen um ihrer beider sexuellen Bedürfnisse geführt hatten, die Phillip – nach gewissenhaftem Studium zahlreicher Frauenzeitschriften – für die Grundlage der modernen, offenen, gleichberechtigten Partnerschaft hielt.

»*Magst du es eigentlich, wenn ich . . . ?*« Es gehörte zu den Dingen, die Janet an Andrew am meisten schätzte, daß er ihr Fragen dieser Art nie stellte.

Später hatten sie zusammen den Tisch gedeckt, ohne ein Wort zu sprechen, in einer friedvollen, ruhigen Stimmung. Jetzt fragte Andrew plötzlich unvermittelt: »Was war eigentlich der genaue Grund, weshalb du nach England gekommen bist?«

Janet sah erschrocken auf, dann nahm sie rasch einen Schluck Wein, um Zeit zu gewinnen. Dann fragte sie zurück: »Wie kommst du jetzt gerade darauf?«

»Nicht erst jetzt. Ich denke schon länger darüber nach, aber ich habe gespürt, daß du nicht darüber sprechen wolltest. Nur inzwischen . . .« Er zögerte. Janet kam ihm nicht entgegen, sondern blickte ihn nur abwartend an.

Andrew seufzte. »Mein Gott, Janet, ich will dich nicht festnageln. Aber ich mache mir Gedanken, wie es weitergehen wird. Ich . . .« Er lächelte, ein entwaffnendes, jungenhaftes Lächeln. »Ich fange an, mich sehr an deine Gesellschaft zu gewöhnen. Jeden Tag, wenn ich nach Hause komme, freue ich mich auf dich. Und gleichzeitig habe ich Angst vor dem Moment, an dem es vorbei ist.«

»Wieso denkst du darüber überhaupt nach? Kannst du nicht einfach in der Gegenwart leben und . . .«

»Nein.« Er legte seine Serviette auf den Tisch, stand auf, trat ans Fenster. Die Hände in die Taschen seines Bademantels gestemmt, schaute er hinaus in den Abend. »Es tut mir leid, diese Zeiten sind vorüber. Ich brauche wenigstens ein bißchen Klarheit über die Zukunft. Ich bin nicht mehr jung genug, um in den Tag hineinzuleben und mir keinerlei Gedanken zu machen, was der nächste Morgen bringt.«

»Du solltest mich aber gut genug kennen, um zu wissen, daß ich mit Sicherheit nicht plötzlich aufstehe und verschwinde«, sagte Janet.

Andrew wandte sich um. »Hat sich dein Mann, haben sich deine Söhne auch in dieser Sicherheit gewiegt?«

Janet wurde blaß. »Das ist nicht fair, Andrew«, sagte sie leise.

»Ist es fair, mich völlig im unklaren zu lassen?« fragte er zurück.

Eine Weile sprachen sie beide nicht, dann stand Janet auf und begann, das Geschirr zusammenzustellen. »Der Abend war so schön bisher«, sagte sie.

Andrew trat zu ihr hin, nahm ihre Hände. »Versuch

doch, mich zu verstehen. Ich würde so gern wissen, was dazu geführt hat, daß du so plötzlich in mein Leben geschneit bist.«

»Warum?«

»Weil mir das vielleicht etwas darüber sagen würde, ob du zurückkehren wirst oder nicht.«

»Ich kann darüber nicht reden.«

»Janet, daß du deinen Mann verläßt, kann ich mir noch vorstellen, ich meine, so etwas kommt ja öfter vor. Aber deine Kinder! Das paßt einfach nicht zu dir!«

»Das sind keine Kinder mehr. Das sind junge Männer von vierundzwanzig Jahren.«

»Trotzdem.« Andrew schüttelte den Kopf. »Es paßt einfach nicht. Gab es Ärger mit ihnen? Irgendein schlimmes Problem, mit dem du nicht fertig zu werden glaubst?«

»Nein!« Das kam sehr scharf.

Andrew sah sie an. »Janet? Sicher?«

Sie entwand ihm ihre Hände. »Ich stehe hier nicht als Beschuldigter vor Ihnen, Herr Inspektor«, sagte sie heftig. »Es gibt keinen Grund, mich einem Verhör zu unterziehen!«

»Das wollte ich doch nicht. Ich wollte nur...«

»Wenn du es nicht willst, warum tust du es dann?« Janet nahm das Tablett und verließ das Zimmer. Andrew konnte hören, wie sie in der Küche laut klirrend hantierte. Er überlegte kurz, ob er ihr nachgehen und noch einmal das Gespräch mit ihr suchen sollte, aber dann dachte er, es sollte ihm reichen, *einmal* so schroff abzublitzen. Er wurde nun ebenfalls wütend. Was immer sie veranlaßt hatte, Deutschland zu verlassen, es konnte nicht so geheimnisvoll sein, daß man sich nicht einmal in Andeutungen darüber ergehen konnte.

Er verließ den Raum, ging in sein Arbeitszimmer und

schmetterte laut die Tür hinter sich zu. Wenn Janet Distanz wollte, so konnte sie das haben.

Für den Rest des Abends sprachen sie kein Wort mehr miteinander.

Es war schon kurz nach zehn Uhr, als es bei Michael Weiss an der Haustür klingelte. Michael war gerade vor dem Fernseher eingeschlafen, schreckte auf und brauchte einen Moment, um sich zu orientieren. Dann sah er auf die Uhr. Wer mochte das sein um diese Zeit? Er hatte das Gefühl, sein Herz setzte vor Angst ein paar Schläge aus, als ihm der Gedanke kam, es könnte etwas mit Tina geschehen sein. Ein Unfall, und jetzt kam die Polizei, um ihm mitzuteilen, daß...

Er stürzte zur Haustür, riß sie auf. Vor ihm stand Dana, eine Flasche Wein in der Hand.

»Stimmt etwas nicht?« fragte sie beunruhigt.

»Nein... wieso...?« Michael atmete tief durch und kam sich sehr lächerlich vor.

»Sie sind total blaß«, stellte Dana fest, »deshalb dachte ich, es ist vielleicht etwas...«

»Ich fürchte, ich bin vor dem Fernseher eingeschlafen«, gestand Michael. Peinlich genug, aber nicht so peinlich, wie die gluckenhafte Besorgnis um seine Tochter zuzugeben. »Vielleicht bin ich deshalb so blaß.«

»Wahrscheinlich ist das nicht die richtige Zeit, um Besuche zu machen«, meinte Dana, »aber ich dachte, am ersten Abend ohne Tina fühlen Sie sich vielleicht einsam. Deshalb wollte ich nach Ihnen sehen und einen Wein mit Ihnen trinken.«

Sie schwenkte die Flasche. Eine Billigsorte aus dem Supermarkt, erkannte Michael. Es rührte ihn, daß sich Dana Gedanken um ihn machte. Ein sympathischer Zug, das mußte er zugeben, auch wenn er Dana für gewöhnlich nicht besonders mochte. Es hing damit zusammen, daß er grundsätzlich wenig übrig hatte für unkonventionelle Menschen, und Dana war *höchst* unkonventionell. Auch jetzt wieder: Tauchte nach zehn Uhr abends unangemeldet mit einer Weinflasche bei ihm auf und sah aus wie ... wie ... Er versuchte, ihre silberfarbenen Stöckelschuhe zu ignorieren und ihre nackten Beine, ebenso den schwarzen Stretchrock, der mit knapper Not ihren Po bedeckte, sowie das rote Miederoberteil, das jeden Moment gesprengt zu werden drohte. Darüber aber ein junges, fröhliches, intelligentes Gesicht, lustige dunkle Locken, ein zutrauliches Lächeln. Es würde ihm nichts übrig bleiben, als sie hereinzubitten.

»Na, dann kommen Sie mal«, sagte er.

Sie trat ins Haus, und ehe Michael die Tür schloß, sah er noch, daß die Küchenvorhänge im gegenüberliegenden Haus sich bewegten. Gut, nun konnte die ganze Gegend über den eigenartigen Damenbesuch tratschen, den der Herr Staatsanwalt am späten Abend empfing.

Er folgte Dana ins Wohnzimmer, schaltete den Fernseher ab und nahm zwei Weingläser aus dem Schrank. Dana entkorkte geschickt die Flasche.

»So«, sagte sie, »auf Ihr Wohl!«

Der Wein schmeckte wie Spülmittel, aber Dana schien ihn herrlich zu finden, denn sie machte ein geradezu verklärtes Gesicht. Sie thronte auf dem Sofa, ihr unmöglicher Rock war noch etwas höher gerutscht und gab den Blick auf den schwarzen Spitzenslip frei, den sie darunter trug. Michael räusperte sich und versuchte, ein neutrales Gesprächsthema zu finden.

»Wie liefen denn Ihre Prüfungen?« erkundigte er sich.

Dana nahm einen tiefen Schluck Wein. »Abi? Gut. Nicht so gut wie bei Tina. Sie ist einfach die Schlauere von uns beiden.«

»Ja, Tina . . .«, sagte Michael nachdenklich und bekümmert, »wie es ihr jetzt wohl geht?«

»Ich muß auch dauernd an sie denken«, gab Dana zu. Einen absurden Moment lang wirkten sie beide, der Staatsanwalt mit den grauen Haaren und das junge Mädchen in der aufreizenden Aufmachung, wie ein besorgtes Ehepaar, das sich die Nacht um die Ohren schlägt, weil es auf die Heimkehr der Tochter von deren Diskothekenbesuch wartet.

»Ich sollte mir nicht so viele Gedanken machen«, meinte Michael und trank zaghaft noch etwas von dem Wein. Er würde mörderische Kopfschmerzen bekommen von dem Zeug.

»Ich mache mir ja auch Gedanken«, sagte Dana, »dabei habe ich Tina immer ermutigt, sich endlich . . .« Sie biß sich auf die Lippen.

»Ja?« fragte Michael.

»Sich etwas mehr abzunabeln von Ihnen. Sie ist einfach zu . . . zu behütet, verstehen Sie?«

Und du eindeutig zu wenig, dachte Michael. Er sagte jedoch nichts.

»Aber«, fuhr Dana fort, »daß es nun ausgerechnet dieser Mario sein muß . . .«

Michael sah sie aufmerksam an. »Sie mögen ihn nicht?«

»Nicht besonders, nein.«

»Was wissen Sie von ihm?«

Dana zuckte die Schultern. »Er scheint aus einer guten Familie zu kommen – wie Sie das nennen würden.«

»In den sogenannten guten Familien können die Dinge manchmal ganz besonders schieflaufen«, sagte Michael. »Leider kenne ich weder seinen Vater noch seine Mutter.«

»Sie haben sich allerdings auch wirklich hartnäckig gesträubt, in irgendeine Art von Kontakt mit der Familie Beerbaum zu treten«, erinnerte Dana, »es war ja ein Wunder, daß Sie schließlich überhaupt bereit waren, den armen Mario zu empfangen, und der Abend muß ein ziemliches Desaster gewesen sein.«

»Sie sind ja bestens unterrichtet.«

»Es gibt nichts, worüber Tina und ich nicht sprechen.«

Michael nickte langsam. »Ja, verstehe. Sicher wissen Sie mehr von Tina als ich.«

O ja, dachte Dana, darauf kannst du wetten!

Laut sagte sie: »Wissen Sie, ich habe bei Mario einfach kein gutes Gefühl, Ich kann es nicht begründen, es ist einfach so. Meine Mutter meint, ich sei eifersüchtig. Das könnte bei Ihnen natürlich auch der Fall sein. Wir waren es beide immer gewohnt, Tina für uns zu haben.«

Michael strich sich mit einer müden Bewegung durch die Haare und tat sich noch einen Schluck von dem Fusel an, den Dana als Wein offeriert hatte. An dem, was das junge Mädchen sagte, war zweifellos einiges dran. Zumindest von sich selber wußte er, daß er Mario ganz sicher nicht unvoreingenommen und objektiv gegenübergetreten war. Was hatte der junge Mann eigentlich getan, was dieses Mißtrauen gerechtfertigt hätte?

»Ich habe schon überlegt«, sagte Dana, »ob ich den beiden nachreise . . .«

»Oh, ich weiß nicht, ob . . .«

»Nicht, daß ich in Erscheinung treten würde. Ich würde einfach nach Südfrankreich trampen und irgendwo ein Zimmer nehmen – und einfach in Tinas Nähe sein.«

»Um Gottes willen, hat Ihnen nie jemand gesagt, wie gefährlich es ist, zu trampen?« Michael wurde es himmelangst bei der Vorstellung, das Mädchen könnte sich mitsamt seinem Stretchrock und den Stöckelschuhen an den Straßenrand stellen und den Daumen in den Wind strekken.

»Das dürfen Sie nicht tun«, warnte er eindringlich.

»Schauen Sie sich einmal die Verbrechensstatistiken an! Jedes Jahr verschwinden Mädchen spurlos bei diesem Abenteuer, werden vergewaltigt oder ermordet oder beides. Ich möchte wirklich nicht, daß Ihnen so etwas zustößt.«

Dana, die seit ihrem zwölften Lebensjahr ständig trampte und von ihrer Mutter nie auch nur eine einzige Warnung deswegen vernommen hatte, hielt Michaels Reaktion für reichlich übertrieben, fand es aber besser, keine Diskussion anzustrengen.

»Okay«, sagte sie begütigend, »ich tu es nicht. Es war nur so ein Einfall – und wahrscheinlich kein guter.«

Michael griff nach der Weinflasche, schenkte ihr und sich noch etwas nach. Er begann sich an das Zeug zu gewöhnen; zudem war es ihm inzwischen gleich, ob er Kopfweh bekam oder nicht. Er würde sich ohnehin nicht mehr wohl fühlen, ehe nicht Tina wohlbehalten zu ihm zurückgekehrt war.

Tina erwachte, als das Auto anhielt. Sie hatte stundenlang geschlafen, wirr geträumt und nichts mehr von der Reise mitbekommen; nicht die Fahrt durch das liebliche Rhônetal, nicht den kurvigen Weg südlich des Luberon entlang, nicht das halsbrecherische Auf und Ab durch den französischen Grand Canyon entlang dem Verdon. Sie schreckte hoch und wußte nicht sofort, wo sie sich befand.

»Was ist los?« fragte sie verschlafen.

»Wir sind da«, sagte Mario, »wir haben es geschafft!« Seine Munterkeit klang forciert. Er war völlig kaputt und am Ende seiner Kräfte. Für einen Moment wußte er kaum, wie es ihm gelingen sollte, ausreichend Energie aufzubringen, um auszusteigen und das Gepäck ins Haus zu schaffen, anstatt auf der Stelle hier über dem Lenkrad einzuschlafen.

Tina richtete sich auf und stöhnte dabei leise. Ihr Körper fühlte sich steif an, ihre Muskeln waren verkrampft und schmerzten. Mit der Hand massierte sie ihren Nacken, bewegte die Schultern vorsichtig hin und her. Dann erwachten ihre Lebensgeister. Aufgeregt spähte sie hinaus.

»Wir sind in Nizza?«

»In der Nähe. Unser Haus liegt nicht direkt in Nizza, das habe ich dir ja gesagt.«

Tina öffnete die Tür und stieg aus. Dunkle Nacht umfing sie. Erst als sie sich umdrehte, nahm sie zwei oder drei kleine Lichter in der Ferne wahr. Dafür roch sie den intensiven Duft des Lavendel, vermischt mit wildem Thymian, und den des Salbei, den der leichte Wind aus den Bergen herantrug. Tief atmete sie die warme Luft der provençalischen Nacht. Über ihr wölbte sich ein klarer, sternenübersäter Himmel.

»Wie schön es hier ist«, sagte sie.

Mario quälte sich ebenfalls aus dem Auto und öffnete den Kofferraum. »Komm, hilf mir, die Sachen hineinzubringen!«

Tinas Augen gewöhnten sich an die Dunkelheit, sie konnte ein kleines Haus erkennen, gebaut aus dem hellgrauen, unebenen Stein der Gegend, inmitten eines verwilderten Gartens stehend.

»Ist es das?« fragte sie.

»Ja. Warte, ich gehe voran und mache Licht.« Über einen Plattenweg, der von Rosmarinhecken und Zypressen gesäumt wurde, gelangten sie zur Haustür. Mario schloß auf und knipste das Licht im Flur an. Im Schein der Lampe kam Tina zum erstenmal auf die Idee, auf ihre Uhr zu sehen: Es war beinahe drei.

Sie waren fast zwanzig Stunden unterwegs gewesen.

Sie stand in dem kleinen Dachzimmer, das Mario ihr zum Schlafen zugewiesen hatte, packte ihren Koffer aus und fand, daß die Dinge irgendwie schieffliefen. Dana hätte sich die Haare gerauft. *Sie* hätte sich nicht abschieben lassen. Aber was sollte man tun in einer solchen Situation, wenn man nicht mit völliger Unbekümmertheit und einem großen, vorlauten Mundwerk gesegnet war?

Ich habe ja noch zwei Wochen, dachte Tina und stapelte ihre Wäsche in einer Kommodenschublade, vielleicht wird er irgendwann diese Reserviertheit aufgeben.

Das Haus, soweit sie es bisher gesehen hatte, gefiel ihr. Eine schlichte, ländliche Einrichtung, viel Holz, geblümte

Vorhänge, Blumentöpfe in den kleinen Fenstern. Die Blumen darin wirkten ein wenig matt und vermißten ganz offensichtlich eine regelmäßige Pflege, aber der mit der Wartung des Hauses beauftragte Franzose hatte sich zumindest ausreichend um sie gekümmert, um sie am Leben zu halten. Mario hatte ihn vor der Abreise angerufen und ihr Kommen angekündigt. Im Haus war Staub gewischt und gut gelüftet worden.

Sie hatten das Gepäck hineingetragen und zunächst im Gang gestapelt, dann hatte Mario Tina Wohnzimmer und Küche im Erdgeschoß gezeigt, drei kleine Zimmer und das Bad im ersten Stock, und dann war sie hinter ihm her die steile Treppe zum Dachgeschoß hinaufgestiegen. Es befand sich nur noch ein Zimmer hier oben, ein Kämmerchen mit schrägen Wänden, zwei kleinen Dachfenstern, einem Bett, einer Kommode und in die Wände eingelassenen Schränken. Über der Kommode hing ein alter Spiegel, davor standen eine porzellanene Waschschüssel und ein Krug. Beide waren mit einem verblichenen Rosenmuster verziert und zeigten zahlreiche Sprünge.

»Ihr habt so hübsche Sachen hier im Haus«, sagte Tina bewundernd, »es paßt alles so gut hierher!«

»Dafür ist meine Mutter verantwortlich«, erwiderte Mario. »Sie hat das Haus eingerichtet. Sie stöbert viel auf Flohmärkten herum, und da hat sie Dinge wie dieses Waschgeschirr gefunden.«

»Wirklich schön«, wiederholte Tina, und dann standen sie beide etwas unschlüssig herum.

»Ja«, sagte Mario schließlich, »ich bringe dir deinen Koffer herauf.«

»Wo ist dein Zimmer?« fragte Tina so harmlos wie möglich.

»Genau unter deinem«, sagte Mario. Dann verschwand er, brachte den Koffer, fragte, ob Tina noch Hunger oder

Durst habe. Als sie verneinte, hauchte er ihr einen Kuß auf die Stirn und wünschte ihr eine gute Nacht. Sie hörte seine Schritte auf der Treppe und dann eine Tür unten ins Schloß fallen.

Sie packte alles aus, dann zog sie ihr Nachthemd und einen Bademantel an, nahm ihre Zahnbürste und stieg leise die Treppe hinunter. Vor Marios Zimmer verharrte sie einen Moment. Sie konnte keinen Laut hören, keinen Lichtschein sehen. War er so schnell ins Bett gegangen? Vielleicht hatte er gar nicht mehr ausgepackt und sich, wie er war, hingelegt. Er mußte am Ende seiner Kräfte sein nach so vielen Stunden hinter dem Steuer.

Tina ging ins Bad, putzte ihre Zähne und bürstete ihre Haare. Sorgsam knipste sie alle Lichter aus, ehe sie wieder in ihrem Zimmer verschwand. Die Bettwäsche roch ganz zart nach Lavendel. Es war schön hier, es würde eine gute Zeit werden.

Sie fühlte sich sehr zuversichtlich, als sie in die tiefen Kissen sank, und das letzte, was sie dachte, war: Wie gut, daß ich es durchgesetzt habe, diese Reise zu machen!

Dann schlief sie von einem Moment zum anderen ein.

Es lag Janet schwer im Magen, daß sie sich mit Andrew gestritten hatte. Vor allem, da ihr im Laufe der Nacht aufgegangen war, daß sie allein die Schuld an der Auseinandersetzung trug. Andrew hatte mit Recht nach ihren weiteren Plänen gefragt. Und es war auch kein Verbrechen von ihm gewesen, sich nach ihren Söhnen zu erkundigen, danach, ob es in dieser Richtung irgendein Problem gab. Es bewies nur sein gutes Gespür für Menschen, seine Instinktsicherheit, mit der er Schwachpunkte fand. Eine Fähigkeit, die Janet schon früher an ihm aufgefallen war, die er sicher aber in seinen Jahren bei Scotland Yard noch vervollkommnet hatte.

Janet hatte sich schlafend gestellt, als er sehr spät in der Nacht ins Bett gekommen war; ebenso tat sie es am Morgen, als er aufstand. Sie hörte, wie er ins Bad ging, dann ins Schlafzimmer zurückkam und sich, so leise er konnte, anzog. Janet war gerührt von der Mühe, die er sich gab, sie nicht zu wecken, und zweimal war sie dicht daran, sich aufzusetzen und ihm zu sagen, daß es ihr leid tat. Aber dann konnte sie sich doch nicht dazu entschließen und blieb liegen, bis er die Wohnung verlassen hatte und sie von der Straße her sein Auto anspringen hörte. Sie stand auf und dachte, daß sie ein Scheusal war, ihn ausgerechnet heute ohne ein einziges Abschiedswort gehen zu lassen. Die Hauptverhandlung gegen Fred Corvey stand bevor, und sie wußte schließlich, daß ihm der Gedanke daran zu schaffen machte.

Sie frühstückte und zog sich an, und dann beschloß sie, ins Gericht zu gehen und zu sehen, ob sie Andrew vielleicht zu einem gemeinsamen Mittagessen würde überreden können. Die Verhandlung würde sicher nicht ohne Unterbrechung ablaufen.

Gegen zehn Uhr verließ sie die Wohnung, fuhr mit der U-Bahn bis zur St. Paul's Cathedral und ging von dort zu Fuß in die Newgate Street, in der sich das Old Bailey, der Central Criminal Court, befand. Der Tag war warm und sonnig, und Janet hatte sich – bedingt durch die bevorstehende Versöhnung mit Andrew – sehr beschwingt gefühlt. Aber ihre Schritte wurden zögernder, je näher sie dem Gerichtsgebäude kam. Auf einmal hatte sie Angst.

Sie würde Fred Corvey sehen. Einen Massenmörder. Einen Mann, der Frauen so haßte, daß er sie auf grausame Art tötete. Was war wann bei ihm schiefgelaufen? Wo, an welcher Stelle, lief in seinem Gehirn etwas falsch? Janet hatte das Bild unzähliger kleiner Zahnräder vor Augen, die sich gleichmäßig bewegten und präzise ineinandergriffen, damit einen großen Apparat betrieben und am Funktionieren hielten. Aber ein einziges der kleinen Zahnräder war aus dem Rhythmus gekommen, und damit brachte es alles durcheinander, Chaos breitete sich in der ganzen Maschine aus. Was hatte das Rad gestört? Ein falsches Wort, ein falscher Blick? Eine jahrelange schlimme Behandlung? Würde man es jemals herausfinden, oder würde es irgendwann eine Menge Gutachten über Fred Corvey geben, von denen jedes einzelne eine andere Theorie, den Fall betreffend, verfocht?

Janet war beinahe entschlossen, wieder umzukehren, aber da hatte sie schon das Gerichtsgebäude erreicht, einen eindrucksvollen Bau, gekrönt von einer hohen Kuppel, auf der Justitia stand und golden im Sonnenlicht leuchtete. Und plötzlich kam es ihr vor, als streckten sich Hände nach ihr aus und zogen sie vorwärts. Sie ging durch das Portal, und das erste, was sie sah, war eine Meute von Journalisten, die, mit Kameras und Mikrophonen bewaffnet, sich über Fred Corvey unterhielten.

». . . wirklich ein dickes Ding . . .«, ». . . wird verdammt kritisch jetzt . . .«, ». . . werden Gutachter brauchen . . .«

Sie wandte sich an einen jungen Mann, der auf einer Treppenstufe saß und eine Banane verzehrte. Neben ihm lag ein Photoapparat.

»Entschuldigen Sie . . . die Verhandlung gegen Fred Corvey . . . wo findet die statt?«

Der Mann steckte den letzten Bissen seiner Banane in den Mund und antwortete kauend: »Treppe hoch, dritte Tür links. Aber die haben vor einer halben Stunde unterbrochen.«

»Wie ist denn der Stand der Dinge?«

»Corvey hat auf die Frage, ob er schuldig oder nicht schuldig sei, mit einem klaren ›Nicht schuldig‹ geantwortet. Damit hat er alle aus dem Konzept geschmissen.«

»Das gibt's doch nicht! Damit kommt er doch nicht durch!«

Der junge Mann zuckte mit den Schultern. »Kommt drauf an. Die Anklagevertretung hat jetzt jedenfalls einige Probleme.«

»Aber er hat gestanden. Er war bei vollem Bewußtsein.«

»Lady, ich sag' ja auch nicht, er steht glänzend da. Aber . . .« Er ließ den Satz unvollendet und verdeutlichte damit, wie die Dinge im Fall Corvey lagen: offen. Nicht abzusehen.

Janet setzte sich neben ihn auf die Treppe. Der junge Mann zog eine weitere Banane aus der Tasche. »Möchten Sie die Hälfte?«

»Danke. Ich hab' gerade gefrühstückt.«

Andächtig schälte er das Obst. »Ich bin übrigens Paul Fellowes, vom *Nottingham Daily*. Ein Provinzblatt, aber vom Corvey-Fall will man überall alles wissen. Für wen schreiben Sie?«

»Gar nicht. Ich bin eine . . . Bekannte von Inspector Davies.« Janet beschloß, der Einfachheit halber ihren deutschen Namen unter den Tisch fallenzulassen. »Ich heiße Janet«, sagte sie nur.

Paul starrte sie mit neu erwachtem Interesse an. »Hey – eine Bekannte von Davies? Dem scharfen Davies?«

Janet runzelte die Stirn. »Was meinen Sie mit ›scharf‹?«

»Der ist nicht zimperlich mit den Leuten, die er unbedingt hinter Gitter bringen will. Soll einen extremen Jagdtrieb haben, deshalb hat er vor Jahren vom Juristen zum Polizisten umgesattelt. Er ist zerfressen vom Ehrgeiz. Wenn er jemanden laufen lassen muß, ist das eine persönliche Tragödie für ihn.« Paul schloß einen Moment lang genießerisch die Augen, während er in die zweite Banane biß. »Es heißt, Davies geht über Leichen. Aber das sagen vielleicht nur die, die neidisch auf seine Erfolge sind.«

»Sicher«, stimmte Janet etwas beklommen zu. *Der scharfe Davies*...

»Wenn Sie eine Bekannte von Davies sind, dann wissen Sie sicher bestens Bescheid über den Fall?« fragte Paul hoffnungsvoll. »Ich meine, auch ein paar unbekannte Details?« Der Journalist in ihm war erwacht und hoffte auf Beute.

Janet verzog bedauernd das Gesicht. »Ich fürchte, ich weiß weniger als Sie. Andrew hat mir kaum etwas erzählt.«

»Schade. Wäre schön gewesen, wenn der *Nottingham Daily* mal die Nase vorn gehabt hätte.«

»Es sind absolut keine weiteren Zeugen aufgetaucht?«

»Nein. Es gibt eben nur die eine, die...«

»...die nicht sicher ist, ich weiß. Corvey hat eine Menge Glück auf seiner Seite.«

»Und Davies einiges Pech. Er ist sicher, er hat den richtigen Mann gefaßt. Und jetzt gleitet ihm die Geschichte durch die Finger.«

»Corvey hat ein Geständnis abgelegt«, sagte Janet, »er hat es über Wochen aufrechterhalten. Warum wird er darauf nicht festgenagelt?«

»Wird er ja. Aber ich nehme an, er wird behaupten, daß er völlig durcheinander war. Eingeschüchtert, verwirrt, einen Blackout hatte... was weiß ich. Er wird alle Register ziehen, beziehungsweise, sein Anwalt wird das tun.«

In dem Augenblick kam eine blonde Frau in Jeans die Treppe heruntergelaufen und rief: »Corvey kommt! Die Verhandlung ist vertagt!«

Im Nu herrschte hektisches Treiben unter den versammelten Journalisten. Auch Paul sprang sofort auf die Füße, schob seine halb aufgegessene Banane achtlos in die Tasche und fummelte wie wild an seinem Photoapparat herum. Überall wurden Tonbänder eingeschaltet, Mikrophonproben gemacht, Filme gewechselt. Dann stürmten alle auf die Treppe zu und rangelten um die besten Plätze.

Janet stand schnell auf, um nicht noch einen Tritt abzubekommen, und preßte sich eng gegen das steinerne Geländer. Ihr Herz hämmerte auf einmal wie verrückt. Fred Corvey mußte unmittelbar an ihr vorbekommen – es sei denn, er wollte sich den vielen Journalisten nicht aussetzen und ließ sich gerade durch einen Seiteneingang ins Freie schleusen, worauf zu bestehen er zweifellos das Recht hatte. Aber etwas sagte ihr, daß er geradezu danach verlangen würde, einen Auftritt zu genießen, daß er sich eine Konfrontation mit den Medien und damit die Bestätigung seiner derzeitigen Popularität um nichts in der Welt entgehen lassen würde.

Ihr wurde so schwach zumute, daß sie weglaufen wollte, aber sie kam keinen Schritt weit, denn die Presseleute standen wie eine Mauer vor ihr, und keiner hätte es riskiert, seinen hart erkämpften Platz zu verlieren, indem er für einen Moment zur Seite trat. Und da tauchten am oberen Ende der Treppe auch schon Zuschauer und Polizisten auf, und so gab es auch in dieser Richtung keinen Fluchtweg mehr. Janet mußte bleiben, wo sie war.

Fred Corvey trug Handschellen und war mit einem Polizeibeamten zusammengekettet, der links von ihm ging. Auf der anderen Seite drängten sich seine beiden Anwälte, die sehr zufrieden schienen, für eine Sekunde jedoch zusammenzuckten, als sie der wartenden Menge ansichtig wurden. Corvey hingegen erschrak nicht im mindesten. Er straffte seine Schultern und reckte das Kinn so, als bemühe er sich, später auf allen Photos größer und stattlicher zu wirken, als er war. Er trug eine sandfarbene Hose, braune Schuhe, ein braunes Jacket und darunter ein weißes T-Shirt. Die dunkelblonden Haare sahen keineswegs nach einem auch nur mittelguten

Friseur aus, aber Corvey hatte sie sorgfältig aus der Stirn gekämmt und mit Gel gebändigt. Er wirkte auf groteske Weise durchschnittlich; ein Mann, dessen Erscheinung weder auffiel, noch irgend jemandem im Gedächtnis blieb. Corveys Beine waren recht kurz, aber er hatte einen langen Oberkörper und war dadurch insgesamt ein immerhin mittelgroßer Mann. Ganz sicher trieb er keinen Sport; wenn er nicht daran dachte, ganz bewußt seine Schultern zurückzunehmen, sanken sie weit nach vorne; zudem war er viel zu mager und hatte eine bleiche, ungesunde Gesichtsfarbe.

Für einen Moment schoß in Janet der Gedanke hoch: Vielleicht hat er es wirklich nicht getan. Er sieht so harmlos aus. Dieser Mann soll vier Frauen gefoltert und ermordet haben?

Corvey, seinen Auftritt genießend, hatte oben an der Treppe einen Moment verharrt und seinen Blick wie ein Feldherr über die Menge schweifen lassen. Nun schritt er langsam die Stufen herunter. Grell flammten unzählige Blitzlichter auf. Paul reckte Corvey ein Mikrophon entgegen.

»Mr. Corvey«, rief er, »was geht in Ihnen vor? Rechnen Sie mit einem Freispruch?«

Corvey antwortete nicht, lächelte nur.

»Keine Fragen!« rief der Polizist neben ihm. »Und machen Sie Platz! Gehen Sie bitte aus dem Weg!«

Corvey war jetzt auf der Höhe von Janet angelangt. Abrupt blieb er stehen, wandte den Kopf und sah sie an.

Janet konnte den Blick nicht abwenden, sie starrte ihn an. Ihr Mund wurde trocken, sie konnte nicht schlucken, in ihren Ohren rauschte es. So harmlos und unscheinbar er ihr gerade noch erschienen war, so heftig entsetzten sie nun seine Augen. Dunkelbraune Augen, stumpf, ohne ein Schillern in der Tiefe. Augen von einer vollkommenen

Ausdruckslosigkeit und Kälte. Nicht ein einziges Gefühl stand in ihnen zu lesen. Es waren die Augen eines Psychopathen.

Und Janet wußte in diesem Moment, daß er es getan hatte. Er war für jeden der ihm unterstellten Morde verantwortlich, und womöglich noch für ein Dutzend weitere. Es gab keinen Zweifel. Auf einmal verstand sie Andrews hilflose Wut, und zugleich fühlte sie ein tiefes, schmerzvolles Mitleid mit all den Opfern dieses Mannes: Was empfand eine Frau, die gewaltsam sterben und dabei in diese Augen blicken mußte?

Corvey grinste. Er hatte instinktiv begriffen, was in ihr vorging, und bemerkte, daß sie mit einer Aufwallung von Übelkeit kämpfte. Das gefiel ihm. Es machte die ganze Sache noch etwas pikanter.

Er ging weiter, während einer seiner Anwälte versuchte, die sich ihm entgegendrängenden Mikrophone beiseite zu schieben, und gleichzeitig hektisch erklärte, es sei im Augenblick von niemandem ein Kommentar zu dem Fall zu erwarten. Natürlich versuchten sie alle trotzdem, ihre Fragen loszuwerden und eine Antwort zu ergattern, und schließlich machte Corvey den Mund auf, aber nur um zu sagen, daß er nichts sagen werde.

Seine Stimme überraschte Janet. Sie hatte sie sich kranker, heller, ein wenig hysterisch vorgestellt. Aber sie war warm und tief und sehr klangvoll. Eine schöne, vertrauenerweckende Stimme. Doch dann dachte Janet, daß es im Grunde nicht verwunderlich war. Irgend etwas mußte dieser Mann an sich haben, daß ihm so viele Frauen so bereitwillig auf den Leim gegangen waren. Und das war es. Die Stimme stellte sein Kapital dar. Sie erweckte Zuneigung und zerstreute aufkeimenden Argwohn.

Die Pressemeute strömte nun hinter Corvey her ins

Freie, wo ein Auto auf ihn wartete. Andrew tauchte plötzlich neben Janet auf und nahm ihren Arm.

»Was tust du denn hier?« Er sah blaß und sehr müde aus.

Janet gab ihm einen Kuß. »Ich wollte zu dir«, sagte sie einfach.

Er schien sich zu freuen, aber sein Gesicht verlor nicht den Ausdruck von Angespanntheit. »Hättest du Lust, irgendwo etwas zu essen?« fragte er.

»Ja. Andrew – er ist noch nicht freigesprochen!«

Andrew nickte. Er wirkte müde und abgekämpft. »Ich weiß. Aber ich fürchte fast, daß es zu einem Freispruch kommen wird, und ich kann dir nur sagen, im Moment fühle ich mich deswegen ziemlich elend.«

Sie traten ins Freie. Die warme Luft des hellen Junitages tat gut nach der dumpfen Kühle in dem alten Gemäuer. Während sie die Straße überquerten, sagte Janet schaudernd: »Ich habe seine Augen gesehen. Ich weiß jetzt, daß er es getan hat.«

»Ja«, meinte Andrew, »aber der Ausdruck in den Augen eines Menschen hat leider keinerlei Beweiskraft vor Gericht.«

»Was glaubst du, wird er tun, wenn er freigesprochen ist?«

»Er wird zunächst sehr vorsichtig sein. Ich bin sicher, er weiß, daß ich mich noch nicht geschlagen gebe.«

»Du kannst ihn aber nicht Tag und Nacht beschatten lassen, oder?«

»Dafür wird man mir kaum die Leute bewilligen. Viel zu teuer.«

Sie hatten ein kleines, italienisches Lokal erreicht und traten ein. Andrew war offensichtlich bekannt und wurde freundlich begrüßt. Sie bekamen einen Ecktisch zugewiesen, von dem aus sie den ganzen Raum überblicken konnten. Während sie die Speisekarten studierten, betrat eine ältere Frau das Restaurant, gefolgt von einem jungen Mann, der außerordentlich gestreßt schien. Die Frau wirkte hilflos und unsicher, blieb verloren stehen und wünschte sich sichtlich an einen anderen Ort.

»Sieh mal an«, sagte Andrew leise, »da ist ja Mrs. Corvey. Fred Corveys Mutter!«

Janet, die der Fremden zunächst nur flüchtige Beachtung geschenkt hatte, blickte wie elektrisiert hoch. Jetzt nahm sie alles ganz genau wahr: die kleine, etwas dickliche Figur der Frau, das braune, ordentlich frisierte Haar, das geblümte Sommerkleid, das aus einem Kaufhaus zu stammen schien und dessen Rock stark zipfelte. Mrs. Corvey hatte Wasser in den Beinen und dicke Krampfadern, sie trug klobige Gesundheitssandalen und klammerte sich an einer riesigen Handtasche aus Plastik fest. Sie wirkte ausgesprochen redlich, sehr ehrlich, und schien sich in einer Art Schockzustand zu befinden. Während der vergangenen Wochen mußte ihre Welt zusammengebrochen sein.

»Sie sieht aus wie eine freundliche, arbeitsame Putzfrau, die ihr Geld hart verdienen muß«, stellte Janet fest.

»Sie putzt tatsächlich«, sagte Andrew, »damit hat sie ihren Sohn groß gezogen.«

»Gibt es keinen Vater?«

»Der ist seit einem Arbeitsunfall schwer behindert. Er sitzt seit zwanzig Jahren im Rollstuhl und bekommt eine minimale Rente.«

Der junge Mann, der Mrs. Corvey begleitete und der, wie Janet erkannte, einen gutgeschnittenen Anzug aus feinem Tuch trug, sprach jetzt mit einem der Kellner. Den Tisch, auf den dieser wies, lehnte er mit einem Kopfschütteln ab. Ganz offensichtlich wollte er mit Mrs. Corvey diskret und unauffällig plaziert werden.

»Kein Wunder«, murmelte Andrew, »nachdem es sicher nicht leicht war, die Presse abzuschütteln, will er es jetzt nicht riskieren, doch noch jemandem aufzufallen.«

»Wer ist der Mann?«

»Ein Mitarbeiter von einem der Anwälte Corveys. Offenbar damit betraut, sich um Mrs. Corvey zu kümmern.«

»Ist es nicht gewagt, so nahe am Gericht mit ihr zu essen?«

»Eher clever. Hier vermutet sie niemand.«

Janet fixierte die Frau, die sie nun im Profil vor sich hatte. Mrs. Corvey fühlte sich überhaupt nicht wohl, starrte hilflos und unglücklich in die Speisekarte. Und dann, als könne sie die Augen spüren, die sich so brennend auf sie richteten, wandte sie plötzlich den Kopf. Sie sah Janet an, und Janet hielt ihrem Blick stand. Es war wie ein kurzes, stummes Gespräch. Mrs. Corvey las in Janets Miene Verständnis und Anteilnahme, Janet in der Mrs. Corveys Schmerz und Verwirrung. Dann schaute auch der junge Mann zu ihnen herüber, erkannte Andrew, zuckte kaum merklich zurück, grüßte dann mit einem kühlen Kopfnicken. Flüsternd klärte er seine Begleiterin über Andrews Identität auf; Janet konnte von seinen Lippen die Worte »Scotland Yard« ablesen. Sofort versteinerte Mrs. Corvey. Scotland Yard, das waren die Leute, die ihr das alles angetan hatten. Die in ihr Leben eingebrochen waren und es in eine Hölle verwandelt hatten, indem sie ihren Sohn, ihren geliebten Freddy, entsetzlicher, unvorstellbarer Verbrechen beschuldigten.

Sie stand so hastig auf, daß beinahe ihr Stuhl umgefallen wäre, griff nach ihrer Handtasche. Der junge Mann versuchte sie zu beruhigen, redete auf sie ein. Ohne Erfolg. Mrs. Corvey verließ fluchtartig das Restaurant, und ihm blieb nichts übrig, als hinter ihr herzueilen. Der Kellner schaute den beiden perplex nach.

»Sie ist tief verletzt«, sagte Janet.

»Wenn ich ehrlich bin«, meinte Andrew, »habe ich nicht allzuviel Sympathie für diese Frau. Für die Tatzeit des letzten Verbrechens gibt sie ihrem Sohn ein Alibi, von dem ich überzeugt bin, daß es nicht stimmt. Ich wette, diese Frau hat in ihrem ganzen Leben noch kein unwahres Wort gesprochen, aber für ihren Sohn lügt sie. Sie würde für ihn töten.«

»Sie liebt ihn sehr, nicht?«

»Abgöttisch. Ihr Mann ebenso. Das Klischee vom Verbrecher mit der grausamen Kindheit trifft bei Fred Corvey nicht in mindesten zu. Sie waren sicher arm, aber er bekam alle nur denkbare Liebe und Fürsorge.«

Janet legte ihre Speisekarte zur Seite. Sie hatte keinen Hunger mehr. Trotz des milden Wetters fröstelte sie und wußte, daß es eine Kälte war, die tief aus ihrem Innern kam.

Die gemeinsamen Ferien hatten einen unguten Anfang genommen, und der erste Tag schien die Dinge nicht einfacher zu machen. Tina dachte, daß sie es gleich hätte merken müssen. Es war nicht richtig von Mario gewesen, sie zu dieser Gewaltfahrt ohne Unterbrechung zu zwingen. Und nun hatte sie auch noch feststellen müssen, daß er nicht ehrlich zu ihr gewesen war.

Sie hatte tief und traumlos geschlafen und war erst gegen zehn Uhr am Vormittag erwacht. Sie hatte einen Moment gebraucht, um sich zu orientieren: die schrägen Wände, die Blümchentapete, die altmodische Kommode, das war nicht ihr Hamburger Zimmer. Grelles, weißes Sonnenlicht flutete durch die Fenster. Eine heiße, südliche Sonne.

Tina verließ sofort das Bett, lief zum Fenster, öffnete es und lehnte sich weit hinaus. Es war heiß draußen, viel heißer, als Tina vermutet hatte. Die Luft roch trocken und nach unbekannten Kräutern und Blumen. Tina jedoch vermochte das kaum zu würdigen, denn was sie sah, versetzte sie in Erstaunen: Nirgendwo auch nur ein winziger Fetzen des Mittelmeeres. Nirgendwo die Häuser und Straßen von Nizza. Nur eine wildromantische Einsamkeit, trockenes, braunes Gras, graues Felsgestein dazwischen, Lavendelfelder und blühende Wiesen, rotgesprenkelt von Mohnblumen. Den Horizont begrenzte ein dunkler Waldgürtel. Zikaden sangen. Ein Stück weiter entfernt schmiegten sich zwei Dutzend Häuser aus weiß-grauem Stein in die Hügel. Sie befand sich in einem winzigen Dorf irgendwo in der Provence. Keineswegs am Rande von Nizza, wie Mario behauptet hatte.

Mario hatte den Frühstückstisch auf der Terrasse im Schatten einiger Mandelbäume gedeckt; als er Tina entdeckte, sprang er auf, um in der Küche die Kaffeemaschine einzuschalten. Er sei schon in aller Frühe im Dorf gewesen, berichtete er, dort sei Markt, und er habe alles gekauft, was sie brauchten.

»Im Dorf, aha«, sagte Tina mürrisch und setzte sich. Sie wußte, es war nicht gut, gleich am ersten Morgen zu streiten, aber sie würde ersticken, wenn sie jetzt den Mund hielte.

»Wie nah ist es denn zum Meer?« fragte sie.

Mario schob ihr rasch ein Glas Orangensaft zu. Etwas schuldbewußt dachte Tina, daß er sich wirklich große Mühe gegeben hatte, alles für sie so schön und angenehm herzurichten wie nur möglich. Es schien ihr nicht fair, ihm jetzt Vorwürfe zu machen, aber im Augenblick war Fairneß einfach nicht das, was sie aufbringen konnte.

»Das Meer«, antwortete Mario nun vorsichtig, »ist nicht direkt in der Nähe . . .«

»Nein? Und wo ist es?«

»Wie – wo ist es?«

»Wie lange müssen wir laufen, um dort zu sein?«

»Zu Fuß ist das nicht möglich. Aber wir können sicher einmal mit dem Auto hinfahren.«

Tina schob demonstrativ Tasse, Teller, Glas von sich weg. »Einmal mit dem Auto hinfahren?« fragte sie. »Verflixt, Mario, soviel ich weiß, liegt Nizza direkt am Meer!«

»Wir sind hier nicht in Nizza.«

»Was du nicht sagst! Das klang aber ganz anders, *bevor* wir losgefahren sind!«

»Ich habe gesagt: in der Nähe von Nizza«, verteidigte sich Mario etwas kläglich.

»Am Rande, das waren deine genauen Worte. Aber hier sind wir in . . . in der Mitte von Nirgendwo!«

Mario legte seine Hand auf Tinas Arm. »Ist es so wichtig, wo wir sind?«

Tina zog ihren Arm weg. »Es ist wichtig, daß du mich angeschwindelt hast. Damit komme ich nicht zurecht. Du wußtest, daß ich irgendwohin wollte, wo etwas los ist. Aber du schleppst mich in die absolute Einsamkeit.«

»Ich dachte nicht, daß du zu den Mädchen gehörst, die jeden Abend in Diskotheken und Kneipen herumhängen und sich für andere Männer zur Schau stellen.«

»Wenn du das nicht dachtest, hättest du ja auch gleich die Wahrheit sagen können!« schnappte Tina.

Mario stand auf, um den Kaffee zu holen. Tina lehnte sich in dem weißlackierten Korbstuhl zurück. Die Sonne schien, und es war schön hier, wirklich schön. Es war nur anders, als sie erwartet hatte. Vielleicht hätte sie deshalb nicht gleich so gekränkt sein sollen. Aber es war manches zusammengekommen, was nicht so lief, wie sie es gern gehabt hätte: die lange Fahrt, dann die getrennten Schlafzimmer, nun die Entdeckung, daß Mario über ihren Aufenthaltsort nicht die Wahrheit gesagt hatte.

Zuviel auf einmal, dachte sie und schloß die Augen. Als sie das Telefon klingeln hörte, wußte sie, daß es ihr Vater war, aber sie fühlte sich zu müde und zu frustriert, um aufzustehen und an den Apparat zu gehen. Vater hätte an ihrer Stimme sofort gemerkt, daß etwas nicht stimmte, und er hätte wieder und wieder nachgehakt. Sie mochte jetzt nicht reden.

Als Mario zurückkam, nahm sie nur etwas Kaffee, ließ Baguette, Eier und Kirschenmarmelade unberührt. Bis zum Mittag saßen sie zusammen und schwiegen, lauschten den Vögeln und dem vereinzelten zarten Gemecker, das von einer in der Nähe grasenden Ziegenherde herüberklang. Tief atmete sie den Geruch, den der Wind von den Feldern brachte.

Michael saß in seinem Büro bei der Staatsanwaltschaft und wußte, es war albern, sich aufzuregen, nur weil dort in Duverelle niemand ans Telefon ging. Vermutlich waren Tina und Mario einfach noch nicht eingetroffen. Sie hatten irgendwo übernachtet, lange geschlafen, gut gefrühstückt, sich vielleicht noch ein paar Sehenswürdigkeiten angeschaut. Wahrscheinlich kamen sie erst gegen Abend im Ferienhaus an.

Er schaute auf die Uhr. Kurz vor drei. Woher kam diese fiebrige Nervosität in ihm? Er hatte zu viele andere Probleme, als daß er es sich hätte leisten können, ununterbrochen an seine Tochter zu denken. Auf seinem Schreibtisch stapelten sich die Akten. Am Vormittag hatte er einen wichtigen Fall verloren, zumindest war das Gericht so weit unter dem von ihm geforderten Strafmaß geblieben, daß er das Urteil nur als Niederlage verbuchen konnte. In der Beratungspause hatte er zum ersten Mal in Südfrankreich angerufen, ohne Erfolg.

Lieber Himmel, es ist höchste Zeit, daß sich Tina von

mir abnabelt, dachte er, allerhöchste Zeit. Meine Angst um sie ist nicht normal. Wahrscheinlich bin ich ein Nervenbündel, bis sie zurückkehrt.

Er schlug eine der Akten auf, versuchte sich zu konzentrieren, blickte dann wieder hoch, starrte das Telefon an. Er konnte es nicht aushalten, nahm den Hörer ab und wählte erneut die Nummer in der Provence.

Wieder reagierte niemand. Kurzentschlossen drückte Michael die Gabel nieder und rief bei Dana an.

Es dauerte lange, bis jemand an der anderen Seite abnahm. »Ja?« knurrte eine verschlafene, kratzige Stimme.

»Entschuldigung«, sagte Michael, »ich wollte Dana . . . äh . . .« Ihm fiel beim besten Willen nicht ein, wie Dana mit Nachnamen hieß. »Ich wollte Dana sprechen«, sagte er schließlich und kam sich wie ein Idiot vor.

»Ich bin Karen«, erwiderte die heisere Stimme, »Danas Mutter.« Sie gähnte unüberhörbar.

»Verzeihen Sie, ich habe Sie offenbar geweckt«, stotterte Michael. Es war drei Uhr! Warum, um Gottes willen, schlief die Frau um diese Zeit?

»Schon okay. Konnten Sie ja nicht wissen. Ich hab' zur Zeit keine Arbeit, also bleibt mir nichts anderes übrig, als viel zu pennen.«

»Äh . . . das tut mir leid . . . ich meine, daß ich Sie geweckt habe . . .« Ich höre mich an wie ein stammelnder Schuljunge, dachte er zornig, es gibt wahrhaftig nicht den geringsten Grund, aus der Fassung zu geraten. Dann fiel ihm ein, daß er sich noch nicht einmal vorgestellt hatte. »Ich bin Michael Weiss«, sagte er, »der Vater von Tina.«

Wieder gähnte es auf der anderen Seite. »Der Herr Staatsanwalt«, sagte Karen etwas spitz, »das ist aber eine Ehre!«

Es ist einfach eine andere Welt, dachte er. Sie hat keine Arbeit, schläft bis in die Puppen und hält mich vermutlich für einen reaktionären Spießer. Ich bin Staatsanwalt, kenne zeitlebens nichts als Pflichterfüllung, und für mich ist sie eine linke Ziege. Wären unsere Töchter nicht befreundet, wir gingen einander tunlichst aus dem Weg.

»Ist Dana denn zu sprechen?« fragte er.

»Ehrlich gesagt, ich habe keine Ahnung, wo sie ist«, erwiderte Karen. Sie hörte sich langsam etwas wacher an, wenn auch ihre Stimme noch immer klang, als habe sie Nächte voller Schnaps und Zigaretten hinter sich. »Kann ich Ihnen vielleicht helfen?«

»Nein, es ist nur . . .« Michael kam sich immer lächerlicher vor. »Dana besuchte mich gestern abend«, sagte er schließlich, »wir sprachen über Mario Beerbaum. Wissen Sie, das ist der junge Mann, der . . .«

Von Karen kam ein leises Stöhnen. »Ich weiß, wer das ist, ja. Nur zu gut. Dana redet ständig von ihm. Hat sie Ihnen auch erzählt, sie habe ein ›komisches Gefühl‹ bei ihm?«

»Sie sagte so etwas, ja.«

»Lassen Sie sich bloß nicht verrückt machen. Dana hat sich da in was reingesteigert. Ich vermute, daß Eifersucht dahinersteckt. Tina gehört ihr nicht mehr allein.«

»Sie sagte mir, daß dies Ihre Theorie ist. Allerdings wäre es doch möglich, daß sie nicht von Eifersucht, sondern von einem durchaus ernst zu nehmenden, gesunden Instinkt geleitet wird.«

Etwas genervt erwiderte Karen: »Ich glaube, Herr Staatsanwalt, Sie haben einfach ein großes Problem mit der Tatsache, daß Ihre Tochter sich irgendwo in Südfrankreich mit einem Kerl amüsiert, und Dana hat dieses Problem auch. Ihr habt beide in dem Gefühl gelebt, daß Tina nie erwachsen wird, und jetzt seid ihr schockiert, daß sie auf einmal Anstalten macht, es doch zu werden. Und so schießt ihr euch auf den armen Mario ein, der sicher ein ganz normaler, verliebter Junge ist und keine Ahnung hat, welche Aufregung er heraufbeschwört.«

»Vielleicht haben Sie recht.«

»Bestimmt habe ich das. Ich sage Ihnen, bald halten Sie Ihre Tina wieder im Arm und verstehen gar nicht mehr, weshalb Sie so nervös waren. Soll Dana Sie noch einmal anrufen?«

»Danke, das ist nicht nötig. Ich wollte mit ihr noch einmal über Mario sprechen, aber das nützt ja auch nichts.«

»Vergessen Sie Ihre Tochter mal, legen Sie sich in die Sonne und machen Sie sich einen schönen, faulen Tag«, riet Karen.

Michael überlegte, wann er sich zuletzt einen »faulen Tag« gemacht hatte, aber es fiel ihm nicht ein. Für diese Frau, dachte er, ist es sicher ein vielerprobtes Heilmittel.

Laut sagte er: »Verzeihen Sie bitte die Störung. Und«, ihm fiel plötzlich noch etwas ein, »reden Sie Dana die Idee aus, per Autostopp hinter Tina herzufahren. Das hatte sie nämlich gestern abend vor.«

»O Gott, das wäre sicher das letzte, was sich Tina und Mario jetzt wünschen!«

»Ich dachte dabei auch an Dana. Was sie da plant, ist viel zu gefährlich. Jährlich werden . . .«

Karen ließ ihn nicht ausreden. »Dana ist alt genug, um zu wissen, was sie tut. Aber ich danke Ihnen für den Hinweis.« Ihr Ton gab deutlich zu erkennen, daß sie Michael für ziemlich spießig und obendrein für einen Einmischer hielt. Er begann ihr auf die Nerven zu gehen. Genau der Typ, der einem das Jugendamt auf den Hals hetzte, wegen Vernachlässigung der Aufsichtspflicht oder etwas Ähnlichem. Wie gut, daß Dana achtzehn war! Da konnte einer wie dieser penetrante Staatsanwalt kein Theater mehr machen.

Nachdem sie beide – etwas frostig – das Gespräch beendet hatten, konnte sich Michael nicht zurückhalten, erneut die französische Nummer, die er nun schon auswendig kannte, zu wählen.

Auch diesmal meldete sich niemand.

Seit Stunden ging er im Kreis herum, lief von einer Wand seines Zimmers zur anderen, trat ans Fenster und schaute hinaus, ging zur Tür, wollte sie öffnen und fortlaufen vor den Gedanken, die ihn zu ersticken drohten, zog seine Hand jedoch immer wieder zurück, weil er wußte, daß es kein Entkommen gab, nicht vor den Bildern in seinem Kopf.

Maximilian sah Janet in den Armen von Andrew Davies.

Seitdem sein Bruder die Vermutung ausgesprochen hatte, Janet habe Davies aufgesucht, wußte Maximilian, daß es stimmte. Er wußte es deshalb, weil er das, was die beiden so untrennbar aneinander fesselte, gespürt, mit all seinen Antennen aufgenommen hatte, noch ehe er etwas davon hatte wissen können. Er hatte als Kind keine Ahnung gehabt von Empfindungen wie Begehren, Leidenschaft, Hörigkeit, und doch hatte er um die obsessive Gier seiner Mutter nach Andrew Davies gewußt. Und nachdem die Bilder jahrelang tief in ihm vergraben geschlummert hatten, so friedlich, als könnten sie tatsächlich irgendwann in Vergessenheit geraten, standen sie nun hellwach wieder vor ihm, starrten ihn an, als sei nicht ein Tag seit damals vergangen.

Er sah das halbdunkle Zimmer wieder vor sich. Die Fenster waren geschlossen worden – diskretes Zugeständnis an die Schamhaftigkeit möglicher unfreiwilliger Zuhörer –, aber da sie den ganzen Tag offengestanden hatten, war der Raum noch erfüllt von frischer, kühler

Regenluft. In seiner Erinnerung roch es stets nach Regen, dabei *konnte* es nicht immer geregnet haben, wenn es Janet und Andrew miteinander trieben. Aber die Vergangenheit hatte ihre eigenen Gesetze, nach denen sie Wurzeln im Gedächtnis schlug, und die waren nicht immer einer exakten Stimmigkeit verpflichtet.

Es hatte also geregnet, und es roch nach feuchtem Moos, Laub und nasser Rinde. Die Jalousien waren nicht hinuntergelassen, aber die Vorhänge zugezogen worden. Manchmal brannten ein paar Kerzen.

Andrew Davies war groß, größer als Phillip, und sicher schwerer, obwohl er sehr schlank war. Wie hielt es die zierliche Janet aus, daß er auf ihr lag? Zumal er nicht stillhielt dabei. Zuerst preßte er sich auf sie, vergrub sein Gesicht in ihren langen Haaren, die sich über das Kopfkissen verteilten, aber seine Hüften hoben und senkten sich, und Janet stöhnte leise. Er tat ihr weh, dieser Mann, warum wehrte sie sich nicht? Der kleine Junge fing an zu zittern, und noch heute, Jahre später, zitterte er in der Erinnerung. Sie flüsterte Worte, deren Bedeutung er damals nicht begriffen hatte, die er heute aber verstand und die ihm die Schamröte in die Wangen trieben. Worte, die Andrew Davies aufforderten, härter, schneller, rücksichtsloser auf ihr herumzureiten, als er es ohnehin schon tat. Davies stemmte sich mit seinen beiden Armen vom Kissen ab, und jetzt bewegte er sich mit solcher Heftigkeit auf ihr, daß ihrer beider Körper laut aufeinanderklatschten, und Janet krallte ihre Finger in seine Arme, rief abwechselnd Andrew selber oder den lieben Gott an oder stöhnte wie ein sterbendes Tier, und das genau war es, was der kleine Junge dachte: daß Andrew Janet jetzt umbrachte und daß er hätte hinlaufen und ihr helfen müssen, aber seine Beine waren wie gelähmt von Angst und Entsetzen, seine Handflächen naß vom Schweiß, sein Herzschlag schien seine Brust bersten zu lassen. Janet schrie laut auf, und Andrew hielt hoch aufgerichtet auf ihr inne – ein Raubvogel, der ein kleines Tier erlegt hat –, dann sank er über sie, und sie lagen dort ineinander verschlungen, und in den Ohren des kleinen Jungen dröhnte es so grell, daß er ihren heftigen Atem nicht hören konnte und überzeugt war, daß sie nun beide gestorben waren. Und jedesmal machte er in diesem Moment, während Janets letztem schrecklichen Schrei, in die Hose. Und zu allem anderen kam noch die brennende Scham über dieses Mißgeschick, dieses Abgleiten in das Babyalter, dem er doch längst entwachsen war. Anfangs hatte er die durchweichten Sachen versteckt, aber unweigerlich fing Janet irgendwann an, danach zu fahnden, und spürte sie entweder selbst auf oder setzte ihm so lange zu, bis er den geheimen Ort preisgab. Wie sie dann betonte, war sie nicht ärgerlich über das, was ihm passiert war, sondern darüber, daß er es zu verheimlichen versucht hatte. »Hast du denn überhaupt kein Vertrauen zu mir? Antworte doch! Was ist los?«

Aber es war die Zeit der Sprachlosigkeit. Er wußte nicht in Worte zu fassen, was in ihm vorging. Er vermochte seine Scham nicht zu artikulieren, und auch nicht seine Angst. Er konnte nicht von dem großen Mann sprechen, dem Janet wieder und wieder erlaubte, ihr Gewalt anzutun, und nicht von dem Entsetzen, das er empfand, wenn er meinte, sie beide unter schrecklichen Schmerzen sterben zu sehen.

»Sie konnten«, hatte Professor Echinger später einmal gefragt, »auch mit Ihrem Vater nicht darüber reden?«

Er hatte lange überlegt. Mit Phillip zu sprechen war ihm damals nie in den Sinn gekommen. »Nein. Ich konnte es nicht. Ich konnte – in einem beinahe physischen Sinne – nicht sprechen, wenn es *darum* ging.«

»Ihre Mutter traf im Grunde überhaupt keine Sicherheitsvorkehrungen. Sie hätte doch befürchten müssen, daß Sie und Ihr Bruder sie, wenn auch zufällig und arglos, verraten?«

Das war ein weiterer erschütternder Aspekt.

»Sie schien nichts dergleichen zu befürchten. Später habe ich mir überlegt, daß . . .«

». . . daß Ihr Vater Bescheid wußte?«

»Ja«, sagte Maximilan dumpf, »er wußte Bescheid. Und er nahm es hin.«

Hatte Phillip in jedem Detail gewußt, was die beiden taten, während er fort war? Jede Variante körperlicher Liebe hatte sich vor den schreckgeweiteten Augen des kleinen Jungen abgespielt, wenn er in der angelehnten Tür kauerte und dem ekstatischen Treiben im Bett seiner Eltern zusah, den warmen Atem seines Bruders an seinem Hals spürte, sein angstvolles Keuchen an seinem Ohr hörte, die völlige Erstarrung des kleinen Körpers fühlte. Wieso, hatte er sich Jahre später gefragt, hatte Janet eigentlich nie die Tür richtig geschlossen? Ihm war nur eine mögliche Erklärung eingefallen: wegen ihrer Kinder. Sie hatte hören wollen, wenn sie nach ihr riefen. Und hatte dafür gesorgt, daß sie nie wieder nach ihr rufen würden.

Einmal hatte er Erleichterung verspürt; das war, als er die beiden zum erstenmal in der umgekehrten Stellung gesehen hatte. Endlich, endlich rächte sich Janet für all die Demütigungen, die ihr angetan worden waren. Wie ein Zuschauer bei einem Boxkampf, der dem scheinbaren Verlierer besonders laut zujubelt, wenn er unerwartet auf die Füße kommt und den Gegner in ernsthafte Bedrängnis bringt, hätte er Janet am liebsten mit triumphierenden Zurufen angefeuert. Aber irgendwann begriff er, daß auch dies nur in Schreien und Stöhnen und Zusammenbrüchen endete. Und schließlich begann er, diese Stellung fast am meisten zu fürchten, weil sie seine Mutter zu allem anderen auch noch würdelos machte. Bis dahin war sie nur Opfer gewesen, jetzt wurde sie selbst aktiv und damit abstoßend, widerlich. Sie sah häßlich aus mit dem schweißglänzenden, verzerrten Gesicht, den hin- und herschaukelnden Brüsten. Es war nicht seine Mama, wie er sie kannte. Mama trug schöne Kleider, und ihre blonden Haare waren sorgfältig frisiert und glänzten im Licht. Sie roch gut und hatte das süßeste Lächeln, und abends setzte sie sich zu ihren Kindern ans Bett und nahm sie in die Arme und gab ihnen das Gefühl, einzig ihnen zu gehören und sie zu schützen vor allem Bösen in der Welt; einzig durch ihr Dasein, durch ihr Unberührtsein von allem, was nicht makellos sauber war in dieser Welt. Sie hatte diese Illusion gründlich zerstört, und nicht lange nach der Affäre mit Andrew Davies fingen ihre Söhne an, »Janet« zu ihr zu sagen, und sie ließen trotz Tränen und Vorwürfen von ihrer Seite nicht mehr davon ab.

Er war wieder am Fenster angelangt, auf seinen konfusen Zickzackwegen durch das Zimmer, und sah hinaus. Es war zehn Uhr am Abend, aber es wollte noch immer nicht richtig dunkel werden. Diese hellen Mittsommernächte hier oben, dicht an der Grenze nach Skandinavien – er mochte sie nicht besonders. Sie beunruhigten ihn mit ihrem Licht, ihren Stimmen, ihrer Schlaflosigkeit. Er mochte die schweigenden, schwarzen Winternächte, in denen ein kalter Stern am Himmel stand, in denen sich Finsternis und Schnee beschützend über alle Verwundungen und Ängste breiteten. Wie war jetzt wohl die Nacht in Südfrankreich? Sicher dunkler als hier, von samtiger Schwärze.

Er fühlte sich seinem Bruder so nah. Das war immer so gewesen, die gemeinsame Kindheit hindurch, aber auch in den Jahren der Trennung. Vielleicht konnte einfach nichts sie wirklich trennen, seit jener lang vergangenen Zeit, da sie dicht aneinandergepreßt in Janets Leib zu leben begonnen hatten. Manchmal, in der Nacht, konnte Maximilian Marios Herzschlag spüren, konnte an Gleichmaß und Tempo erkennen, ob der Bruder ruhig schlief oder ob ihn böse Träume quälten, oder ob er sich wach hin- und herwälzte. Er hatte das nie überprüft, aber manchmal hatten sie einander am nächsten Tag gesehen oder miteinander telefoniert, und es hatte Maximilian nie überrascht, wenn sich seine Empfindungen dann bestätigten.

»Ich habe kein Auge zugetan letzte Nacht, vielleicht lag es am Vollmond, ich konnte keine Sekunde schlafen . . .«

»Ich weiß.«

Auch jetzt schlief Mario nicht. Es war vielleicht noch zu früh am Abend, aber er würde die ganze Nacht nicht zur Ruhe kommen, das spürte Maximilian. Mario sah, genau wie er, Janet in Andrews Armen, und das raubte ihm die Ruhe.

Und vielleicht gab es noch mehr, was ihn nicht zur Ruhe kommen ließ.

Maximilian war sicher, daß Mario nicht allein war. Von Anfang an hatte er gespürt, daß ihm sein Bruder etwas unterschlug, als er von seiner Reise in die Provence erzählt hatte. Er hatte es in seinen Augen erkennen, in seiner Stimme hören können. Um hauchfeine Nuancen nur waren Veränderungen aufgetreten, aber im wechselseitigen Wahrnehmen von Strömungen im anderen waren beide Brüder wie zwei hochempfindliche Seismographen. Es gab keinen letzten, endgültigen Beweis, aber Maximilian war sicher, daß Mario mit einem Mädchen zusammen war.

Er konnte sie sich vorstellen: zierlich, zart. Feine Gesichtszüge. Lange blonde Haare. Ein bißchen wie die junge Janet, Verletzbarkeit und Unschuld ausstrahlend.

Doch dahinter, kaum auf den ersten Blick zu erkennen: ein unbändiger Hunger nach Leben, eine optimistische Bereitschaft, auch von verbotenen Früchten zu kosten. So waren sie *alle*. Er wußte es. Aber wußte es sein Bruder? Und wenn nicht, wann würde er es bemerken?

Er riß die Tür zum Gang auf, jetzt doch der Hoffnung erliegend, damit den Lauf seiner Phantasie zu stoppen. Vielleicht war er verrückt. Vielleicht konnte er seinen Empfindungen schon lange nicht mehr trauen. Er bekam Medikamente, Psychopharmaka, zur »Ruhigstellung«, wie es hieß. Er haßte diese Tabletten. Sie legten sich wie ein schwerer Schleier über sein Gemüt, benebelten ihn, ließen ihn alles ebenso spüren wie vorher, nur daß es sich hinter einem Vorhang abspielte, der verhinderte, daß er in Kontakt treten konnte mit seinen eigenen Gefühlen. Es war, als werde er von sich selbst getrennt, und manchmal war er darüber fast wahnsinnig geworden. Dann hatten sie ihm Spritzen gegeben, und es war noch schlimmer geworden. Aber ohne Medikamente begann er inzwischen schon nach kurzer Zeit unkontrolliert zu zittern. Er fragte sich, wie viele Leute gesünder in psychiatrische Kliniken hineingingen, als sie dann, dank der Tabletten, wieder herauskamen. Er hatte ganze Nächte im verzweifelten Bemühen verbracht, durch den Nebel zu seiner eigenen Unruhe vorzudringen, und was er dabei empfunden hatte, wünschte er seinem ärgsten Feind nicht.

Der Flur war dunkel, da es hier keine Fenster gab, nur ein bläuliches Notlicht brannte. Scheinbar schliefen inzwischen alle. Um neun Uhr wurden die Schlaftabletten verteilt an jeden, der sie brauchte oder wollte, und meist herrschte bald nach diesem Zeitpunkt Ruhe im Haus. Echinger arbeitete sicher noch, der eine oder andere diensthabende Arzt vielleicht auch. Wer in den nächsten

Tagen keine Schicht hatte und nicht in der Klinik wohnte, war nach Hause gefahren.

Maximilian schaute auf seine Uhr. Halb elf. Seine Unruhe wuchs. Er konnte nicht weg aus dieser einsamen Gegend, nicht um diese Zeit. Es gab eine Bushaltestelle, etwa drei Kilometer entfernt, aber dort fuhr jetzt kein Bus mehr. Morgen früh um sieben ging der nächste. Über sämtliche Dörfer konnte man mit ihm bis Niebüll schaukeln und von dort den Zug nach Hamburg nehmen.

Er kehrte in sein Zimmer zurück, schloß die Tür hinter sich. Mit zitternden Händen zog er eine Schublade im Schrank auf, kramte unter einem Stapel Unterwäsche herum. Seitdem er Freigänger war, bekam er Geld ausgehändigt, sparsam rationiert allerdings, und er mußte Rechenschaft darüber ablegen, wofür er es ausgab. Dennoch war es ihm im Verlauf des vergangenen Jahres gelungen, zweihundert Mark zusammenzusparen. Häufig hattte er sich Geld geben lassen für einen Cafébesuch, war dann aber entweder von seinem Bruder eingeladen worden oder hatte überhaupt verzichtet. Für Klinikverhältnisse verfügte er damit über ein Vermögen. Und es gab noch etwas; etwas, das einen weit größeren Schatz darstelltle als das Geld: einen Paß. Einen abgelaufenen Paß zwar, aber sein Gesicht blickte ihn von dem Photo entgegen. Der Ausweis lautete auf den Namen Mario Beerbaum. Sein Bruder hatte ihn ihm in die Klinik gebracht.

Wann in den letzte Stunden der Plan in ihm gereift war, nach Duverelle zu fahren, wußte er nicht. Im Grunde hatte es auch gar nichts mit einem Plan, mit einer Überlegung zu tun. Er folgte einem Drängen, folgte einer Stimme, die ihn rief. Die namenlose Unruhe, die den ganzen Tag auf ihm gelegen und ihn mit alten Bildern bedrängt hatte, war einem klaren Wissen darum gewichen, was er tun mußte. Ungeachtet der Folgen, und die

Folgen würden schwerwiegend sein, das wußte er. Für Anfang August war seine Entlassung vorgesehen, aber von diesem Zeitpunkt trennten ihn noch fast acht Wochen. Wenn er jetzt davonlief, riskierte er alles. Echinger mußte sein Verschwinden sofort anzeigen, sonst drohten ihm ebenfalls Strafen, schlimmstenfalls konnte er sogar seine Zulassung verlieren. Er würde den Moment hinauszögern, aber es gab Mitwisser genug im Haus, und irgendwann käme er nicht mehr darum herum, Meldung zu erstatten. Von dem Moment an würde man ihn mit Haftbefehl suchen, und seine Entlassung im August konnte er wahrscheinlich vergessen. Er mußte es trotzdem tun, und er würde es tun.

Er setzte sich an das Fenster und wartete, daß der Morgen kam.

Als Tina erwachte, war es noch dunkel, und als sie das Licht anknipste und auf den Wecker sah, stellte sie fest, daß es drei Uhr morgens war. Sie fragte sich, was sie geweckt hatte. Dann hörte sie es: Irgendwo im Haus spielte Musik, leise zwar, aber sie mußte dennoch bis in ihren Schlaf vorgedrungen sein. Es war eine dramatische, aufwühlende, unter die Haut gehende Musik, selbst aus dieser Entfernung. In dieser provençalischen Nacht wirkte sie deplaziert und quälend.

Tina stand auf, zog ihren Bademantel an und verließ das Zimmer. Langsam ging sie die Treppe hinunter. Vor Marios Zimmertür blieb sie stehen. Zuerst hatte sie gemeint, die Musik käme von dort, aber nun stellte sie fest, daß der Klang unten im Wohnzimmer ertönte. Zögernd tappte sie die zweite Treppe hinunter.

Die Wohnzimmertür war nur angelehnt, ein Streifen Licht fiel heraus in den Flur. Die Musik klang nun lauter.

»Mario?« fragte Tina. Sie bekam keine Antwort. Sie stieß die Tür auf. Mario stand am Fenster, hatte ihr den Rücken zugewandt und starrte hinaus in die Nacht. Er war vollständig bekleidet, trug Jeans, T-Shirt, Schuhe und Strümpfe. Er hatte nur die Stehlampe eingeschaltet, die das Zimmer in ein Dämmerlicht tauchte. Aus dem CD-Spieler ertönte die eindringliche Musik. Tina schauderte plötzlich.

»Mario«, sagte sie erneut. Er hörte sie noch immer nicht. Sie räusperte sich. »Mario!«

Er fuhr herum. Sie sah, daß sein Gesicht bleich war, die Augen darin schienen noch dunkler, die Brauen hoben sich hart von der fahlen Haut ab.

»Was tust du denn hier?« fragte er nach einem Moment des überraschten Schweigens.

»Das sollte ich dich fragen! Es ist drei Uhr nachts. Warst du überhaupt im Bett?«

Er schaute an sich hinunter, als müsse er versuchen, sich mit Hilfe seiner Kleidung zu erinnern. »Nein«, sagte er dann, »aber ich gehe oft spät ins Bett, weil ich nur schwer einschlafen kann.«

»Aber drei Uhr nachts finde ich ein bißchen zu spät.«

Mario wußte darauf nichts zu erwidern. Er trat zum CD-Spieler und schaltete ihn aus. Die Stille kam so unvermittelt, daß sie beklemmend wirkte.

Mario strich sich über die Haare. Er sah erschöpft aus, als habe er eine große Anstrengung hinter sich. »Ich leide seit Jahren darunter«, sagte er entschuldigend, »unter Schlafstörungen, meine ich. Und irgend etwas muß ich tun, also höre ich Musik. Es tut mir sehr leid, daß ich dich damit geweckt habe.«

»Du mußt dich nicht entschuldigen. Es ist nur ... ich meine, hast du mal versucht herauszufinden, woran das liegt? In deinem Alter ist es doch nicht normal, daß man nicht schlafen kann.«

»Oh, ich ... ich denke, ich bin einfach ein nervöser Typ.« Er wich aus, zeigte deutlich, daß ihm dieses Gespräch nicht im mindesten behagte. Tina hatte den Eindruck, daß sie ihm auf die Nerven ging. Er wirkte wie ein in die Enge getriebenes Tier. Sie beschloß, nicht weiter zu forschen.

»Na ja, ich werde jedenfalls jetzt weiterschlafen«, sagte sie leichthin und dachte bei sich: Gott, sieht er elend aus! So angespannt, so traurig. Schuldgefühle regten sich in ihr; sie hatte sich den ganzen Tag über reserviert gezeigt, war bis zum Abend nicht aufgetaut. Sie berührte vorsichtig seinen Arm.

»Es ist schön hier«, sagte sie, »ein bißchen einsam, aber schön. Ich war verärgert, weil ich mir alles anders vorgestellt hatte, aber jetzt ist es okay. Wirklich.«

Er lächelte. »Schön, daß du das sagst, Tina.«

Sie standen dicht beieinander, Mario blaß und verletzlich, Tina sehr jung und scheu. Dennoch war sie es, die die Hand hob und ihm über die Wange strich, ihre Finger in seinen dunklen Haaren vergrub.

»Mario«, sagte sie leise. Zum erstenmal in ihrem Leben begegnete sie dem Gefühl, einem Mann ganz nahe sein zu wollen, fing an zu begreifen, was es hieß, einen Mann zu begehren – mit der Seele, dem Körper, mit allen Gedanken und allen Sehnsüchten.

»Wenn du's einmal gemacht hast«, hatte Dana immer prophezeit, »kannst du nie wieder damit aufhören.«

Am Ende hatte sie wohl recht. Es gab kein vergleichbares Gefühl von dieser Intensität. In Marios Augen sah sie etwas von der gleichen Flamme, die in ihr brannte, und wußte, daß er, was immer vorher gewesen war, was immer später kommen mochte, in diesem Moment so fühlte wie sie, und daß er sich nicht dagegen würde wehren können.

Sie küßten einander ohne jene distanzierte Keuschheit, die bislang wie eine Mauer zwischen ihnen gestanden hatte. Marios Hände glitten unter Tinas Bademantel. Sie trug nur Slip und T-Shirt; das Hemd war zu kurz und ließ den Bauch frei, der sich mit einer Gänsehaut überzog, als Marios Hände ihn streiften.

Irgendwie zog sie Mario das T-Shirt aus, das er trug. Seine Haut war warm und trocken und schmeckte ein wenig nach der Zedernseife, die oben im Bad lag. Sein

Herz schlug wild und hämmernd. Er zog Tina mit sich hinunter auf den Boden, sie immer noch küssend und streichelnd, unverhohlen seine Gier nach ihr zeigend. Als sich sein Gewicht auf sie senkte und sie seinen Atem dicht an ihrem Gesicht spürte, dachte sie: Nie wieder wird etwas so großartig sein, nie wieder in meinem Leben wird . . .

Und in diesem Moment richtete sich Mario auf und starrte sie an, und in seinem Blick standen Erschrecken und – Abscheu. Und es war dies, wovon sie sofort wußte, daß es nie wieder so sein würde: Nie wieder würde jemand auf sie herabsehen mit einem solchen Ausdruck von Ekel in den Augen, mit so viel Verachtung, mit diesem angewiderten Zug um den Mund.

Er rollte von ihr weg und blieb schwer atmend neben ihr auf dem Rücken liegen.

Sie verstand nicht, was passiert war. Sie hatten kein Wort gesprochen, sie konnte nichts Falsches gesagt haben. Was war schiefgelaufen? Sie setzte sich auf, zog ihr T-Shirt hinunter, wickelte den Bademantel fester um sich, ordnete mit den Fingern ihre Haare. Sie blickte zu Mario hin, der mit weitaufgerissenen Augen zur Decke starrte und sich bemühte, wieder ruhiger zu atmen.

»Mario«, sie wagte nicht, ihn zu berühren. »Mario – was ist los?«

Er antwortete nicht. Eindringlicher wiederholte Tina: »Mario – was ist auf einmal los?«

Sein Blick wandte sich von jenem imaginären Punkt an der Decke ab, den er fixiert hatte, und richtete sich auf Tina. In den dunklen Augen stand keine Zärtlichkeit mehr, kein Begehren. Nur Zorn, eine gefährliche, böse Wut.

»Was plötzlich los ist? Das fragst du im Ernst? Weißt du, was hier eben fast passiert wäre?«

»Ja, das weiß ich.« Sie war ratlos. »Natürlich weiß ich das.«

»Aha. Und das stört dich kein bißchen, wie?« Er setzte sich jetzt auch auf. Sein nackter Oberkörper glänzte vor Schweiß. Seine Augen funkelten. »Du hättest das toll gefunden, ja?«

»Mario . . . ich liebe dich. Ich dachte immer . . .«

»Was? Was dachtest du?«

»Ich dachte immer, es gehört zur Liebe, daß man . . .« Sie war jetzt so erschrocken und verwirrt, daß sie krampfhaft nach einer diskreten Umschreibung dessen suchte, was, unverblümt gesagt, Marios Zorn womöglich nur noch stärker entfacht hätte. » . . . daß man einander . . . sehr nahe kommt . . .«

Mario sah sie lauernd an. »Wie nahe wolltest du mir denn kommen?«

Tina hatte das Gefühl, ein einziges falsches Wort könnte eine Explosion auslösen. »Mein Gott, ich wollte . . . ich wollte . . .«

»Du wolltest mich verführen! Und es wäre dir ja auch fast gelungen. Von wem hast du das so gut gelernt? Von deiner Freundin Dana, diesem . . .«, er spuckte das Wort förmlich aus, »diesem Flittchen?«

Tina reckte die Schultern. Allmählich wich ihre Verwirrung heftigem Ärger. Was bildete er sich ein? Und wie konnte er es wagen, Dana zu beleidigen?

»Ich möchte nicht, daß du so über sie sprichst«, sagte sie kalt.

»Sie hat's mit jedem Kerl in Hamburg und Umgebung getrieben«, sagte Mario verächtlich, »das wissen doch alle!«

»Das ist allein ihre Sache.«

»Offensichtlich nicht. Offensichtlich hat es auf dich abgefärbt, und damit ist es auch meine Sache.«

Tina stand auf. Sie war jetzt blaß vor Wut. »Du bist ja nicht mehr normal!«

Auch Mario erhob sich. »Ich hätte es wissen müssen«, sagte er.

»Was?«

»Daß du nicht anders bist als alle anderen. Kein bißchen anders.«

»Würdest du mir verraten, was du damit meinst?«

»Du siehst aus wie ein Engel. Aber das täuscht. Von Anfang an hattest du es auf nichts anderes abgesehen, als auf ein kurzes Abenteuer mit mir. Deshalb wolltest du auch unbedingt verreisen. Du hast damit eine ganz bestimmte Absicht verfolgt.« Er klang verletzt, verbittert, enttäuscht.

Aber das ist so grotesk, dachte Tina. Sie kam sich vor wie in einem absurden Traum, wie in einem Zerrspiegel der Realität. Sie fühlte sich plötzlich müde und traurig – und hilflos.

»Mario, ich glaube, es bringt im Moment nichts, weiterzureden«, sagte sie, »wir sollten schlafen und morgen sehen, ob wir diesen Urlaub überhaupt fortsetzen wollen. Ich . . . ich bin im Augenblick sehr durcheinander.«

Er schwieg, sah sie nun an mit einem Gesichtsausdruck wie ein – ja, dachte sie, wie ein geschlagener Hund. Entsetzt und verstört.

Schließlich hob er die Hand, griff eine ihrer langen Haarsträhnen und ließ sie langsam durch seine Finger gleiten.

»Ich liebe dich wirklich sehr, Christina«, sagte er leise. Es war fremd und ungewohnt für Tina, daß er sie bei ihrem vollen Namen nannte. »Du bist das Bild, das ich in mir barg.«

Sie verstand nicht, was er meinte. »Was?«

»Die Musik«, sagte er, »das ist diese Musik.«

»Das ist ein Satz aus der Musik, die du gehört hast?« Sie war verwirrt und ratlos. »Du bist das Bild, das ich in mir barg. Was bedeutet das?«

Er erwiderte nichts, sondern drehte sich um und verließ das Zimmer. Sie hörte seine Schritte auf der Treppe, dann wurde oben sehr nachdrücklich seine Zimmertür geschlossen.

Tina brauchte fünf Minuten, ehe sie sich so weit gefaßt hatte, daß sie ebenfalls hinauf in ihr Zimmer und in ihr Bett gehen konnte.

Sie fand jedoch bis zum Morgen keinen Schlaf mehr.

»Darf ich Sie einen Moment stören, Herr Professor?« Dr. Rosenberg, einer der Mitarbeiter Echingers, steckte den Kopf durch die Tür ins Büro seines Chefs.

Professor Echinger saß hinter dem Schreibtisch. Er blinzelte zerstreut über den Rand seiner Lesebrille hinweg. »Ja? Was ist?«

»Vielleicht hat es nichts zu bedeuten . . .« Rosenberg kam jetzt ganz ins Zimmer, schloß die Tür hinter sich. »Maximilian Beerbaum ist verschwunden. Ohne Abmeldung.«

Echinger, der zuerst nur darauf erpicht gewesen war, die unwillkommene Störung rasch zu beenden, war von einer Sekunde zur nächsten voll gespannter Aufmerksamkeit. »Seit wann?«

»Er war schon beim Frühstück nicht anwesend. Und auch bis jetzt hat ihn niemand bei irgendeiner Gelegenheit gesehen.«

Echinger hatte, wie meist, am gemeinsamen Frühstück nicht teilgenommen, sondern seit dem frühen Morgen gearbeitet. Er runzelte die Stirn. »Versäumt er sonst nie das Frühstück?«

»Doch. Aber heute fand gleich danach eine Gesprächsgruppe statt, an der er hätte teilnehmen sollen. Da hat er noch nie gefehlt. Nur heute.«

»Waren Sie in seinem Zimmer?«

Rosenberg nickte. »Natürlich. Da ist er nicht.«

Echinger sah auf seine Uhr. »Um elf hat er Stunde bei mir. Vielleicht wollte er bis dahin spazierengehen und hat die Meldung einfach vergessen. Dann müßte er bis elf zurück sein – denn das vergißt er bestimmt nicht.«

»Er hat auch noch nie vergessen, sich abzumelden«, gab Rosenberg zu bedenken, »schon weil er weiß, was davon abhängt.«

Die beiden Männer sahen einander an.

»Wenn er zu meiner Stunde nicht erscheint«, sagte Echinger, »sehen wir seine Sachen durch. Ob etwas fehlt.«

»Wir müßten das dann heute noch melden«, sagte Rosenberg.

Echinger stand auf, warf seinen Kugelschreiber auf den Tisch. »Ich kann mir nicht vorstellen, daß er abgehauen ist! Er wäre verrückt! Er kommt in knapp acht Wochen raus. Was sind denn acht Wochen? Die kann er doch, weiß Gott, abwarten!«

»Er wirkte sehr angespannt auf mich in den letzten Tagen. Irgend etwas belastet ihn.«

»Die Mutter«, murmelte Echinger, »sie hat sich nach England abgesetzt, vermutlich zu dem Liebhaber von einst. Und sein Bruder ist, angeblich allein, in die Provence gefahren«

Rosenberg kannte den Fall Beerbaum genau.

»Sehr kritische Faktoren«, meinte er.

»Wenn er weg ist...« Echinger überlegte. »Wenn er weg ist... wohin will er dann?«

»Zu seiner Mutter?«

»Irgendwie glaube ich das nicht.«

»Er könnte vorhaben, sie zu einer Rückkehr zum Vater zu bewegen.«

Echinger schüttelte den Kopf. »Ich habe mich jetzt sechs Jahre mit ihm beschäftigt. Ich müßte mich sehr täuschen, wenn . . .«

»Was?«

»Ich glaube nicht, daß er sich in die Angelegenheiten seiner Eltern mischen wird. Seine Mutter hat nicht mehr die elementare Bedeutung für ihn, die sie einmal hatte. Er ist sicher nicht begeistert, daß sie sich erneut Andrew Davies zugewandt hat, aber er würde sich da nicht engagieren.«

»Hm.« Rosenberg war der Ansicht, daß man diese Dinge nie genau wissen konnte. »Sie sind sein Arzt«, sagte er. »Sie können das besser beurteilen als ich.«

Echinger kam hinter seinem Schreibtisch hervor, ging zum Fenster, das halb offen stand. Zu der frühen Stunde herrschte bereits eine ungewöhnlich drückende Schwüle draußen. Sicher würde es am Nachmittag ein Gewitter geben.

»Sein Bruder und er«, sagte er langsam, »haben eine ungewöhnlich starke Bindung.«

»Nicht *zu* ungewöhnlich – bei Zwillingen.«

»Ja, es ist ein Phänomen mit Zwillingen, nicht? Dieser geheimnisvolle, unsichtbare, nie abreißende Kontakt zwischen ihnen. Wir finden das sehr häufig, dennoch scheint es im Fall Beerbaum äußerst intensiv. Die beiden befinden sich in einem ständigen Zwiegespräch, über viele Kilometer und monatelange Trennungen hinweg. Sie wissen über Gefühle und Gedanken des anderen Bescheid. Sie kennen gegenseitig ihre Ängste, Träume, Hoffnungen. Manchmal ist es, als wären sie *ein* Mensch.«

»Es gibt einen entscheidenden Unterschied«, erinnerte Rosenberg. »Maximilian wurde krank. Mario ist gesund.«

»Ja«, sagte Echinger, »das ist der Unterschied.« Er wandte sich vom Fenster ab, sah Rosenberg an. »Wir machen es wie besprochen. Wir warten bis elf Uhr. Dann durchsuchen wir sein Zimmer.«

»Und die Polizei?«

»Später«, sagte Echinger gereizt, »wir müssen ja nicht gleich alle Pferde scheu machen. Wenn er heute abend nicht da ist...« Er sprach den Satz nicht zu Ende. Rosenberg wußte: Wenn der Fall Beerbaum scheiterte, bedeutete das eine persönliche Niederlage für Professor Echinger. Den psychischen Zustand des jungen Mannes falsch eingeschätzt zu haben, würde sich der erfahrene Analytiker nie verzeihen.

»Dana, bist du es?« Karens Stimme klang fremd, heiser und mühsam. Sie drang aus dem Wohnzimmer. Dana, die gerade geduscht hatte und nichts trug als ein großes, um den Körper geschlungenes Handtuch, blieb im Flur stehen. Um diese Zeit hätte sie ihre Mutter noch im Bett vermutet. Sie öffnete die Wohnzimmertür. »Mami? Bist du schon wach?«

Karen lag auf dem Sofa und war offensichtlich überhaupt nicht im Bett gewesen. Sie trug einen fleckigen, blauen Jogginganzug und feuerrote Wollsocken an den Füßen. Ihre bürstenkurzen Haare waren verstrubbelt, ihr bleiches Gesicht sah verquollen und alt aus. Neben ihr auf dem Fußboden standen mehrere Flaschen und Gläser, und im ganzen Zimmer stank es penetrant nach Alkohol.

»Ach, Mami, mußte *das* wieder sein!« sagte Dana resigniert.

Das Handtuch vor ihrer Brust zusammenhaltend, ging sie zum Fenster und öffnete es. Großstadtlärm brandete herauf. Abgasdurchsetzte Sommermorgenluft, schwül und schwer, waberte langsam herein.

Karen griff sich mit der Hand an die Stirn und stöhnte leise. »Ich hab' schreckliche Kopfschmerzen ... hast du ein Aspirin?«

»Du mußt unheimlich gesoffen haben gestern abend«, konstatierte Dana. Sie lief in ihr Zimmer und zog ihren Morgenmantel an, dann ging sie in die Küche und warf ein Aspirin in ein Glas Mineralwasser. Der wochenlange Gesundheitstrip mit Fitneßübungen, Mohrrüben und grünem Tee war ohne irgendeinen sanfteren Übergang in die Depressionsphase gewechselt. Karen hatte am vergangenen Nachmittag plötzlich ihre Bücher mit den Gymnastikanleitungen in die Ecke gefeuert, war zum nächsten Supermarkt geeilt und mit Bergen von Lebensmitteln sowie einem ansehnlichen Vorrat an Spirituosen wiedergekehrt. Sie hatte dann begonnen, sich ein üppiges Mahl zu kochen, und im Anschluß daran offenbar keine Grenze beim Trinken gefunden. Dana kannte das. Wenn sie der Weltschmerz überkam, konnte Karen saufen bis zur Besinnungslosigkeit.

Sie brachte ihrer Mutter das Glas und half ihr, sich auf mehrere Kissen gestützt aufzusetzen. Karen hatte graue Lippen. Sie sah zehn Jahre älter aus als vierzig.

»Schöner Mist«, murmelte sie, »die eigene Mutter morgens so vorzufinden, wie?«

»Was war denn los gestern abend?« fragte Dana. »Du wolltest dir doch einen gemütlichen Abend machen!« Sie war erst spätnachts von einem Diskothekenbesuch zurückgekehrt und auf Zehenspitzen in ihr Zimmer geschlichen, in dem Glauben, es sei alles in Ordnung.

»Mir ging's nicht gut«, sagte Karen. In kleinen Schlukken trank sie ihr Wasser. »Ich war so allein.«

»Tut mir leid. Ich wußte nicht, daß ...«

»Ist doch nicht deine Schuld. Du bist nicht verpflichtet, bei deiner alten Mutter daheim zu sitzen.«

»Du bist nicht alt, Mami!«

»Ach, schau mich doch an«, jammerte Karen, und insgeheim dachte Dana, daß sie recht hatte. Zumindest *wurde* sie alt, mit Riesenschritten. Das lag nicht nur an dem handfesten Kater des heutigen Morgens. Den Falten und Kerben in ihrem Gesicht, der schlaffen Mundpartie lagen viele Jahre ständiger Frustrationen und zu viele einsame Stunden zugrunde. Sie hatte Schiffbruch im Beruf erlitten, hatte keinen Partner und im Grunde nicht mal Freunde. Aber irgendwie, dachte Dana plötzlich gerührt, wurschtelt sie sich doch ganz tapfer durch.

Sie neigte sich vor und gab Karen einen raschen Kuß auf die Wange. »Du bist schon okay«, sagte sie, »wirklich!«

»Ich bin ein Versager«, entgegnete Karen unbarmherzig. «Ich hab' keine Arbeit, keinen Kerl und bin mit der Miete im Rückstand.«

»Wie weit?«

»Zwei Monate. Gestern kam ein Einschreiben vom Vermieter. Er droht mit Kündigung.«

»Es muß doch für Juni wieder Geld von meinem Vater gekommen sein?«

»Damit hab' ich ein paar Schulden bezahlt, und der Rest ist für Essen und Trinken draufgegangen.«

Dana hob die einzelnen Flaschen neben dem Sofa hoch und las die Etiketten. »Das ist ziemlich teures Zeug«, sagte sie, »an der Stelle könntest du wirklich sparen!«

»Ich will mich nicht dauernd einschränken. Man braucht ja auch ab und zu eine Freude im Leben.«

»Das hier ist aber keine Freude, jedenfalls nicht, wenn man danach so drauf ist wie du«, stellte Dana fest. Sie ließ sich in einen Sessel fallen und legte die Füße auf den Tisch. Ihre Zehennägel leuchteten in einem feurigen Orangerot. »Du mußt wieder arbeiten, Mami. Nicht nur wegen Geld. Auch weil es für dich wichtig ist.«

»Mich will keiner.«

»Weil du nicht bereit bist, auch nur die kleinsten Konzessionen zu machen. Das ist der Punkt! Wie du herumläufst! Du . . .«

»Ach! Du möchtest mich sehen mit Dauerwelle, Twinset und Perlenkette, oder wie?«

»Quatsch. Aber es müssen doch nicht immer Schockfarben sein, in die du dich hüllst. Und – nimm mir's nicht übel, aber man sieht deinen Klamotten auf hundert Schritte Entfernung an, daß sie von den billigsten Wühltischen kommen. Ich kann mir absolut vorstellen, daß jeder Chefredakteur zurückzuckt, wenn du daherkommst!«

»Weil sie alle oberflächliche Scheißer in Nadelstreifen sind.«

»Du mußt dich irgendwie mit ihnen arrangieren, wenn du von ihnen bezahlt werden willst, Mami!«

»Da hab' ich ja eine richtige kleine Anpasserin großgezogen«, sagte Karen aggressiv.

Dana zuckte mit den Schultern. »Vielleicht bin ich nur ein bißchen cleverer als du. Ich will nicht so wie du eines Tages nur von der Hand in den Mund leben und nie wissen, wie ich die nächste Miete bezahle. Und es kommt ja noch etwas hinzu. Deinen absurden Aufzug könntest du dir sicher eher leisten, wenn du auf der anderen Seite eine wirklich großartige Journalistin wärst, die . . .«

»Oh – meine diesbezüglichen Fähigkeiten werden mir jetzt auch noch abgesprochen?«

»Nicht, was dein Schreiben angeht. Aber deine Arbeitsweise stimmt einfach nicht. Du hast noch niemals einen Artikel pünktlich abgeliefert. Du hast dich noch nie an Absprachen und Vereinbarungen gehalten. Deine Arbeit bestand im wesentlichen darin, Flüge zu versäumen, Interviewpartner in Hotelfoyers stundenlang warten zu lassen und meditierend in deinen jeweiligen Unterkünften zu sitzen, während andere draußen für ihre Reportagen recherchierten und diese dann termingerecht in Satz gaben. Du bist für jede Zeitung untragbar, Mami!«

»Und du hast dich ja phantastisch im deutschen Establishment eingegliedert. Zuverlässigkeit, Pünktlichkeit, Ordnung! Ja, um dich muß man sich nicht sorgen. Du wirst eine aalglatte Karriere machen. Paß nur auf, daß du auf dem Weg nach oben nicht ständig auf deiner eigenen Schleimspur ausrutschst!«

Dana stand auf. »Du spuckst mal wieder richtig Gift und Galle heute«, sagte sie, »und du weißt ganz genau, daß du ungerecht bist. Du weißt, wie sehr gerade ich überall anecke und wie man über mich redet. Doch ich mache mir nichts daraus. Aber du, du bist ein richtiger Jammerlappen und eine Pseudounangepaßte. Du willst leben, wie es dir paßt, du willst dich an keinerlei Konventionen oder Regeln halten, und du findest das unheimlich toll von dir, aber du kriegst das ganz große Heulen, wenn du dann auch mit den unangenehmen Konsequenzen zurechtkommen mußt. Und damit ist deine Verweigerung einfach nicht überzeugend. So, wie du das machst, beeindruckt man niemanden.«

»Bist du fertig?« fragte Karen kalt. Diese Kälte war jedoch gespielt, das merkte Dana. Vielleicht war sie zu hart gewesen, hatte zu unverblümt gesagt, was sie dachte. Mami war nicht in der Verfassung für ein Grundsatzgespräch.

»Tut mir leid«, sagte sie, »ich wollte dir nicht weh tun.«

»Du bist schon ganz schön umgekrempelt von deinen Freunden«, meinte Karen. Ganz allmählich bekam ihr Gesicht einen Anflug von Farbe, aber sie sah noch immer hundeelend aus. »Die Lebensmaximen von dem feinen Herrn Staatsanwalt haben es dir wohl angetan.«

»Für dich gibt es nur Schwarz oder Weiß. Wenn man

nicht so ist wie du, dann ist man total spießig und ange-
paßt. Dazwischen läßt du nichts zu!«

»Wie gut, daß *du* so differenziert bist!«

Dana seufzte. Mit Karen war heute nicht zu reden.
Jedes Gespräch konnte nur in einer Verbalschlacht enden.
Wenn Karen Streit wollte, war dem nicht auszuweichen.

»Ich werde für ein paar Tage fort sein«, sagte sie.

Karen sah sie ohne besonderes Interesse an. »Ja?«

»Ich fahre nach Südfrankreich.«

»Oh!« Jetzt grinste Karen und sah zum erstenmal an
diesem Morgen etwas weniger alt und verlebt aus. »Du
kannst es also nicht lassen. Die arme Tina bekommt ihr
Kindermädchen, ob sie will oder nicht!«

»Unsinn. Ich fahre nicht als Kindermädchen zu ihr. Ich
werde die beiden auch nicht weiter belästigen. Man kann
sich ja ab und zu sehen und ein bißchen Spaß haben.«

»Der Herr Staatsanwalt hat mir schon gesagt, daß du
das vorhast. Er war sehr besorgt. Ich soll dich auf keinen
Fall trampen lassen. Dabei kann zuviel passieren, meint
er.«

Dana zuckte mit den Schultern. »Er meint es sicher gut.
Aber mir ist noch nie etwas passiert. Außerdem hab' ich
kein Geld für den Zug.«

Karen stellte das leergetrunkene Glas auf den Boden,
legte sich wieder in die Kissen und schloß die Augen. »Ich
hab' das Gefühl, jeden Moment zerspringt mein Kopf«,
murmelte sie. »Wann willst du los?«

»Im Lauf des Tages. Ich ziehe mich jetzt erst mal an.«
Dana ging zur Tür, blieb aber dort noch einmal stehen.
»Ich kann dich doch alleine lassen Mami?«

Karen lag jetzt da wie eine Tote, wachsweiß im Gesicht,
die Augen fest geschlossen. Ihre Lippen bewegten sich
nur langsam. »Natürlich. Ich komme zurecht. Fahr du
nur.«

Dana zögerte noch einen Moment, dann verließ sie das Zimmer. Sie hatte ein schlechtes Gewissen, aber jahrelange Erfahrung hatte sie gelehrt, daß sie ihrer Mutter nicht helfen konnte. Auf irgendeine Weise mußte Karen aus eigener Kraft auf die Füße kommen.

Bildete er es sich ein, oder war sie wirklich schrecklich unordentlich? Sie waren erst eineinhalb Tage hier in Duverelle, aber sie hatte bereits ein ziemliches Chaos verbreitet. Zwei Paar Schuhe flogen im Flur herum und forderten förmlich dazu auf, über sie zu stolpern. Im Bad verbauten ihre Sachen – Kosmetikartikel aus dem Body-Shop – die gesamte Ablage unter dem Spiegel. Ihre gebrauchten Handtücher hängte sie grundsätzlich nicht an den Haken zurück, sondern knäulte sie in irgendeine Ecke. Wenn sie sich in der Küche ein Brot schmierte, ließ sie Messer und Teller einfach auf dem Tisch stehen; oft vergaß sie sogar, die Butter zurück in den Kühlschrank zu stellen. Eines ihrer T-Shirts lag auf dem Sofa im Wohnzimmer, ein Wollpullover hatte die Nacht einsam draußen im Liegestuhl verbracht und war schwer gewesen von der Nässe des Taus am nächsten Morgen.

Und ich war überzeugt, sie sei sehr sorgsam, dachte Mario.

Er fragte sich, warum ihn die Entdeckung, daß sie schlampig war, so wütend machte. Er war nie besonders fanatisch gewesen, was Ordnung betraf, weshalb sollte sich das plötzlich geändert haben? Was ihm angst machte, war der Gedanke, daß er in Wahrheit nach einem Grund suchte, wütend auf sie sein zu *dürfen*. Er brauchte ein Ventil, brauchte eine Gelegenheit, zu explodieren, sich Luft zu schaffen. Er hatte heftige Aggressionen gegen sie, die er entweder loswerden mußte, oder an denen er ersticken würde.

Das Bild, das er sich von ihr gemacht hatte, war in der vergangenen Nacht zerbrochen, nachdem es bereits von zahlreichen Rissen verunziert worden war. Was hatte er in ihr gesehen? Ein Märchengeschöpf, eine überirdische Fee, einen Engel? Er hatte sie auf ein Podest gestellt, auf dem sie überhaupt nicht stehen wollte. Das hatte sich schon auf der Reise bemerkbar gemacht: der Minirock, der feuerrote Lippenstift. Es hatte seine Übelkeit erregt, zu beobachten, wie die Kerle ihr nachstarrten. Und dann, in der vergangenen Nacht: Sie hätte sich ihm auf der Stelle hingegeben, wenn er gewollt hätte. Ohne Scham, ohne Scheu. Hatte sie von Anfang an darauf spekuliert? Hatte sie deshalb unbedingt mit ihm verreisen wollen?

Nein – er fuhr sich mit beiden Händen über die Stirn, als könne er so die quälenden Gedanken vertreiben –, er durfte nicht das Schlechteste von ihr denken. Sie war schwach geworden in der letzten Nacht, so wie auch er fast schwach geworden wäre. Die Schuld lag nicht allein bei ihr.

Er bemühte sich, an etwas anderes zu denken, räumte ihre verstreuten Sachen auf und stellte eine Liste der Dinge zusammen, die sie kaufen mußten. Er goß die Blumen und reinigte das Waschbecken im Bad von Tinas Haaren. Seine Wut verrauchte so unvermittelt, wie sie gekommen war, aber er wußte, daß sie sich keineswegs aufgelöst hatte. Sie konnte sich jeden Moment wieder zusammenballen und sich als unberechenbare Kraft in ihm aufbäumen.

Durch die Küche ging er hinaus auf die rückwärtige Terrasse. Hier war es kühler und schattiger als im vorderen Garten. Die Steinfliesen auf dem Küchenfußboden setzten sich draußen fort und vermittelten den Eindruck eines weiteren luftigen Zimmers. Terrakottakrüge, mit bunten Blumen bepflanzt, standen hier herum, und zwischen den Steinen wuchs das Moos. Doch trotz der zwei großen Kirschbäume, die die Sonnenstrahlen fernhielten, zeigte das Thermometer an der Hauswand achtundzwanzig Grad an.

Tina lag in einem Liegestuhl, in ein lächerliches Nichts von einem Bikini gekleidet. Mario bemühte sich, seinen Blick nicht unterhalb ihres Kinns festzumachen. Sie las, ihre Miene war angestrengt und konzentriert. Sie zuckte zusammen, als Mario plötzlich neben ihr stand. Er lächelte, und sie entspannte sich etwas.

»Was liest du?« fragte er.

Sie klappte das Buch zu und zeigte ihm den Titel.

»Sita«, las er, »von Kate Millet.« Er kannte das Buch nicht, aber er kannte die Autorin. Er fragte sich, was Tina an einer lesbischen Feministin interessierte.

Tina legte das Buch zur Seite. »Eine bedrückende Geschichte«, sagte sie, »über eine sehr komplizierte und schmerzvolle Liebesbeziehung zwischen zwei Frauen.«

»Aha.« Er hatte das Gefühl, sie erwarte irgendeinen klugen Kommentar von ihm, aber ihm fiel keiner ein, und so rettete er sich in ein kurzes, bedeutungsvolles Schweigen. Dann schlug er vor: »Begleite mich doch ins Dorf zum Einkaufen. Wir brauchen schließlich ein Abendessen.«

»Okay. Ich zieh' mir nur etwas an.« Sie stand auf.

Sie will mich nicht provozieren, dachte er, sie trägt dieses winzige geblümte Ding, weil alle Frauen so etwas tragen. Sie hat sich noch nie Gedanken darüber gemacht, wie das wirkt.

Als könnte sie hören, was hinter seiner Stirn vorging, verschränkte sie plötzlich die Arme vor der Brust. Eine verlegene Röte huschte über ihre Wangen. »Ich habe immer noch nicht meinen Vater angerufen. Bestimmt macht er sich große Sorgen.«

»Hast du ihm gesagt, du würdest anrufen?«

»Wir haben nicht darüber gesprochen. Wir sind wohl beide davon ausgegangen.« Sie schaute an der Hauswand hinauf zum Fenster des kleinen Arbeitszimmers im ersten Stock, wo das Telefon stand. »Komisch, daß auch er nicht anruft, nicht?«

»Niemand ruft an. Man will uns sicher nicht stören.«

»Ich wüßte nicht, was ich ihm sagen sollte. Wahrscheinlich würde er merken, daß ich deprimiert bin.«

Mario wußte, sie gab ihm ein Signal. Er hätte nachhaken müssen: »Warum bist du deprimiert, Tina?« Es wäre eine Chance gewesen, über die vergangene Nacht zu sprechen. Er hätte erklären können, was in ihm vorgegangen war; vielleicht hätte sie es verstanden. Aber ihm fehlte der Mut und die Energie für ein solches Gespräch. So sagte er nur: »Zieh dich an, Tina. Wir sollten jetzt los.«

Sie warf ihm einen Blick zu, in dem Verärgerung und Verletztheit gleichermaßen standen, aber sie erwiderte nichts. Sie drehte sich um und ging ins Haus.

Wie lange sich die Stunden eines Tages hinzogen, wenn man nichts zu tun hatte! Essen und trinken nahmen nicht viel Zeit in Anspruch, ein paar Aufräumarbeiten in einem von einer zuverlässigen Putzfrau bestens gewarteten Haus auch nicht. Es regnete in Strömen, und so bot auch der Garten keine Ausweichmöglichkeit.

Ich hätte mich in mein Büro setzen sollen, dachte Phillip, zumal sich dort die Arbeit stapelt.

Er hatte kapituliert, hatte erkannt, daß er es allein unmöglich schaffen konnte, termingerecht mit allem fertig zu werden, was erledigt werden mußte. Seine Sekretärin war bereits vor Pfingsten für zwei Wochen auf die Kanaren abgereist, einer seiner beiden Mitarbeiter hatte sich am Morgen krank gemeldet. Janet, von der er jetzt erst merkte, wie sehr alle Fäden in der Kanzlei bei ihr zusammenliefen, saß noch immer in London, beziehungsweise lag in Andrew Davies' Bett. Der Student, den sie beschäftigten, stand ohne Anleitung völlig hilflos herum, der zweite Mitarbeiter jammerte die ganze Zeit, daß sie alle völlig überlastet seien. Schließlich schickte Phillip die beiden nach Hause und sagte, er werde sich irgend etwas einfallen lassen. Ihm war klar, daß ihm *nichts* einfallen würde, und indem er alles stehen und liegen ließ, im Büro nur den Anrufbeantworter laufen ließ und in vollkommene Passivität verfiel, wurde die Sache natürlich nur schlimmer. Aber er fühlte sich nicht in der Lage, das Problem mit Tatkraft anzugehen. Eine lähmende Lethargie bemächtigte sich seiner, von Stunde zu Stunde mehr. Er konnte nur im Sessel sitzen, die Wand anstarren und in einer selbstquälerischen Unaufhörlichkeit seine Situation analysieren.

Er war allein. Er hatte Janet verloren. Selbst wenn sie zurückkehrte, würden sie nie mehr auf eine halbwegs normale Weise leben können, nicht nach dem *zweiten* Mal. Mario ging eigene Wege. Maximilian wäre vielleicht der letzte, der ihm bliebe, und gerade ihn wollte er nicht als Klotz am Bein haben.

In der Stille tickte eine Uhr sehr laut. Draußen strömte der Regen. Phillip erhob sich, ging in die Küche und setzte Kaffeewasser auf. Keine Frau, keine Kinder, die sich um seinen Tisch versammelten. Er fühlte sich jämmerlich einsam, und da er Einsamkeit immer voller Hochmut als die notwendige Folge eigener Fehler im Umgang mit anderen Menschen gesehen hatte, empfand er nun auch noch eine Menge ungeordneter, wirrer Schuldgefühle. Das Wort »Versager« hämmerte in seinem Kopf, während er in den grauen Tag hinausstarrte und darauf wartete, daß das Wasser kochte. Dazwischen flackerte ein kühner, wilder

Gedanke in ihm auf: Er könnte sich in das nächste Flugzeug nach London setzen, zu Davies' Wohnung fahren, klingeln und Janet einfach zurückholen. Vielleicht würde ihr ein starker Auftritt imponieren, sogar Gefühle in ihr wecken, die sie bis dahin für ihn nicht gehabt hatte. Offensichtlich stand sie auf Männer, die sich nahmen, was sie wollten, ohne lange zu fackeln.

»Ich bin gekommen, dich zu holen, Janet.« Oder, aggressiver: »Entscheide dich. Wenn du *ihn* willst, sind wir geschiedene Leute, und ich schwöre dir, diese Scheidung wird so schmutzig, daß du dich fragst, ob *er* das wirklich wert ist!«

Oder wie wäre es mit der Andrew-Davies-Methode? Janet am Arm packen, sie buchstäblich aus der Wohnung schleifen? »Du bist meine Frau, und ich rate dir, das nie wieder zu vergessen!«

Phillip seufzte resigniert, als ihm aufging, daß er nichts von alldem tun würde. Es war einfach nicht seine Art, es lag ihm nicht. Er würde lächerlich wirken, nicht im mindesten überzeugend. Im entscheidenden Moment käme ihm nicht einmal die Wut zu Hilfe und ließe ihn erstarken. Außer einem Gefühl entsetzlicher, schmachvoller Peinlichkeit würde er nichts empfinden – und das war die denkbar schlechteste Voraussetzung, um auf eine Frau wie Janet und einen Mann wie Andrew Davies Eindruck zu machen.

Das Wasser kochte, und gleichzeitig klingelte das Telefon. Einen Moment lang erwog Phillip, sich ungerührt seinen Kaffee zu machen und den Anrufer auflaufen zu lassen, aber auf einmal hatte er die Vision, es könnte Janet sein, die versuchte, mit ihm zu reden. Er stürzte ins Wohnzimmer und meldete sich mit atemloser Stimme. »Ja?«

»Weiss«, erklang es kühl und sehr förmlich.

Phillip wußte mit diesem Namen nichts anzufangen. »Ja?« fragte er noch mal.

»Ich bin der Vater von Christina Weiss.«

»Oh . . . Herr Weiss, guten Tag. Ich wußte nicht . . .«

»Herr Beerbaum, um es kurz zu machen, ich bin sehr besorgt«, sagte Michael, »ich habe keinerlei Lebenszeichen von meiner Tochter. Die beiden müßten doch längst angekommen sein. Ich versuche ständig sie zu erreichen, aber es meldet sich niemand.«

In seiner Stimme schwand ein Vorwurf, als mache er Phillip für die Lage der Dinge verantwortlich. »Vielleicht sind sie tatsächlich noch nicht angekommen«, meinte Phillip, »vielleicht haben sie irgendwo eine längere Reiseunterbrechung eingelegt. Um sich eine Stadt anzusehen oder eine Gegend.«

»Und warum ruft Christina mich dann nicht an?«

Woher soll ich das eigentlich wissen, dachte Phillip etwas verärgert. Laut sagte er jedoch in beruhigendem Ton: »Die beiden sind jung und verliebt, Herr Weiss. Im Moment sind ihre Eltern vermutlich das, woran sie am wenigsten denken.«

»Das wäre ganz neu bei meiner Tochter«, betonte Michael, und zwischen seinen Worten stand der unausgesprochene Vorwurf: Das könnte dann nur auf den Einfluß von Mario zurückzuführen sein!

Eingebildeter Affe, dachte Phillip. Er erwiderte nichts, sondern wartete.

Schließlich fuhr Michael fort: »Ich war ja von Anfang an gegen diese Reise. Aber mit Christina war nicht zu reden.«

»Sie wird wohlbehalten zu Ihnen zurückkehren, da bin ich sicher.«

»Nun, da sind Sie optimistischer als ich. Auf jeden Fall wäre ich dankbar, wenn Sie, sollten sich die beiden bei

Ihnen melden, ausrichten würden, sie möchten bitte Kontakt mit mir aufnehmen.«

»Das werde ich gerne tun«, sagte Phillip, auf Michaels gestelzten und reservierten Ton eingehend. Die beiden Männer verabschiedeten sich höflich und kühl voneinander, und als er auflegte, dachte Phillip: Hoffentlich heiratet Mario dieses Mädchen nicht. *Den* Schwiegervater wünsche ich ihm wirlich nicht!

Kaum war er in die Küche zurückgekehrt, läutete das Telefon erneut. Den ganzen elenden, einsamen, traurigen Tag lang hatte es beharrlich geschwiegen, hatte mit keinem Laut die drückende Stille unterbrochen. Jetzt stand es nicht mehr still. Phillip dachte über die Unausgewogenheit des Lebens nach, während er abnahm und sich meldete. Diesmal war Professor Echinger am anderen Ende der Leitung. Er teilte ihm mit, daß Maximilian seit dem Frühstück vermißt werde und bis jetzt spurlos verschwunden sei. Es gebe nun keine andere Möglichkeit mehr, als die Polizei zu informieren.

Andrew hatte das ganze Jahr über so viele Überstunden gemacht, daß sein Vorgesetzter, Superintendent Brown, erleichtert zustimmte, als er um einen Tag Urlaub bat.

»Das steht Ihnen weiß Gott zu, Davies. Sie haben sich unheimlich ins Zeug gelegt bei der Corvey-Geschichte.«

»Erfolglos.«

»O nein! Sie haben den richtigen Mann geschnappt. Jeder weiß das. Es ist nicht Ihre Schuld, daß ihm nichts nachzuweisen ist. *Noch* nicht.«

»Es ist mein Fall, Chief, und er ist nicht befriedigend gelöst. Übermorgen wird die Jury Fred Corvey möglicherweise mangels Beweisen nicht schuldig sprechen. Damit habe ich mein Ziel verfehlt, und dafür lasse ich keine Entschuldigung gelten.«

»Seien Sie doch nicht so gnadenlos mit sich. Glauben Sie, es ist noch keinem von uns passiert, daß er zähneknirschend mitansehen mußte, wie ein endlich zur Strecke gebrachter Verbrecher als freier Mann den Gerichtssaal verlassen durfte – nur weil ein paar verdammte Beweise fehlten? Himmel, Davies! Diese bittere Pille muß jeder ein paarmal schlucken.«

»Nach unseren Gesetzen kann er derselben Verbrechen nicht zweimal angeklagt werden. Für diese vier Morde kommt er davon. Was mich verrückt macht, ist, daß ich hätte wissen müssen, er zieht sein Geständnis zurück. Ich hätte es wissen müssen! Der Fall hätte nicht zur Anklage gebracht werden dürfen. Ich hätte Corvey überhaupt nicht verhaften dürfen. Ich hätte ihn observieren lassen müssen und . . .«

»Hätte, hätte, hätte! Hören Sie auf damit, Sie machen sich nur fertig!« Brown legte Andrew kurz die Hand auf den Arm, eine anteilnehmende, freundschaftliche Geste. »Sie werden Ihre Chance bekommen. Corvey ist ein Süchtiger. Ganz gleich, wie sehr er sich jetzt zunächst in acht nimmt, er wird weitermachen, weil er weitermachen *muß*. Und dabei wird ihm das Glück nicht ewig treu bleiben.«

»Im Moment sieht es so aus, als seien die Karten für ihn sehr gut gemischt worden.«

»Im Moment. Nicht für immer. Das Blatt wird sich wenden.« Brown musterte Andrew eindringlich. Davies war deprimiert und unzufrieden, das war normal in seiner Situation. Aber dennoch schien er zorniger und frustrierter als andere Männer, die das gleiche hatten erleben müssen. Der Stachel saß bei ihm übermäßig tief, schmerzte heftig. Weshalb? Mitleid mit den Opfern, gewesenen und zukünftigen? Die Wut, auf die Kehrseite der glänzenden Medaille eines fairen und unbestechlichen Rechtssystems zu stoßen? Oder brannte die Wunde schwer verletzten Ehrgeizes so sehr? Brown war ein Menschenkenner, und nach allem, was er von Andrew Davies wußte, gab er der letzten Möglichkeit insgeheim den Vorzug. Davies schaffte es nicht, Niederlagen wegzustecken, und darin bestand sein persönliches Handicap im Bemühen um einen glatten, schnellen Aufstieg bei Scotland Yard. Er wollte mindestens Chief Superintendent werden, ein Posten, der ihm höchstes Ansehen und unter Umständen sogar einen Adelstitel einbringen konnte. Jeder im Yard wußte, daß man einen hervorragenden Kriminalbeamten in ihm hatte, und doch gab es niemanden, der ihn aus tiefster Überzeugung und vollem Herzen protegiert hätte. Es hatte Zwischenfälle gegeben, bei denen klargeworden war, daß Davies die Beherrschung verlieren konnte, wenn er einen Mißerfolg hinzunehmen hatte. Es war nie zu einer Katastrophe gekommen, aber es gab niemanden, der nicht das düstere Gefühl hatte, daß Davies eines Tages in eine selbstinszenierte Tragödie geraten würde.

»Also, machen Sie etwas Schönes an Ihrem freien Tag«, sagte Brown nun. »Vergessen Sie Fred Corvey und tun Sie nur, was Ihnen Spaß macht.«

Andrew lächelte, aber der angespannte Zug um seinen Mund verriet, daß es ihm derzeit wohl völlig unmöglich war, *nicht* an Corvey zu denken.

Als er nach Hause kam, war die Wohnung leer. Auf dem Küchentisch lag ein Zettel, auf dem ihm Janet mitteilte, sie sei fort, um »ein paar Dinge zu erledigen«. Andrew behielt den Zettel in der Hand, als er ins Wohnzimmer ging und sich einen Whisky einschenkte. Er dachte an Janet, während er, am Fenster stehend, langsam trank und sich der spannungslösenden Wirkung des Alkohols überließ. Als junger Mann hatte er mit Janet Begriffe wie Frühling, grüne Wiesen, klares Wasser assoziiert. Sie war von einer überwältigenden Naivität und Unschuld gewesen, als er sie kennenlernte, von ihrem Vater behütet wie ein Goldschatz und mit nichts jemals in Berührung gekommen, was das Leben an Ernüchterndem oder sogar Bösem bereithielt. Sie vertraute ihm so bedingungslos, wie sie allem und jedem vertraute. Als es ihm endlich gelungen war, ihren Vater so weit auszutricksen, daß er wirklich mit ihr allein sein konnte, hatte er mit ihr geschlafen, und es war ihm vorgekommen, als begehe er ein Sakrileg, als vergreife er sich an etwas, das nicht für ihn, für niemanden bestimmt war. Aber zugleich hatten ihn ihre Hingabe, ihre Zärtlichkeit, ihre schließlich einsetzende völlige Fixierung auf ihn in der Sicherheit gewiegt, er werde dieses Mädchen, ganz gleich was geschah, nie verlieren. Auch als er merkte, wie sehr sie unter seinen zahlreichen Affären mit attraktiven Kommilitoninnen litt, hatte er noch nicht gefürchtet, sie könnte daraus die Konsequenz ziehen und ihn verlassen. Nicht mit ihren gerade sechzehn, dann siebzehn Jahren. Als sie dann mit knapp achtzehn plötzlich nach Deutschland verschwand, war er wie vor den Kopf geschlagen. Und geradezu fassungslos hatte er reagiert, als er ihr über ein Jahr später nachgereist war und sie als verheiratete Frau antraf, mit einem Goldring am Finger und Zwillingen in einem überdimensionalen Siebenmonatsbauch. Eine neue Entschlossenheit war an ihr spürbar gewesen, und ihre Naivität hatte sich in nichts aufgelöst, einer vorsichtigen, etwas mißtrauischen Zurückhaltung Platz gemacht. Aber obwohl ihr das Leben den ersten harten Schlag versetzt hatte, hatte sie sich ihre Natürlichkeit, ihre Wärme, ihre herzliche Zuneigung zu den Menschen bewahrt. Der feine Unterschied war: Sie glaubte noch an das Gute, aber sie war nicht mehr gutgläubig. Um genau diese hauchfeine Nuance hatte sich ihr Wesen verändert und sie noch reizvoller werden lassen.

Aber heute ... Er drehte das Glas in seinen Händen, betrachtete nachdenklich die bernsteingelbe Flüssigkeit und die fast zerschmolzenen Eiswürfel. Heute überschattete immer wieder ein gequälter Ausdruck ihr Gesicht. Er hatte soviel mit Menschen in Ausnahmesituationen zu tun und war so vertraut mit den schlimmsten nur denkbaren Abgründen der sogenannten zivilisierten Gesellschaft, daß er das, was er bei Janet sah, jenseits der natürlichen Frustrationen einer unbefriedigenden Ehe einordnen mußte. Ganz gleich, wie deprimierend und perspektivenlos ihre Jahre mit Phillip verlaufen sein mochten – es hätte nicht ausgereicht, diesen besonderen Schmerz in ihre Augen zu legen. Irgendwo mußte es einen tiefen und schrecklichen Bruch in ihrem Leben gegeben haben. Allerdings hatte er schon gemerkt, daß es sinnlos war, in sie dringen zu wollen. Sie würde nichts preisgeben, ehe sie sich nicht selbst aus freien Stücken dazu entschlossen hatte.

Er hörte ihren Schlüssel an der Wohnungstür und ging ihr entgegen, nahm ihr die Einkaufstasche ab und küßte sie auf die Wange.

»Ich habe mich schon ganz einsam gefühlt«, sagte er, »ich bin es überhaupt nicht mehr gewöhnt, in eine leere Wohnung zu kommen.«

Janet lachte. »Mir fiel plötzlich ein, daß wir überhaupt kein Abendessen haben. Also bin ich schnell einkaufen gegangen.«

Andrew trug die Tüte in die Küche und spähte hinein. »Sind das Sachen, die man einfrieren kann?«

Janet kam ihm nach. »Kann man, glaube ich. Willst du mich irgendwohin zum Essen einladen?«

»Ich will, daß du eine Tasche packst mit Sachen, die du für eine Nacht und einen Tag brauchst. Und daß du dich dann in mein Auto setzt und alles Weitere mir überläßt.«

Sie war überrascht. »Aber . . .«

»Ich habe mich für morgen beurlauben lassen. Und ich würde gerne wegfahren. Es ist . . .« Er zögerte, dann fuhr er mit leiser Stimme fort: »Übermorgen sprechen sie Fred Corvey frei. Ich glaube, ich muß mich seelisch ein bißchen aufbauen.«

Sie fuhren eine Stunde später los, hinein in einen hellen, warmen Abend. Der Londoner Berufsverkehr war bereits verebbt, sie kamen zügig vorwärts. Anhand der Richtungsschilder ahnte Janet natürlich bald, wohin es ging.

»East Anglia«, sagte sie, »du willst nach Cambridge?«

»Ich war seit Ewigkeiten nicht mehr dort. Hast du auch Lust?«

»Aber keine Verwandtenbesuche!«

Andrew schüttelte den Kopf. »Wenn wir plötzlich einen Tag für uns haben, werde ich ihn bestimmt nicht mit einer Teetasse in der Hand auf den verstaubten Sofas irgendwelcher Tanten von dir verbringen. Nein, ich dachte, wir suchen einfach ein paar Stätten unserer Jugend auf.«

»Unserer längst vergangenen Jugend!«

Er warf ihr lächelnd einen Seitenblick zu. »Komisch, daß du das sagst. Gerade heute habe ich das Gefühl, als wäre es gar nicht so lange her. Als wäre es erst gestern gewesen, daß wir uns zu unseren heimlichen Rendezvous an verschwiegenen Plätzen auf dem Campus trafen und uns alles sehr aufregend und geheimnisvoll vorkam.«

Sie sah ihn nicht an. Sie schaute aus dem Fenster, betrachtete vorüberfliegende Häuser, Felder, Wiesen. Hohes, wehendes Junigras bog sich im Abendwind, glänzte rötlich im Schein der Sonne.

Es ist nicht nur er, dachte sie, es ist die Heimat. Ich bin zu Hause.

Ein warmes, leichtes, jugendliches Gefühl breitete sich

in ihr aus. Es war kein Gedanke, der aus dem Augenblick geboren wurde, es war der Augenblick, der den lange schlummernden Gedanken aufweckte.

»Ich will hierbleiben«, sagte sie.

Für den Bruchteil einer Sekunde schlingerte der Wagen, dann hatte sich Andrew wieder gefaßt.

»Hierbleiben?« fragte er.

»In England auf jeden Fall. Bei dir, wenn du willst.« Immer noch sah sie ihn nicht an. »Ich werde Phillip um die Scheidung bitten.«

Dana hatte Glück gehabt. Von Hamburg aus hatte eine junge Frau sie bis Freiburg mitgenommen. Sie war Studentin, wie sie erzählte, und hatte ihre Eltern besucht, die auf einem Bauernhof in Schleswig-Holstein lebten. Sie erinnerte Dana ein wenig an Karen, weil sie auch kurze, rote Haare hatte und ziemlich ausgebeulte Klamotten trug. Sie hieß Patricia und studierte Germanistik.

»Und du willst nach Südfrankreich?« fragte sie. »Die ganze Strecke per Anhalter? Da hast du dir ja viel vorgenommen!«

»Ich bin schon bis an die Costa del Sol gefahren per Autostopp«, sagte Dana, »und auch sonst noch Gottweißwohin. Ich bin noch immer hingekommen, wohin ich wollte.«

»Das ist aber nicht ganz ungefährlich«, meinte Patricia, »vor allem . . .« Sie warf einen raschen Blick auf Dana, sprach dann aber nicht weiter.

Dana seufzte. »Ja?«

»Also, nimm's mir nicht übel, aber in der Aufmachung provozierst du es schon ein bißchen, daß man dich belästigt.«

Dana sah an sich hinunter. Sie trug ihre für einen warmen Sommertag übliche Alltagskleidung, einen schwarzen Minirock, ein hellgrünes T-Shirt mit dem Schriftzug MONTE CARLO über der Brust, ein paar schmale goldene Armreifen an beiden Handgelenken, große Kreolenohrringe, schwarze Sandalen mit – für ihre Verhältnisse – vergleichsweise flachen Absätzen. Als sie aufgebrochen war, hatte es gerade zu regnen begonnen, und sie hatte sich noch eine Jeansjacke um die Schultern gehängt, aber dann war es immer sonniger geworden, und sie hatte dieses Kleidungsstück wieder abgelegt.

»Ich finde mich nicht provozierend«, sagte sie.

Patricia lächelte friedlich. »Okay, das ist Ansichtssache. Ich meine nur, du weißt, wie die Männer sind. Du zeigst ein bißchen was von deinen Beinen oder deinem Busen, und schon behaupten sie, du hättest um eine Vergewaltigung förmlich gebettelt.«

»Das ist aber nicht mein Problem. Ich ziehe an, was ich mag.«

Patricia ging nicht weiter darauf ein. Sie erzählte ein bißchen von ihrem Studium und von dem Heimweh, mit dem sie sich ständig herumschlug. Am Abend, als sie sich bereits kurz vor Freiburg befanden, fragte sie: »Wo wirst du heute nacht schlafen?«

»Ich hoffe, ich finde schnell eine Möglichkeit zur Weiterfahrt. Dann schlafe ich im Auto.«

»Hast du es denn so eilig? Weißt du, ich habe nur eine winzige Wohnung, aber ich könnte dir ein ganz bequemes Sofa anbieten. Das ist besser als irgendein Beifahrersitz.«

Dana schwankte einen Moment, ob sie den Vorschlag annehmen sollte. Der Gedanke an ein gemütliches Abendessen, an ein Gespräch mit dieser sympathischen Frau, vor allem aber an ein Bett schien äußerst verlockend. Aber dann kam ihr Tina wieder in den Sinn. Sie wußte, jeder würde sie auslachen, wenn sie von ihren Empfindungen sprach. Daß sie meinte zu spüren, wie Tina die

Arme nach ihr ausstreckte. Daß sie eine Gefahr zu wittern glaubte, die sich unaufhaltsam näherte. Daß sie ... nein! Sie verbot es sich, weiterzudenken. Es war lächerlich. Sie war völlig neurotisch, und ein Psychologe hätte in ihrer ganzen Beziehung zu Tina ein höchst kompliziertes Geflecht von Abhängigkeiten, Kompensationsmechanismen und Projektionen entdeckt. Sie hatte sich an diese Freundin geklammert, weil sie keinen Vater und eine ziemlich labile Mutter hatte, und nun drehte sie durch, weil sie meinte, diesen einzigen Halt zu verlieren ... Sicher gab sie für einen Analytiker ein gefundenes Fressen ab. Aber wie verrückt es auch sein mochte, sie hätte es nicht geschafft, das Drängen in sich zu ignorieren. Auf einmal erschien es ihr ausgeschlossen, eine ganze Nacht ungenutzt verstreichen zu lassen.

»Das ist wirklich nett von dir, Patricia«, sagte sie, »aber aus bestimmten Gründen muß ich ganz schnell weiter. Vielleicht läßt du mich an einem Rastplatz raus, wo auch Fernfahrer Station machen. Da findet man immer etwas.«

»Du mußt es wissen«, meinte Patricia. Kurz darauf bog sie von der Autobahn auf einen Rastplatz ab, an dem es eine Gaststätte gab. Schon von weitem konnte man die vielen Lastwagen sehen, die hier parkten.

»Das ist genau das Richtige«, stellte Dana zufrieden fest. »Hier kann ich etwas essen und dabei ein paar Bekanntschaften machen. Ich finde sicher jemanden, der in meine Richtung fährt.«

Patricia sah sie unglücklich an, hin- und hergerissen zwischen dem Wunsch, sie noch einmal zu warnen, und der Sorge, wie eine übervorsichtige, altmodische Gouvernante dazustehen. Schließlich sagte sie nur: »Paß ein bißchen auf dich auf, ja?«

»Klar. Und tausend Dank fürs Mitnehmen. Bis jetzt ging es besser und schneller, als ich dachte.« Dana stieg aus, angelte ihren Rucksack vom Rücksitz. »Mach's gut!« Sie warf die Tür zu, winkte noch einmal kurz und setzte sich dann in Richtung Gaststätte in Bewegung. Ihre dunklen Locken flatterten im Wind, ihre Armreifen klirrten. Patricia sah ihr durch den Rückspiegel nach. Was für ein attraktives, optimistisches, junges Mädchen! Patricia startete den Wagen und fuhr weiter.

Für den Rest des Abends wurde sie ein beklemmendes Gefühl nicht los.

Maximilian war unterdessen bis Frankfurt gekommen – auf konventionellerem Weg als Dana, nämlich mit dem Zug. Von nun an würde er es allerdings auch als Anhalter versuchen müssen, denn er hatte kaum noch Geld. Was ihm geblieben war, brauchte er für Essen und Getränke.

Er hatte die Mainmetropole am Nachmittag erreicht, ziemlich erschöpft von alldem, was er an diesem Tag schon hinter sich gebracht hatte. Um den ersten Bus zu bekommen, war er in aller Herrgottsfrühe aufgestanden und hatte sich aus der Klinik geschlichen. Das war nicht allzu schwer, wenn man nachts nicht im Zimmer eingeschlossen wurde – was bei ihm seit einem Jahr nicht mehr der Fall war – und sich zudem in den Räumlichkeiten auskannte. Den Haupteingang konnte man nicht benutzen, dort saß die ganze Nacht über ein Pförtner in der Loge und las Zeitung. Aber es gab noch den Keller, über eine Hintertreppe zu erreichen. Die meisten Fenster dort unten waren vergittert, aber in einer entlegenen Rumpelkammer vermittelte nur ein dünner Maschendraht die Illusion von Sicherheit: Er ließ sich mit einem einzigen kräftigen Fußtritt zerstören. Das Gitter über dem davorliegenden Lichtschacht war ohne größere Probleme abzuschrauben und hochzuheben. Glücklicherweise landete man hier nicht im hoch umzäunten Sicherheitsbereich des

Parks, in dem die geschlossene Abteilung ihre Sonnenbäder nahm, sondern im offenen, frei zugänglichen Teil. Am äußersten Ende des Anwesens galt es nun nur noch, eine alte steinerne Mauer zu überwinden, die aber kein Problem mehr darstellte. Ein einigermaßen sportlicher Mensch kam in weniger als drei Minuten hinüber. Maximilian hatte während der letzten drei Jahre seines Klinikaufenthaltes jede dort angebotene Möglichkeit zum körperlichen Training wahrgenommen, er fühlte sich fit. Ihm bereitete weder der Ausbruch Schwierigkeiten noch der Dreikilometermarsch zur nächsten Bushaltestelle. Er wußte, daß man ihm die Klinik nicht ansah. Er trug ein frisches blaues T-Shirt, saubere Jeans, Turnschuhe und seine auf modische Weise abgewetzte Lederjacke. Zwei Wochen zuvor erst war der Friseur in der Klinik gewesen, und so waren Maximilians Haare gut geschnitten. Er hatte sich nicht rasieren können, da kein Patient, wegen der damit verbundenen Suizidgefahr, freien Zugang zu einem Rasierapparat hatte, aber der graue Schatten an Kinn und Wangen würde ihn nicht gleich verdächtig machen. Die meisten jungen Leute liefen weitaus schlampiger herum als er.

Der herandämmernde Morgen war klar und frisch, die Luft rein und kühl. Er fühlte sich gut, als er die Bushaltestelle mitten im Nichts erreichte, die aus einem Schild, einem Plastikunterstand und einer Bank bestand. Erstaunlich viele Leute warteten dort bereits, Pendler, die von den umliegenden Gehöften kamen und zur Frühschicht in ihre Betriebe mußten. Niemand beachtete Maximilian. Offenbar sah man ihm nicht an, daß ihm das Herz bis zum Hals schlug und sein ganzer Körper von einem leisen Zittern durchlaufen wurde. Nach so vielen Jahren bewegte er sich zum ersten Mal wieder *wirklich* in Freiheit. Die Zeit, in der er die Klinik hatte verlassen und Ausflüge unternehmen dürfen, konnte er nicht als Training ansehen, denn da hatte er sich stets reglementiert und damit beschützt gefühlt. Professor Echinger war als Schatten immer neben ihm gewesen. Die Uhrzeiten, zu denen er gehen durfte und kommen mußte, gaben ihm Halt. Jetzt, heute, stürzte er sich ins Leere, sprang von einem hohen Turm ins Nichts und wußte nicht, wo und wie er aufkommen würde. In einen Bus steigen, eine Fahrkarte bezahlen, losfahren... auf einmal wurde ihm himmelangst, und er schwankte schon, ob er nicht einfach wieder umkehren und zurückgehen sollte, anstatt einem Hirngespinst hinterherzujagen, dabei fast einen Nervenzusammenbruch zu bekommen und sich um seine offizielle Entlassung im August zu bringen.

Aber da tauchte schon der Bus auf und rollte langsam in die Parkbucht, und plötzlich stand Maximilian neben dem Fahrer und hörte sich sagen: »Einfache Fahrt nach Niebüll, bitte.«

Seine Stimme klang kratzig und heiser, aber das schien niemandem aufzufallen. Als sich der Bus wieder in Bewegung setzte, sank Maximilian mit weichen Knien auf einen Sitz nahe der Tür. Neben ihm saß eine Frau, vertieft in ihre Zeitung. Sie schaute nicht einmal auf, als sich der junge Mann neben ihr niederließ. Niemand beachtete ihn, niemand starrte ihn an. Niemandem schien ins Auge zu springen, daß er gerade aus einer psychiatrischen Klinik ausgerissen war. Er war ein normaler Mensch unter vielen anderen normalen Menschen.

Es klappte alles an diesem Tag. Er bekam den Zug nach Hamburg und stieg dort in den nächsten, der in südliche Richtung ging. Er hätte bis Innsbruck fahren können, aber das hätte ihn zu weit von seinem Weg abgebracht, und so stieg er in Frankfurt aus, um sich neu zu orientieren. Bis auf fünfzig Mark hatte er sein Geld verbraucht, und es schien ihm ratsam, diesen bescheidenen Rest nicht für ein paar Kilometer mehr mit dem Zug zu verpulvern. An einem Stand kaufte er sich eine Currywurst mit Pommes frites, dazu eine Dose Cola. Den ganzen Tag über hatte er keinen Hunger verspürt, aber von einem Moment zum anderen fühlte er sich ganz schwach im Magen, außerdem schmutzig, müde und verunsichert. Auf der einen Seite hatte er durchaus ein paar Siege zu verbuchen: Die geglückte Flucht, die Tatsache, daß er ohne Schwierigkeiten an die siebenhundert Kilometer weit gekommen war, er hatte nicht die Nerven verloren und war auch sonst in keiner Weise aufgefallen. Auf der anderen Seite standen ihm die eigentlichen Schwierigkeiten noch bevor: Er mußte mit dem abgelaufenen Paß die französische Grenze überqueren, er konnte sich nur noch trampend vorwärtsbewegen, und es stand zudem fest, daß Professor Echinger noch heute, spätestens aber am nächsten Morgen sein Verschwinden melden würde. Das bedeutete, daß von diesem Moment an womöglich ein Haftbefehl gegen ihn laufen würde, was die Dinge nicht einfacher machte. Und wenn er schließlich in Duverelle ankam – was erwartete ihn dort? Sein Bruder mit einem Mädchen, oder allein, glücklich und zufrieden, aber entsetzt, ihn plötzlich zu sehen. Wie sollte er ihm, ohne ihn zu verletzen, erklären, was ihn zu dieser absurden Reise, mit der er seine Entlassung vermasselte, bewogen hatte? Eine innere Stimme, die von Gefahr sprach . . . Wer sollte das verstehen? Am Ende nicht einmal mehr er selbst.

Während er seine Cola trank, überlegte er, von welchem Zeitpunkt an sich sein Tablettenentzug bemerkbar machen würde – und auf welche Weise. Seit der Medikamentenausgabe am Vorabend hatte er nichts mehr eingenommen, nachdem sein Körper seit Jahren daran gewöhnt war, mit den Pillen zu leben, sein Gemüt, in allen

Stimmungen durch sie reguliert zu werden. Schon jetzt bemerkte er, daß das leise Zucken in seinen Händen in den letzten Stunden stärker geworden war. Er konnte nur hoffen, daß er sein Ziel erreichte, ehe er sich in ein Bündel zitterndes Espenlaub verwandelt hatte.

Sein Hunger war notdürftig gestillt. Er beschloß, sich ein oder zwei Stunden auf einer der Bänke im Bahnhof auszuruhen und sich dann zu einer der Ausfallstraßen zu begeben und den Daumen herauszustrecken. Doch kaum hatte er sich hingesetzt, da sank schon sein Kopf zur Seite, der Schlaf überwältigte ihn in weniger als einer Minute. Im Traum sah er seinen Zwillingsbruder, der ihn aus großen, gequälten Augen anblickte. Die Stunden vergingen.

In dieser Nacht lag Tina wach, lauschte auf das leise Spiel des Windes draußen in den Zweigen der Bäume, atmete flach wegen der Hitze, die auf der Dachkammer lastete, und gestattete es sich zum erstenmal, den Gedanken, der ihr seit Tagen schattenhaft im Kopf herumgeisterte, tatsächlich zu denken: Mit Mario stimmte etwas nicht.

Die ganze Zeit über hatte sie versucht, vernünftige Erklärungen für sein Verhalten zu finden. Seine Nonstopgewalttour von Hamburg bis in die Provence – war das so ungewöhnlich? Er hielt sich eben nicht gern zwischendurch auf, wollte zum Ziel gelangen, ohne nach rechts oder links zu blicken. Das mochte ungemütlich sein und strapaziös, aber es war nicht psychopathisch. Er hatte sie belogen – sanfter gesagt: beschwindelt –, was die Lage des Ferienhauses betraf. Gut, aber er hatte eben unbedingt hierher gewollt, hatte gefürchtet, daß sie sich querstellte, wenn sie erfuhr, daß es nicht die von ihr ersehnten Badeferien sein konnten. Also hatte er die Tatsachen ein wenig manipuliert. Statt in einem Vorort von Nizza befanden sie sich nun ein ganzes Stück nördlich von Grasse, am Rande der Berge, in einem winzigen Dorf, in dem das Leben unter der Sommersonne träge dahinlief, auf dem Marktplatz nur ein paar alte Veteranen mit ihren Baskenmützen auf dem Kopf und den unvermeidlichen Gauloises im Mund herumsaßen, Touristen höchstens einmal auf der Durchfahrt zu sehen waren, Ziegen- und

Schafherden über die Hänge zogen und kleine Echsen zwischen den weißen Felsen dösten. Zweifellos hatte dies alles seine Schönheiten, aber Tina fand, er hätte es ihr offen sagen müssen. Sie war ihm noch immer böse deswegen, aber sie konnte daraus keinen Hinweis auf bedenkliche seelische Abgründe konstruieren. Die getrennten Schlafzimmer – lieber Himmel, sollte sie nicht froh sein, daß er sich nicht als hemmungsloser Draufgänger entpuppt hatte? Woher sollte er wissen, daß sie sehr gerne das Bett mit ihm geteilt hätte? Er wollte sie weder bedrängen noch überrumpeln, und das sprach für, nicht gegen ihn.

Nach den Ereignissen der vergangenen Nacht waren ihre Zweifel stärker geworden, aber noch immer hatte sie versucht, sie mit einer Unmenge scheinbar rationaler Gegenargumente zu verscheuchen. Vielleicht hatte Mario Angst vor ihrem Vater? Vielleicht auch Angst vor einer Bindung, die er in dieser Intensität noch nicht wollte? Vielleicht, aus irgendeinem Grund, Angst vor der Sexualität? Hatte ein junger Mann nicht das Recht dazu? Doch so überzeugend alle diese Gründe in anderen Fällen gewesen wären – was Mario anging, so spürte Tina, daß sie sich etwas vormachte. Irgend etwas ging von ihm aus, das sonderbar war, beklemmend. Lag es in seinen Augen, in seiner Stimme? Es ließ sich nicht greifen und schien doch ständig da zu sein.

In dieser Nacht, als Tina wach lag und ganz leise von unten erneut Musik und ruhelos auf und ab gehende Schritte hörte, gestand sie sich, daß sie sich vor Mario fürchtete.

Eigenartig, daß ihr daheim in Hamburg nichts aufgefallen war. Obwohl ihr jetzt, im nachhinein, bewußt wurde, daß sie sich an seiner steifen Distanziertheit durchaus gestört hatte. Immer hatte es den Anschein gehabt, als könne er gar nicht genug Abstand zwischen sich und sie bringen.

Aber ich war ja so ein unerfahrenes Huhn, dachte sie nun wütend, ich konnte es einfach nicht einordnen!

Dana hatte behauptet, Mario sei nicht normal, aber gerade das hatte Tina darin bestärkt, Mario *ganz besonders* normal zu finden. Sie wußte, auf welch verrückte Typen Dana flog; es schien ihr daher ein gutes Zeichen, daß sie Mario ablehnte.

Dana . . . Selten hatte Tina die Freundin so vermißt wie in dieser Nacht. Sie hätte ein Vermögen gegeben, jetzt mit ihr reden zu können. Ihr optimistisches Lachen zu hören und in ihre lebhaft funkelnden Augen zu blicken.

»Schieß ihn in den Wind«, würde sie sagen, »der Junge hat ein paar ziemlich eigenartige Probleme, und du bist nicht dazu da, sie zu lösen. Also schick ihn in die Wüste und such dir etwas Besseres!«

Tina überlegte, ob sie Dana einfach anrufen sollte. Das Gute an Danas exzentrischem Lebensstil und an dem ihrer Mutter war, daß man zu jeder Tages- und Nachtzeit dort anrufen konnte, ohne je auf Ärger oder Unverständnis zu stoßen. Bei Karen war die Wahrscheinlichkeit, daß man sie aus dem Tiefschlaf holte, bei Tag wie bei Nacht ohnehin gleich groß, und sie wurde nie böse. Und Dana war so durchdrungen von der Bereitschaft, das Leben spannend und aufregend zu finden, daß ein Telefonklingeln zu unorthodoxer Stunde nur ihre Neugier und Abenteuerlust reizen, nicht aber ihren Unmut hervorrufen würde.

Leise stand Tina auf, schlüpfte in ihren Bademantel und tappte auf bloßen Füßen durch das Zimmer. Im Grunde gab es keine Veranlassung, so leise zu sein; Mario hielt sich im Wohnzimmer auf und spielte seine Musik. Er würde sie nicht bemerken, aber sie mochte kein Risiko eingehen. Wenn er jetzt plötzlich auftauchte, konnte sie allerdings noch behaupten, sie habe ins Bad gewollt. Wenn er sie beim Telefonieren überraschte, wurde es schwieriger. Was sollte sie sagen, mit wem sie da nachts zwischen zwölf und ein Uhr sprach?

Eigentlich muß ich gar nichts sagen, dachte sie trotzig, ich kann telefonieren, wann ich will und mit wem ich will.

Sie schlich die Treppe hinunter. Einige Stufen knarrten, und sie hielt den Atem an, aber nichts rührte sich; nur die Musik und Marios unaufhörliches Auf und Ab im Wohnzimmer klangen durch die nächtliche Stille. Ungehindert gelangte sie in den ersten Stock.

Das Telefon, das Mario ihr noch in der Nacht der Ankunft gezeigt hatte, befand sich in einem kleinen Arbeitszimmer gleich neben dem Bad. Sein Vater, so hatte Mario erklärt, habe sich diesen Raum eingerichtet, um auch im Urlaub ungestört arbeiten zu können; er sei von seinem Büro daheim nie wirklich loszueisen gewesen. Tina erinnerte sich plötzlich, daß er noch etwas Eigenartiges hinzugefügt hatte. »Workaholics benutzen ihre Arbeit, um vor sich oder vor irgendeiner Erkenntnis davonzulaufen. Mein Vater versteckt sich vor der Gefahr, die Welt sehen zu müssen, wie sie ist – und vor der Notwendigkeit, mit ihr fertig zu werden.«

Sie war zu erschöpft gewesen, um sich Gedanken zu machen, aber jetzt dachte sie: Seltsam. Was hat er damit genau gemeint?

An der Treppe, die ins Erdgeschoß hinunter führte, blieb sie noch einen Moment stehen und lauschte, aber es hatte sich nichts verändert. Rasch huschte sie in das kleine Arbeitszimmer, schloß die Tür, lehnte sich aufatmend von innen dagegen. Dann sah sie den Schreibtisch und hatte Mühe, einen Laut der Überraschung und des Schreckens zu unterdrücken:

Das Telefon war verschwunden.

Hastig schaute sie sich im Zimmer um. Sie wußte genau, daß der Apparat auf dem Schreibtisch gestanden hatte, aber Mario mochte telefoniert und ihn danach an irgendeiner anderen Stelle plaziert haben. Doch sie konnte ihn in keinem Winkel, keiner Ecke, nicht im Regal und nicht auf dem Schrank – selbst dort sah sie absurderweise nach – entdecken. Schließlich kam sie auf den Einfall, zu überprüfen, ob das Kabel überhaupt eingestöpselt war. Sie entdeckte den Anschluß hinter dem Schreitisch. Er war leer.

Panik stieg in ihr auf, überflutete sie und ließ ihre Haut kribbeln. Sie preßte die Fingernägel der rechten Hand in den Daumenballen der linken, und der scharfe Schmerz bremste sofort ihre aufkeimende Hysterie.

Nimm dich zusammen, befal sie sich, du bist hier nicht in einem Gruselstück. Niemand hat versucht, dich zu ermorden. Es ist lediglich ein Telefon nicht an seinem Platz, verdammt noch mal!

Vielleicht, überlegte sie, gab es einen zweiten Anschluß unten im Haus, und Mario hatte den Apparat mit hinuntergenommen. Doch warum? Ihr fiel kein überzeugender Grund ein, weshalb er nicht hier, in diesem Zimmer, telefonieren konnte. Außer, er wollte unbedingt verhindern, daß sie es mitbekam. Wenn er ein Gespräch führte, während sie schon im Bett lag, war die Gefahr, daß sie etwas aufschnappte, im Erdgeschoß zweifellos geringer als im ersten Stock. Aber welche Geheimnisse hatte er vor ihr?

Leise verließ sie das Zimmer. Von unten erklangen noch immer die Musik und Marios Schritte. Um nichts in der Welt hätte sie jetzt hinuntergehen und ihn nach dem Telefon fragen mögen. Aber wenn er morgen früh nicht eine überzeugende Erklärung hatte, würde sie ihre Sachen packen und abreisen und sie würde sich durch keinerlei Bitten von seiner Seite davon abhalten lassen.

Als sie wieder hinauf in ihre Kammer huschen wollte,

kam sie an seiner Zimmertür vorbei und verhielt unwillkürlich ihre Schritte. Obwohl sie sich wirklich fürchtete, machte es sie auf einmal fast krank vor Neugier, einen Blick hinter die Tür zu werfen. Unwahrscheinlich, daß Mario jetzt plötzlich auftauchte. Vorsichtig drückte sie die Klinke hinunter.

Die Nachttischlampe brannte, aber das Bett war völlig unberührt. Hatte Mario überhaupt einen Moment darin verbracht, seitdem sie hier angekommen waren? Auf dem Sessel am Fenster lag eine zerknüllte Wolldecke und ließ vermuten, daß er seine wenigen Stunden Schlaf dort im Sitzen absolviert hatte.

Ansonsten gab es in dem Raum nichts Ungewöhnliches zu entdecken. Tina fragte sich, was sie eigentlich erwartet hatte. Hinweise auf irgendeine Abartigkeit? Dann sah sie, daß an der Lampe auf dem Nachttisch eine Photographie lehnte, und trat neugierig näher. Hatte er ihr Photo neben seinem Bett stehen?

Sie hatte Janet nicht kennengelernt, ebensowenig Phillip. Sie hatte nicht recht verstanden, warum Mario sie bei sich daheim nicht vorstellen mochte, weshalb er die ganze Beziehung seinen Eltern unterschlug. (Dana hatte das in höchstem Maße suspekt gefunden!) Aber sie hatte respektiert, daß er noch niemanden einweihen wollte.

»Ich will ihre Kommentare nicht hören und ihre Fragen nicht beantworten. Ich möchte dich und unsere Geschichte noch ganz für mich haben. Wenigstens eine Zeitlang soll sie nur mir gehören.«

Sie hatte das ganz romantisch gefunden und nicht weiter gedrängt.

Trotzdem erkannte sie sofort, daß es sich bei der Frau auf dem Bild um Marios Mutter Janet handeln mußte. Es war ein Schwarzweißphoto. Janet mußte um die zwanzig Jahre alt gewesen sein und war im Stil der ausgehenden sechziger Jahre frisiert und gekleidet: Ihre Haare waren auftoupiert und ganz aus dem Gesicht gestrichen; mit ihrem hellen Blond bildeten sie einen reizvollen Kontrast zu den langen, schwarzen Augenwimpern, die künstlich sein mochten. Janet trug Perlenohrringe und eine zweireihige Perlenkette sowie ein ärmelloses Sommerkleid mit viereckigem Ausschnitt und kleinem Vichy-Karomuster. Eine Perlenbrosche in Form einer Blüte gleich unterhalb der Schulter vervollständigte die sehr elegante Erscheinung. Sie lächelte nur andeutungsweise, ein Zugeständnis an den Photographen wahrscheinlich, denn ihre Augen blickten traurig. Ein sensibles, etwas schwermütiges Gesicht. Eine komplizierte Frau.

Vorsichtig lehnte Tina das Bild wieder gegen die Lampe. Es mußte entstanden sein, bevor Mario geboren wurde. Warum trug er dieses Photo mit sich herum, nicht ein neues? Und warum bekam es diesen privilegierten Platz neben seinem Bett? Tina verspürte einen leisen Anflug von Eifersucht, gemischt mit Argwohn. Sie hing auch an ihrem Vater, aber sie stellte sein Bild nicht neben ihr Bett.

Sie verließ das Zimmer, schloß die Tür. Sie wußte nicht, ob sie es sich einbildete, aber sie meinte, die Musik, die von unten heraufklang, sei lauter geworden. Auf einmal überfiel sie Panik bei dem Gedanken, er könnte die Lautstärke erhöht haben, um sich unbemerkt die Treppe hinaufzuschleichen. Hastig drehte sie sich um, aber der Flur hinter ihr lag still und dunkel. Dann vernahm sie auch wieder Marios tappende Schritte, durch die Musik hindurch. Er hatte sich nicht angeschlichen. Dennoch rannte sie die Treppe hinauf, so schnell sie konnte, warf die Tür hinter sich zu, drehte den Schlüssel um.

Für den Rest der Nacht lag sie mit weit offenen Augen im Bett, fand keine Ruhe, keinen Schlaf. Gegen Morgen sagte ihr Instinkt, daß sie abreisen mußte, sobald sie konnte, ob sich die Geschichte um das Telefon nun klärte oder nicht.

Sie mußte machen, daß sie fortkam.

Phillip hatte beschlossen, nun für den ganzen Rest der Woche sein Büro dichtzumachen, den verbliebenen zwei Mitarbeitern bezahlten Urlaub zu geben und sich zu verkriechen. Er war daheim, als zwei Polizeibeamte in Zivil am Vormittag um zehn Uhr erschienen und sich nach Maximilian erkundigten. Seit dem Anruf von Professor Echinger am Vorabend hatte Phillip damit gerechnet und war daher nicht überrascht.

Echinger hatte geradezu verzweifelt geklungen: »Ich kann das nicht verstehen. Er hatte keine acht Wochen mehr bis zu seiner Entlassung! Es ist nichts hier im Haus vorgefallen, weswegen er hätte fortlaufen müssen. Er kam mit allen zurecht, schien sich wohl zu fühlen...«

Peinlich für dich, dachte Phillip, eine hübsche Niederlage, nicht?

Er empfand eine gewisse Genugtuung, denn er hatte Echinger nie gemocht. Wenn er ehrlich war, mußte er zugeben, daß der Professor für diese Abneigung gegen seine Person nichts konnte; sie hing einfach mit der Tatsache zusammen, daß er als Maximilians Therapeut über jedes Vorkommnis in der Familie detailliert unterrichtet war. Phillip fühlte sich ihm unterlegen, empfand sich bloßgestellt und auf gewisse Weise sogar gedemütigt. Was dachte Echinger über einen Ehemann, der es sechs Jahre lang ertrug, daß seine Frau eine intime Beziehung zu einem anderen Mann unterhielt? In seinen Augen konnte das sicherlich nur ein Trottel sein, auch wenn er dies aus therapeutischen Gründen Maximilian gegenüber sicher nie in dieser Weise formuliert hatte. Phillip fand es ziemlich unerträglich, wenn jemand, von dem er selbst so gut wie überhaupt nichts wußte, seinerseits in ihm wie in einem offenen Buch lesen konnte.

»Die Umstände seines Verschwindens sind sehr mysteriös«, hatte Echinger erklärt. »Maximilian durfte die Klinik jederzeit, nach Abmeldung, verlassen. Er hätte einen seiner Ausflüge leicht benützen können, um sich davonzumachen. Statt dessen ist er, wie wir inzwischen festgestellt haben, durch ein Kellerfenster und einen Lichtschacht bei Nacht und Nebel geflohen! Ich frage mich, warum?«

Phillip hatte dafür auch keine Erklärung und fragte sich im stillen, weshalb es in dieser Klinik überhaupt Fenster und Lichtschächte gab, durch die man fliehen konnte.

Echinger zögerte einen Moment, dann fuhr er vorsichtig und deutlich etwas verlegen fort: »Maximilian erzählte mir, seine Mutter sei aus England nicht zurückgekehrt. Er wirkte recht verstört wegen dieser Geschichte. Halten Sie es für möglich, daß er Ihre Frau zu finden und zurückzuholen versucht?«

Eine Sekunde lang verspürte Phillip eine mörderische Wut, beinahe Haß auf Janet, weil sie ihn dieser Situation ausgesetzt hatte. Echinger wußte genau, was Janet in England trieb, wußte, daß sie wieder in die Arme ihres Liebhabers geflüchtet war, in das Bett dieses verfluchten Mannes, der es ihr so toll, so hemmungslos besorgte – Phillip verwendete in seinen Gedanken gern eine gewöhnliche Sprache, wenn es um Janet und Andrew ging –, daß sie dem Drang, sich richtig nehmen zu lassen, von Zeit zu Zeit offenbar einfach nicht widerstehen konnte.

»Natürlich wäre das nicht ausgeschlossen«, sagte Phillip reserviert, »aber dazu bräuchte er einen Paß.«

»Das ist richtig. Er hat keine Papiere. Es dürfte ihm schwerfallen, das Festland zu verlassen.«

Phillip schwieg. Umständlich erklärte Echinger, daß er leider die Polizei würde einschalten müssen. »Ich habe es schon fast zu lange hinausgezögert. Aber Sie müssen verstehen, ich befinde mich auch unter dem Druck meiner Mitarbeiter.«

»Sicher«, erwiderte Phillip kühl. Dann verstummte er wieder, bis sich der Professor mit belegter Stimme verabschiedete.

Nach dem Gespräch fühlte sich Phillip etwas verstört, empfand jedoch, je länger er über alles nachdachte, eine gewisse Erleichterung. Man würde Maximilian aufgreifen; hoffentlich würde er für einige Monate länger hinter den Mauern der Klinik landen. Das akute Problem, was aus ihm werden sollte, war damit erst einmal gebannt.

Von den Polizeibeamten erfuhr er, was als der mögliche Grund für Maximilians nächtlichen Ausbruch angesehen wurde.

»Wir haben Zeugen gefunden, die bestätigen, daß er den ersten Bus am frühen Morgen nach Niebüll genommen hat«, erklärte einer der Beamten, »und von dort den Eilzug nach Hamburg. Dann verliert sich seine Spur. Es war ihm wohl wichtig, diesen frühen Bus zu erreichen, daher verließ er die Klinik zu nächtlicher Stunde.«

»Das alles ist sehr mysteriös«, murmelte Phillip.

Die beiden Männer sahen ihn scharf an. »Er ist hier bei Ihnen nicht aufgetaucht?«

»Nein. Weder ist er hier aufgetaucht, noch hat er sich in irgendeiner Form gemeldet.«

»Die Staatsanwaltschaft hat einen Vollstreckungshaftbefehl gegen ihn erlassen. Sie machen sich strafbar, wenn Sie . . .«

»Ich weiß. Aber ich sage die Wahrheit.«

Der ältere Beamte, der das Gespräch führte, nickte. »Ihre Frau hält sich derzeit in England auf?«

Echinger hat dich ja gut informiert, dachte Phillip. Laut sagte er: »Ja. Wo genau, ist mir allerdings nicht bekannt.«

»Das ist ungewöhnlich!«

»Aber nicht verboten.«

»Nein. – Sie haben noch einen zweiten Sohn. Stimmt es, daß er verreist ist? Könnte es sein, daß Maximilian ihn aufsuchen möchte?«

Phillip hatte mit dieser Frage gerechnet und in der Nacht stundenlang gegrübelt, ob er es riskieren konnte, in diesem Punkt halbwahre Angaben zu machen. Wenn er die Adresse des Ferienhauses verriet, würde die Polizei dort auftauchen. In diesem Fall würde das Mädchen, Christina, von Maximilians Existenz erfahren, womöglich auch von jenem Vorfall, dessentwegen er in die Klinik gekommen war. Sie würde ihrem unangenehmen Vater davon erzählen, und Gott mochte wissen, welche Kreise das dann noch zog. Alle Anstrengungen, die Phillip unternommen hatte, um niemanden von Maximilian erfahren zu lassen, würden dann hinfällig. Zwar bestand natürlich die Gefahr, daß Maximilian tatsächlich in Duverelle aufkreuzen und Tina den Schreck ihres Lebens einjagen würde. Dann flog ohnehin alles auf, aber er würde sich eine kleine Chance offenhalten, daß Tina nichts erfuhr, wenn er der Polizei nichts sagte. Natürlich konnte es sein, daß Echinger über das Ferienhaus Bescheid wußte und die Beamten bereits unterrichtet hatte – obwohl Phillip das nicht für wahrscheinlich hielt. Echinger unterlag der ärztlichen Schweigepflicht; er war mit seinen Angaben ohnehin schon fast zu weit gegangen. Vorsichtig sagte er nun: »Das halte ich für sehr schwierig . . .«

»Wohin ist Ihr zweiter Sohn verreist?«

Sie wußten nichts. Sie wußten augenscheinlich nicht einmal etwas von Tina. Oder stellten sie ihm eine raffinierte Falle? Phillip beschloß, das Wagnis einzugehen.

»Er wollte nach Frankreich. Herumfahren und immer dort bleiben, wo es ihm gefällt. Deshalb meinte ich, es wäre schwierig, wenn . . .«

»Ja, schon klar.« Kein Argwohn bei den Beamten. Zum erstenmal ergriff der jüngere der beiden das Wort.

»Wenn sich Maximilian bei Ihnen meldet, dann raten Sie ihm, sich umgehend zu stellen. Es kann ihm nur nützen.«

»Selbstverständlich«, versprach Phillip. Er begleitete seine Besucher hinaus, hörte kurz darauf erleichtert das Motorengeräusch ihres anfahrenden Wagens. Er hatte ein nervöses Kribbeln im Magen und wurde plötzlich von der Ahnung geplagt, das alles könne nur einen schrecklichen Ausgang nehmen.

Wieder kochte die Wut auf Janet in ihm hoch, so heftig wie am Abend vorher, und auf einmal dachte er: Es ist verdammt auch ihre Sache! Sie macht sich aus dem Staub, und ich bleibe allein in dem Schlammassel zurück!

Wenn er sie anrief und ihr berichtete, daß Maximilian aus der Klinik ausgebrochen war, würde sie das schön durcheinanderbringen. Nichts mehr würde sie in England halten, auch nicht Andrew Davies' Verrenkungen im Bett.

Getragen von der Freude darüber, dem verhaßten Rivalen einen dicken Strich durch die Rechnung zu machen, eilte Phillip zum Telefon. Im Augenblick fühlte er sich stark genug, Davies' Stimme zu ertragen.

Er wählte die Nummer und wartete. Nachdem er es zweimal bis zum Ende hatte durchklingeln lassen, ohne daß sich jemand meldete, begriff er, daß die beiden ausgeflogen waren. Nicht ungewöhnlich an einem normalen Vormittag.

Und trotzdem versetzte es Phillip plötzlich in helle Aufregung und beklemmende Unruhe.

Irgendwann in den frühen Morgenstunden mußte Mario in sein Zimmer gegangen sein. Jedenfalls war der Wohnraum im Erdgeschoß leer gewesen, als Tina um neun Uhr hinuntergekommen war. Am CD-Spieler leuchtete noch das rote Stand-by-Licht. Tina hatte die CD herausgenommen. Es war die »Walküre« von Wagner.

Auf dem Sofatisch stand eine leere Mineralwasserflasche, daneben lag, mit der Vorderseite nach unten, ein Polaroidphoto. Tina nahm es auf und drehte es um. Überrascht stellte sie fest, daß es sich um ein Bild handelte, das Mario im März während eines Spazierganges am Elbdeich von ihr aufgenommen hatte. Sie erinnerte sich genau: Es war einer der wenigen frühlingshaft warmen Tage eines insgesamt zu kalten, von Regen und Sturm begleiteten Monats gewesen, und sie hatte Mario überreden können, mit ihr aufs Land zu fahren. Das war gewesen, kurz bevor er sich ein eigenes Auto gekauft hatte, und er hatte den Wagen seines Vaters geliehen – er hatte ihm erzählt, mit Kommilitonen ins Blaue fahren zu wollen, und bei allem Verständnis hatte es Tina doch einen Stich gegeben, wieder einmal unterschlagen zu werden –, und auf dem Rücksitz des Wagens hatten sie die Polaroidkamera entdeckt. Sie hatten den ganzen Film verschossen und höchst alberne Bilder voneinander gemacht; sie streckten einander darauf die Zunge heraus oder verdrehten die Augen. Dieses hier, das auf dem Tisch gelegen hatte, war das einzige, auf dem Tina nicht irgendeine Grimasse schnitt. Sie stand, beide Hände in die Taschen ihres dunkelroten Anoraks gestemmt, mitten auf einer Wiese in einer noch ganz winterlichen Landschaft. Maulwurfshügel verzierten das kurze, bräunliche Gras, die kahlen Äste eines Baumes ragten in den blauen Himmel mit den zarten Schleierwolken. Fröhlichkeit vermittelten einzig der wehende hellblaue Schal, den Tina um den Hals trug, und das Lachen auf ihrem Gesicht. Sie strahlte geradezu, voller Glück, Entspanntheit und Lebensfreude. Sie war sehr verliebt gewesen an dem Tag, erinnerte sie sich. Und auf der Rückfahrt in die Stadt, auch das kam ihr nun wieder in den Sinn, hatte sie zum erstenmal davon gesprochen, wie schön es wäre, gemeinsam zu verreisen. Irgendwohin, wo es warm war und lustig. Sie hatte geplaudert und geplant und nicht bemerkt, wie wenig Mario auf alles, was sie sagte, einging. Jetzt, im nachhinein erst, realisierte sie, wie stumm und erschrocken er gewesen war.

Auf einmal wußte sie, daß ihre Liebe zu Mario aufhören würde, daß sie bereits dabei war, sich zu verabschieden. Sie hatte eine stürmische, befreiende Kraft in Tinas Leben gebracht, hatte sie zum ersten Mal stark genug sein lassen, sich gegen ihren Vater aufzulehnen und sich über seine Wünsche hinwegzusetzen. Vielleicht hatte sie keinem anderen Zweck dienen sollen als diesem.

Sie hatte bereits gemerkt, daß sich der Telefonapparat auch im Wohnzimmer nicht befand, aber das versetzte sie nicht mehr in die Panik und Aufgelöstheit wie während der Nacht. Bei Tag sah alles anders aus. Das Zimmer wirkte sehr friedlich mit seinen roh verputzten, weißen Wänden, dem Terrakottaboden, dem handgewebten Schafwollteppich, den leuchtendbunten Aquarellen über dem Sofa. Seine Mutter hatte die Bilder gemalt, hatte Mario erzählt. Motive aus der Gegend, verlassene Bauerndörfer in den Bergen, grasende Ziegen, eine einsame, steinerne Hütte irgendwo im Grand Canyon du Verdon, das bunte Treiben auf einem ländlichen Marktplatz.

Draußen lag blühend und duftend, von letztem Tau benetzt, der Garten. Es würde wieder ein heißer Tag werden, keine Wolke stand am Himmel, der Wind in den Zypressen war verstummt. Kaum vorstellbar, daß der Mistral, jener in Sibirien geborene Wind, hier Bäume entwurzeln, sintflutartige Regenfälle mit sich bringen konnte. Die düsteren Gedanken der Dunkelheit verloren ihre Schrecken unter dem hellen Licht. Tina vermochte nicht länger in Mario einen gefährlichen Psychopathen zu sehen. Irgend etwas stimmte nicht mit ihm, das war klar, und es war schwerwiegend genug, ihn nachts nicht schlafen, sondern ruhelos umherwandern zu lassen. Aber er mußte deshalb nicht gleich gefährlich sein. Er schlug sich mit quälenden Gedanken herum, Gedanken der Enttäuschung vermutlich. Instinktiv spürte Tina, daß sie es war, die ihn enttäuschte. Sie war sich keiner Schuld bewußt, ihm in irgendeiner Weise etwas über sich vorgemacht zu haben, aber möglicherweise hatte er etwas in ihr gesehen, das sich nun als trügerisch erwies. (»Du bist das Bild, das ich in mir barg«?) Das Schlimme war, daß er offenbar nicht bereit oder in der Lage war, darüber zu sprechen.

Sie ging in die Küche, setzte Wasser auf und löffelte Kaffeepulver in den Filter. Sie fühlte sich jetzt sehr ruhig, sehr vernünftig. Sie würde ihm erklären, daß sie nicht zusammenpaßten, daß es besser wäre, rechtzeitig auseinanderzugehen. Sie konnten Freunde bleiben und sich weiterhin ab und zu sehen.

Als Mario endlich unten erschien, war es beinahe zwölf Uhr. Tina, die sich im Garten zu schaffen gemacht, Unkraut gezupft und vertrocknete Blüten abgeschnitten hatte, war vor der nun beinahe unerträglichen Hitze in den Schatten der hinteren Veranda geflüchtet, wo sie in einem Liegestuhl saß und in einer französischen Modezeitschrift blätterte. Sie erschrak, als Mario auf einmal neben ihr stand.

»Ich habe dich gar nicht kommen hören«, rief sie.

»Tut mir leid, wenn ich dich erschreckt habe«, sagte Mario. Er sah sehr blaß aus, und unter seinen Augen lagen dunkle Schatten. Müde strich er sich mit der Hand über das Gesicht. »Ich habe verschlafen.«

»Kein Wunder. Du warst die halbe Nacht auf den Beinen.«

Wenn es ihn erstaunte, daß sie das wußte, so ließ er sich nichts anmerken. Er nickte nur. »Ich war zu nervös. Ich konnte mich nicht hinlegen.« Er setzte sich auf einen der Gartenstühle. Auf seinem weißen T-Shirt stand in verblichenen schwarzen Buchstaben »Born to die«. Seine Jeans hatten unterhalb des linken Knies einen Riß, der ein Stück auseinanderklaffte und tiefgebräunte Haut hervorblitzen ließ. Mario sah sehr lässig aus, sehr jung – und zugleich irgendwie zerbrechlich, weil er so müde schien. Und Tina erlebte es zum ersten Mal am eigenen Leib, wie rasant sich Stimmungen und Gefühle gegenüber einer Person ändern können. Ihre Vernunft war beim Teufel. Mario war wieder *ihr* Mario, ihr schöner, dunkelhaariger Junge mit den sanften, melancholischen Augen. Es würde ihr das Herz brechen, ihn zu verlieren. Sie legte ihre Zeitung zur Seite, streckte die Hand aus und berührte sachte seinen Arm.

»Mario«, sagte sie leise, »was ist los?«

Er sah sie an. In seinen Augen schien eine verzweifelte Bitte um Verständnis zu liegen.

»Tina, ich...« Er wirkte so unglücklich und schien drauf und dran, alles herauszusprudeln, was ihn bedrückte, alles... und bremste sich doch in der letzten Sekunde. In seinen Augen erlosch etwas. Und Tina begriff, was immer er jetzt sagen würde, es würde nur noch ein Teil der Wahrheit sein.

»Ich habe jahrelang Tabletten genommen,« sagte er. Sein Blick war nun von Tina abgewandt und auf einen Oleanderbusch im Garten gerichtet. Auf eigenartige Weise klang es künstlich, was er sagte. Aber Tina machte sich klar, daß er es sicher nicht gewohnt war, Geständnisse abzulegen.

»Tabletten?« fragte sie.

Die Blässe seines Gesichtes vertiefte sich. »Beruhigungsmittel, aufputschende Sachen... je nachdem, meist im Wechsel. Es begann während meines Abiturs. Ich wurde fast verrückt vor Prüfungsangst. Also lernte ich wie ein Besessener. Um mich wachzuhalten, nahm ich jede Menge Muntermacher. Um ab und zu schlafen zu können, Schlaftabletten. In den Prüfungen Beruhigungsmittel. Und... na ja...« Er machte eine hilflose Handbewegung.

Tina fragte vorsichtig: »Und nach dem Abitur?«

»Ich geriet einfach immer wieder in Situationen, in denen ich meinte, etwas zu brauchen. Während meines Zivildienstes, und dann vor allem, als ich mit dem Studium anfing. Klausuren, Referate... das Schlimme ist, nach und nach macht dich das Zeug immer schwächer. Zum Schluß brauchst du es bei Gelegenheiten, von denen du nie gedacht hättest, daß sie dir einmal Probleme bereiten könnten...« Er schluckte, schaute hinab auf seine Hände, die ineinander verknotet in seinem Schoß lagen. »Manchmal mußte ich Beruhigungsmittel nehmen, nur um ein Kaufhaus betreten zu können«, fuhr er fort, »verstehst du, ich bekam Angstzustände zwischen all den vielen Menschen...«

Tina stand von ihrem Liegestuhl auf, kauerte sich neben Mario, nahm seine Hände in ihre. Sie war sehr aufgeregt.

»Mario, warum hast du mir nie etwas davon erzählt? Ich meine, wir lieben uns doch. Da bespricht man doch seine Probleme.«

»Ich wollte dich nicht belasten. Du bist noch so jung.« Er sah sie zärtlich an.

Tina runzelte die Stirn. »Ich bin nicht so jung, als daß man mit mir nicht reden könnte!«

»Natürlich. Es war dumm von mir.« Er holte tief Luft. »Für diese Reise hatte ich beschlossen, endgültig ohne das Teufelszeug zu leben. Ich habe von einem Tag zum anderen damit aufgehört. Aber es geht mir schlecht, weißt du. Ich kann nicht schlafen, ich bin schrecklich unruhig... und manchmal habe ich Angstzustände...«

Sie hätte betroffen sein müssen, vielleicht sogar erschrocken. Aber zu Tinas heimlicher Beschämung war genau das Gegenteil der Fall. Sie empfand tiefe Erleichterung, fühlte sich befreit von der Last verwirrender, angstvoller Gedanken. Auf einmal fügten sich alle Teile zu einem klaren Bild. Marios Unberechenbarkeit, sein nächtliches Umherwandern, seine eigenartige Reaktion in jener Nacht, als sie zu ihm ins Wohnzimmer gekommen war. Auch die getrennten Schlafräume verstand sie nun: Er hatte vor ihr geheimzuhalten versucht, was mit ihm los war. Und seine rabiate Nonstopreise von Hamburg bis hierher wurde ebenfalls erklärlich. Zu Hause fühlte er sich einigermaßen sicher, hier, in diesem ihm seit frühester Kindheit vertrauten Ferienhaus, ebenfalls. Dazwischen hatten ihn seine Phobien verfolgt. Tina konnte sich vorstellen, daß es einem Menschen wie ihm äußerst schwerfiel, in einer fremden Stadt herumzulaufen oder in einem Hotel zu übernachten.

Sie sah ihn an. »Ich bin froh, daß du es mir gesagt hast. Wir werden es gemeinsam schaffen, Mario.«

Sie fühlte sich beschwingt, fröhlich, stark. Er brauchte ihre Hilfe, und sie spürte eine leidenschaftliche Bereitschaft, ihm zu helfen. Nie wieder würde sie das kleine Mädchen sein, das von seinem Vater vor der Härte der Wirklichkeit beschützt wurde. Wenn sie zurückkehrte, würde sie eine andere sein.

Sie stand auf und sagte: »Du mußt etwas essen. Ich sehe mal nach, was da ist.«

Er hob sein schweißnasses Gesicht zu ihr empor. Machte ihm die brütende Hitze so zu schaffen, oder hatte ihn das Gespräch derart aufgewühlt?

»Danke«, sagte er leise.

Tina trat in die Küche. An der Tür fiel ihr etwas ein, und sie wandte sich noch einmal um.

»Mario, fast hätte ich es vergessen: Wo ist eigentlich das Telefon?«

Michael überlegte, ob er sich allzu lächerlich machen würde, wenn er plötzlich in Duverelle aufkreuzte. War dort alles in Ordnung, würde Tina äußerst verärgert reagieren und ihm seine Einmischung möglicherweise für lange Zeit nicht verzeihen. Und natürlich *war* alles in Ordnung. Nur warum, um alles in der Welt, ging sie nicht ans Telefon?

Er hatte sich am Vortag einen Stapel Akten mit nach Hause genommen und vorgehabt, ihn dort, in der Ruhe seines Arbeitszimmers, endlich abzutragen. Tatsächlich hatte er kaum etwas geschafft, denn anstatt sich auf die Vorgänge zu konzentrieren, hatte er den ganzen Morgen über versucht, seine Tochter zu erreichen. Er hatte alle fünf Minuten angerufen und sich gedacht, daß dieses ständige Geklingel die beiden doch irgendwann verrückt genug machen mußte, um sie zum Abheben zu zwingen – selbst wenn sie beschlossen haben sollten, jeden Kontakt zur Außenwelt abzubrechen. Dann war ihm der Gedanke gekommen, daß er die falsche Nummer haben könnte, und er hatte versucht, Phillip Beerbaum zu erreichen und ihn danach zu fragen. Aber auch dort meldete sich niemand. Über die Auslandsauskunft fand er schließlich heraus, daß er doch die richtige Nummer hatte. Danach war er völlig am Boden zerstört, denn nun gab es keine Erklärung mehr für das Schweigen aus der Provence.

Dies war der Moment, in dem der Entschluß in ihm zu reifen begann, den beiden hinterherzufahren.

Als er diese Möglichkeit in Gedanken durchspielte und alle denkbaren Konsequenzen abzuwägen suchte, klingelte sein Telefon. Da er ohnehin noch daneben saß, hob er sofort ab.

»Ja?« fragte er atemlos.

Ein heiseres Frauenlachen antwortete ihm. »Ich wette, Sie warten auf einen Anruf von Ihrer Tochter! Leider ist hier nur Karen. Karen Graph.«

Danas unsägliche Mutter! Er fühlte sich ertappt und ärgerte sich darüber. Vor einer Frau wie ihr brauchte ihm nichts peinlich zu sein. Vielleicht übertrieb er es mit seiner Fürsorge gegenüber Tina, aber das ging Karen nicht das mindeste an.

»Guten Tag«, sagte er förmlich.

»Haben Sie etwas von Tina gehört?« fragte Karen.

Michael witterte natürlich sofort eine Provokation. »Weshalb wollen Sie das wissen?« fragte er mißtrauisch.

Karen lachte erneut. »Es interessiert mich einfach. Wissen Sie, ich fürchte, inzwischen haben Sie und Dana mich schon richtig angesteckt mit all den Vorbehalten gegen den armen Mario.«

»Ich habe nichts gehört«, sagte Michael müde. Und weil es ihm plötzlich gleich war, wie weit er sich noch blamierte, fügte er hinzu: »Ich rufe praktisch alle fünf Minuten dort an. Es meldet sich niemand.«

»Dana hat sich gestern auf den Weg gemacht. Sie will unbedingt Tinas Kindermädchen spielen.«

»Per Autostopp? Ich meine, ist sie . . .«

»Klar. Keine von uns hat je Geld für etwas anderes.«

»Ich sage dazu nichts mehr. Ich halte das für bodenlos leichtsinnig, aber das wissen Sie ja.«

Karen ging darauf nicht ein. »Ich habe mir überlegt, wir beide könnten doch versuchen, auf eigene Faust ein paar Dinge über diesen Mario herauszufinden!«

O Gott, dachte Michael, Detektiv spielen!

»Also, von Dana weiß ich, daß die Familie vor sechs Jahren von München nach Hamburg gezogen ist«, fuhr Karen fort, »das ist doch eigentümlich, oder?«

Michael entgegnete, er könne nichts Eigentümliches daran finden.

»Die haben eine Steuerberatungskanzlei«, sagte Karen, »also hatten sie in München sicher auch schon eine. Weshalb sollten sie die aufgeben und sich in das Wagnis stürzen, am anderen Ende Deutschlands neu anzufangen?«

»Dafür kann es doch tausend Gründe geben. Vielleicht lief die Kanzlei in München nicht...«

»Sie läuft jetzt sehr gut. Warum sollte sie das vorher nicht getan haben? Dieser Phillip Beerbaum scheint ein fähiger Mann zu sein.«

»Vielleicht ging es um einen Klimawechsel. Jemand aus der Familie hat womöglich das bayerische Klima nicht gut vertragen...«

»Es wäre einfach, das herauszufinden«, sagte Karen.

Michael spürte ein tiefes Widerstreben. Es war für ihn eine abstoßende Vorstellung, im Privatleben anderer Leute herumzuschnüffeln. Außerdem kam er sich albern vor. Zugleich aber war da diese pochende Unruhe in ihm, diese beinahe überwältigende Angst, seinem Kind könne etwas zugestoßen sein.

»Wir könnten nach München fliegen und recherchieren«, bot Karen an, »ich habe da einen sehr guten Freund, der über wirkliche tolle Kontakte verfügt.«

»Könnten Sie ihn nicht anrufen?«

»Es ist besser, vor Ort zu sein. Vielleicht schaffen wir es, noch heute nachmittag einen Flug zu kriegen.«

»Ich weiß nicht«, sagte Michael überrumpelt. Ganz offensichtlich hatte Karen alles bereits genau geplant. Und wie sich herausstellte, brauchte sie ihn dringend für die Realisierung ihrer Pläne. Sehr umständlich brachte sie schließlich zum Ausdruck, daß sie weder Flug noch Hotel zu bezahlen in der Lage war.

»Wenn Sie mir aushelfen . . . ich würde Ihnen nach und nach alles zurückzahlen«, sagte sie.

Michael machte sich keine Illusionen. Er würde nie auch nur eine Mark wiedersehen, aber das war auch gar nicht das Problem. Was sie vorschlug, lag ihm einfach nicht. Es war ihm zuwider. Er haßte es. Es gehörte zu einer anderen Lebeneinstellung, die mit seiner nichts zu tun hatte.

Es war das erste Mal in seinem Leben, daß er von einer Angst so gepackt war, daß er seine Prinzipien über Bord warf und sich entschloß, etwas zu tun, was er unter anderen Umständen um keinen Peis getan hätte.

Er verabredete sich mit der ihm zutiefst suspekten Karen Graph für einen gemeinsamen Flug nach München.

Danach rief er in seinem Büro an und entschuldigte sein Fernbleiben für den Rest des Tages sowie für den nächsten Tag mit schweren familiären Problemen.

Das, so sagte er sich zum Trost, war zumindest nicht gelogen.

Cambridge hatte sich in all den Jahren nicht verändert, und, so dachte Janet, es würde sich vermutlich überhaupt niemals ändern. Der Atem einer traditionsbewußten, alten Werten und einer großen Geschichte verpflichteten Elitegesellschaft wehte zwischen den prunkvollen Collegebauten und über die gepflegten Rasenflächen der weitläufigen Parkanlagen. Viele Studenten trugen schwarze Talare und eilten über das Kopfsteinpflaster der Gassen wie seltsam anmutende Relikte einer vergangenen Epoche. Eine Welt für sich, und Janet, die so lange in dieser Welt beheimatet gewesen war, empfand Rührung und Erstaunen über die Unwandelbarkeit der Dinge.

Am Abend hatten sie in einem Pub gegessen, in dem sie auch früher oft gewesen waren, und sie waren förmlich versunken in nostalgischen Gefühlen. Dazu hatten die Dunkelheit vor den Fenstern, die Kerzen auf den Tischen und die Tatsache, daß es hier noch genauso roch wie früher, beigetragen. Das Tageslicht hingegen torpedierte in seiner Klarheit jeden weiteren Versuch, die Vergangenheit beschönigend zu verschleiern. Als sie am Nachmittag durch den Park des St. John's College schlenderten, einander vor der Bridge of Sighs photographierten und den Studenten beim Staken ihrer Boote auf der Cam zusahen, da dachte Janet auch mit Bitterkeit zurück und fand, es sei insgesamt keine gute Idee von Andrew gewesen, hierherzukommen.

Sie hatte als junges Mädchen keine schöne Zeit hier in Cambridge gehabt, sonst wäre sie auch nicht mit gerade achtzehn Jahren Hals über Kopf ins Ausland geflüchtet. Sie hatte zwei Jahre lang – die ihr wie ein ganzes Jahrzehnt erschienen – in einem ständigen Wechselbad der Gefühle gelebt: wunderbare Momente, romantisch und unvergeßlich, wie sie zur ersten Liebe gehören; und gleich darauf Phasen von Schmerz und Qual, wenn Janet wieder einmal feststellen mußte, daß sie nicht die einzige Frau in Andrews Leben war. Von irgendeinem Zeitpunkt an hatte sie sich selbst in den guten Augenblicken nicht mehr wohl gefühlt, weil ihr Vertrauen zerstört gewesen war und sie keinerlei Sicherheit mehr empfinden konnte. Sie hatte einen Anlauf nach dem anderen gemacht, die Beziehung zu beenden, um jedesmal auf der Stelle rückfällig zu werden, wenn Andrew sie in die Arme nahm, lachte und endlich Besserung gelobte. Irgendwann wußte sie, daß eine Stadt, ein Land zu klein war für sie beide. Die kleine Janet Hamilton, zu schüchtern und zu behütet, als daß sie es bis dahin gewagt hätte, auch nur allein bis London zu fahren, verließ von einem Tag zum anderen ihre Heimat und ihre Familie und siedelte über in ein Land, dessen Sprache sie nicht verstand und wo sie nicht eine Menschenseele kannte. Wenn sie an das qualvolle Alleinsein der ersten Monate dachte, dann fragte sie sich, wie sie das hatte überstehen können. Vermutlich nur, weil ihr nicht die kleinste Wahl geblieben war.

Heute, ein Vierteljahrhundert später, war der Schmerz bloße Erinnerung. Aber die Narben fingen an zu pochen und zu brennen, als sie über die vertrauten Wege ging, neben sich den grauhaarigen Mann, der ihrem Leben Glanz und Wärme, aber auch Kälte und Verzweiflung geschenkt hatte.

So viele Schmerzen, dachte Janet, so viel Einsamkeit, so viel Schuld . . . um dann wieder zueinander zu finden und hier in Cambridge, an einem sonnigen Sommertag, durch die Parks zu schlendern, als sei keine Stunde vergangen, seitdem man jung war.

Sie betrachtete Andrew von der Seite. Er war versunken in seine Gedanken – in düstere Gedanken, wie es schien, denn er furchte die Stirn, und sein Gesichtsausdruck verriet Angespanntheit und Unzufriedenheit. Sicherlich beschäftigte er sich mit Fred Corvey.

Sie berührte seinen Arm. »Wir sind hierher gefahren, damit du *nicht* an ihn denkst!«

Er zuckte zusammen, er war tatsächlich weit weg gewesen. »Entschuldige«, sagte er. Dann betrachtete er sie und meinte: »*Du* warst gerade in der Vergangenheit, oder?«

Wie so oft, verblüffte sie die Sensibilität mit der er erspürte, was in anderen vorging. »Ja«, erwiderte sie, »in ferner Vergangenheit.«

In seinem Blick flackerte jäh ein Ausdruck von Reue auf, er drückte Janets Hand und sagte: »Ich habe dich damals sehr schlecht behandelt. Ich war gedankenlos und grausam. Ein Wunder, daß du dich überhaupt noch mit mir abgibst.«

»Du warst jung. Und die Frauen haben es dir sehr leicht gemacht.«

Er schüttelte den Kopf. »Das ist keine Entschuldigung. Bestenfalls eine Erklärung.«

Sie zuckte mit den Schultern. »Wie auch immer. Es ist seit Ewigkeiten vorbei.«

»Aber es tut noch weh, nicht?«

»Ja. Aber ich muß es einfach irgendwie abhaken. Ich . . .«, sie holte tief Luft, »ich will nicht, daß es Macht über mich gewinnt. Mich vergiftet, so wie es deine geschiedene Frau vergiftet haben muß. Ich will nicht, daß es etwas von dem, was jetzt zwischen uns ist, beeinflußt. Ach, laß uns nicht mehr davon reden!«

Sie schaute den schattigen Parkweg entlang, der vor ihnen lag. »Wie schön es hier ist. Wenn wir wieder einmal Zeit haben, sollten wir bis Norfolk hinauf fahren, ans Meer. Vielleicht wäre das sogar besser, als nach Cambridge zu gehen.«

Sie kann es nicht »abhaken«, dachte Andrew, egal, wie sehr sie es versucht, sie wird nie ganz darüber hinwegkommen.

Er fügte sich jedoch ihrem Wunsch, das Thema fallenzulassen, und sagte: »Wenn du wirklich in England bleibst, wird es dir nicht eigenartig vorkommen, nach so vielen Jahren in Deutschland?«

»Ich bin nie heimisch geworden in Deutschland. Ich

habe es nur nie so richtig gemerkt – ich war verheiratet, mußte meine Kinder großziehen, Phillip und ich bauten die Kanzlei auf ... es war wenig Zeit für Heimweh und Frustration. Aber seit ich hier bin, seit meinem ersten Abend in diesem uralten Pub irgendwo in Kent, ist mir klar, daß ich hierher gehöre. Die Luft, die Menschen, die Sprache, all das *bin ich*. Ich kann nicht mehr begreifen, wie ich es aushalten konnte, so lange weg zu sein.« Sie blieb stehen, und in ihren Augen erwachte etwas von jenem Leuchten, das Andrew aus früheren Tagen kannte und das er vermißt hatte, seitdem sie wieder hier war. »Ich bin endlich wieder zu Hause. Ich werde mich nie wieder heimatlos und fremd fühlen, ganz gleich, was geschieht.« Sie ging weiter. »Ich will mir auf jeden Fall eine Arbeit suchen, Andrew. Ich dachte, ich könnte mich an einer Sprachenschule bewerben, als Lehrerin für Deutschkurse. Und für Französisch, da bin ich auch recht gut. Für den Anfang wäre es kein schlechter Job, oder?«

Sie blieb erneut stehen, sah Andrew erwartungsvoll an.

Er wandte sich ihr zu. »Würdest du mich heiraten?« fragte er.

»Was?«

»Wenn du geschieden bist ... du sagtest doch, du wolltest dich von deinem Mann scheiden lassen ... würdest du mich dann heiraten?«

Eine Gruppe lärmender, ausgelassener junger Leute kam auf sie zu, und sie traten an den Wegrand, um sie vorbeizulassen. Die gleiche Frage hätte an derselben Stelle an einem ebenso sonnigen Sommertag fünfundzwanzig Jahre früher gestellt werden können. Spielte die Verspätung um ein Vierteljahrhundert eine Rolle? Wenn ja, so schob Janet jeden Gedanken an die Konsequenzen, die sich aus ihrer beider vielen Umwegen bis hin zu diesem Moment ergeben mochten, beiseite.

»Ich denke«, sagte sie mit etwas kratziger, bemüht sachlicher Stimme, »ich denke, das könnte ich tun.«

Es war einfach wie verhext. Alles hatte so gut begonnen, alles schien bestens zu laufen. In einem Rutsch von Hamburg bis Freiburg, noch dazu in Gesellschaft einer netten, jungen Frau, angenehmer hätte es nicht sein können. Aber dann stagnierten die Dinge, und alles schien sich gegen Dana zu verschwören.

Sie hatte am Abend zuvor auf dem Rastplatz, an dem Patricia sie abgesetzt hatte, sehr schnell einen Lastwagenfahrer gefunden, der nach Marseille wollte und bereit war, sie mitzunehmen. Er hatte aber erst noch essen wollen, und es wurde dunkel, bis sie losfuhren. In der Nacht, etwa fünfzehn Kilometer jenseits der französischen Grenze, hörten sie beide ein eigenartiges schleifendes Geräusch, als dessen Ursache sich ein platter Reifen entpuppte. Stundenlang, wie es ihr vorkam, mußte Dana dem Fahrer beim Radwechseln assistieren, wobei sie ständig angeschnauzt wurde, weil sie angeblich alles falsch machte und zu nichts zu gebrauchen war. Die Laune des Fahrers verschlechterte sich von Minute zu Minute, und schließlich hatte auch Dana keine Lust mehr, sich ständig beschimpfen zu lassen. Sie begehrte auf, und im Nu befanden sie sich in einem heftigen Streit, der damit endete, daß der Fahrer sich weigerte, sie weiterhin mitzunehmen, wutentbrannt in seine Kabine kletterte und schimpfend davonfuhr. Dana blieb mit ölverschmierten Händen und einem großen, schwarzen Schmutzfleck auf der Nase auf der nächtlichen Landstraße zurück.

Es handelte sich um eine besonders einsame Landstraße. Im Verlauf der folgenden drei Stunden kamen genau fünf Autos vorbei, von denen ein einziges anhielt. Der Fahrer war aber so eindeutig sturzbetrunken und unfähig, mehr als ein paar lallende Laute hervorzubringen, daß es Dana ratsam schien, ein so hohes Risiko trotz allem nicht einzugehen. Sie trottete zu Fuß durch die Nacht, dachte an das Sofa, das Patricia ihr angeboten hatte, und fluchte leise vor sich hin. Wenigstens blieb die Luft warm, und es regnete nicht, aber sie fühlte sich zunehmend erschöpft. Irgendwann kauerte sie sich, an den Stamm eines Ahornbaumes gelehnt, ins Gras und nickte für ein paar Stunden ein. Sie erwachte vom durchdringenden Morgengezwitschere der Vögel und von der unangenehmen Feuchtigkeit des Taus auf ihrer Kleidung.

Mit steifen Gliedern schlich sie erneut am Straßenrand entlang. Die Gegend belebte sich zusehends, allerdings vor allem mit Autos, die in die andere Richtung unterwegs waren. Endlich hielt ein grauhaariger Mann, der sie mit in das nächste Dorf nahm. Es war ein winziges Dorf irgendwo in Burgund, ein paar Häuser, ein paar Gehöfte. Es gab einen kleinen Gasthof, in dem sich Dana bei einer unausgeschlafenen, mürrischen Kellnerin ein Frühstück bestellte, daß aus lauwarmem Milchkaffee und zwei harten Croissants bestand. Während sie eine Zigarette rauchte, begann es draußen zu regnen. Im Nu sah das Dorf noch trostloser und verlassener aus. Kein Mensch ließ sich blicken, nur eine schwarze Katze überquerte langsam die Straße, und das auch noch von links nach rechts.

Dana zahlte und verließ den Gasthof. Der Regen strömte jetzt nur so aus den Wolken, aber zumindest blieb es trotzdem einigermaßen warm. Auf gut Glück lief Dana die Straße entlang, die nach kurzer Zeit aus dem Dorf hinausführte. Dann und wann kam ein Auto vorbei. Als endlich eines hielt, war sie schon völlig durchweicht und absolut mutlos. Es dauerte eine ganze Weile, bis sie merkte, daß mit dem Mann, der sie hatte einsteigen lassen, etwas nicht stimmte.

Es war keineswegs so, daß irgend etwas an ihm gleich ins Auge sprang, etwas Ungewöhnliches oder Bedenkliches. Wenn überhaupt etwas an ihm auffiel, dann seine völlige Unauffälligkeit. Er mochte Mitte bis Ende Dreißig sein, hatte ein schmales, leicht gebräuntes Gesicht, etwas zu volle Lippen und ein römisches Profil. Seine schütteren, aschblonden Haare waren zurückgestrichen und wellten sich, um ein paar Millimeter zu lang, im Nacken nach außen. Die Augen wirkten hinter den dicken Brillengläsern überdimensional vergrößert – dieser deutlich wahrnehmbare Sehfehler stellte das einzige Merkmal dar, das ein Beobachter im Gedächtnis hätte behalten können. Er trug Jeans und einen dunkelblauen Rolli und fuhr einen schmutzig-weißen altertümlichen Peugeot mit französischem Nummernschild.

Eine ganze Weile hatte er nichts gesagt, bis auf die erste Frage, die er sofort gestellt hatte, als er anhielt. »Wo möchten Sie denn hin?« Ein fast akzentfreies Deutsch.

Sie hatte ihm ihr Ziel genannt, und er hatte gelacht. »Ganz so weit fahre ich nicht. Aber ein Stück weit kann ich Sie mitnehmen.«

Nun wandte er plötzlich den Kopf und sah sie an. »Scheußliches Wetter, wie?«

Der Regen war noch stärker geworden, die Scheibenwischer des Wagens rasten im Höchsttempo hin und her. Die Straße schlängelte sich zwischen Weinbergen entlang; die Reben bogen sich unter der Wucht des Regens.

»Ja«, stimmte Dana zu, »wirklich scheußlich. Dabei sah es am frühen Morgen noch nach einem wunderschönen Tag aus.«

»Das ändert sich oft schneller, als man denkt«, sagte der Mann. Sein Blick wanderte zu Danas nackten Knien und saugte sich dort fest. »Sie sind ziemlich naß geworden!«

Dana widerstand dem unwillkürlichen Drang, den

Saum ihres Rocks weiter nach unten zu ziehen. »Na ja, glücklicherweise haben Sie ja gehalten«, meinte sie etwas beklommen.

»Stimmt. Welch ein Glück.« Er schaute wieder auf die Straße, aber nur einen kurzen Moment, dann betrachtete er erneut seinen Fahrgast und blieb mit seinem Blick jetzt an den Brüsten kleben. Dana war sich bewußt, daß ihr nasses T-Shirt aufreizender wirken muße, als wenn sie gar nichts angehabt hätte. Nun mußte sie dem Bedürfnis Widerstand leisten, die Arme vor der Brust zu verschränken. Sie begann sich sehr ungemütlich zu fühlen.

»Sie sprechen sehr gut Deutsch«, sagte sie, »obwohl Sie doch Franzose sind, oder?«

»Ich bin ein Waisenkind. Ich wuchs in verschiedenen Pflegefamilien auf. Eine lebte bei Straßburg. Gebürtige Deutsche.«

»Ich komme aus Hamburg.«

»Dann sind Sie aber schon lange unterwegs.« Er hatte sich kurz der Straße zugewandt, schaute nun aber schon wieder zu Dana hin. »Was sagen denn Ihre Eltern dazu?«

»Wozu?«

»Daß Sie so in der Gegend herumtrampen. Das ist nicht ganz ungefährlich.«

»Ich kann schon auf mich aufpassen«, entgegnete Dana und versuchte, besonders zuversichtlich und selbstbewußt zu klingen.

Er warf ihr einen langen, eigentümlichen Blick zu. »So?« fragte er und schien sich dann endlich wieder ganz auf die Straße zu konzentrieren.

Es ist nichts, sagte sich Dana beruhigend, er guckt ein bißchen komisch, aber das liegt an dieser Brille.

Es war ihr schon manchmal beim Trampen passiert, daß Männer anzüglich wurden, verfängliche Gesprächsthemen suchten oder ganz offen ihr Gefallen äußerten. Sie hatte sich jedoch nie bedroht gefühlt, war immer Herrin der Lage gewesen, hatte sich – wenn ihr der betreffende Mann gefiel – auf einen Flirt eingelassen oder aber sich so lange naiv gestellt, bis der andere es aufgab, sie provozieren zu wollen. Niemals war ihr in einem fremden Auto auch nur für eine Minute unbehaglich zumute gewesen. Jetzt zum ersten Mal hatte sie ein äußerst ungutes Gefühl. Sie sagte sich, daß das an Michaels Unkerei liegen mußte. Vielleicht auch an dem Regen und daran, daß sie so müde war.

Nach einer Viertelstunde brach der Mann plötzlich erneut das Schweigen. »Sie sind wirklich ein hübsches Mädchen«, sagte er.

Dana, die, den Kopf an die Fensterscheibe gelehnt, ein wenig gedöst hatte, schreckte auf. »Was?«

»Ein wirklich hübsches Mädchen«, wiederholte er, »das wissen Sie sicher?«

»Ach, ich sehe doch heute schrecklich aus«, antwortete Dana in der schwachen Hoffnung, ihm ihre Betrachtungsweise aufdrängen zu können. »Ich habe ungekämmte Haare, verschmierte Schminke und nasse, zerdrückte Klamotten!«

Die Straße im Auge behaltend, angelte er mit dem rechten Arm nach hinten auf den Rücksitz, wo eine Anzahl Plastiktüten herumlag. Aus einer von ihnen fischte er einen Kamm, den er gleich darauf mit einer aggressiven Bewegung in Danas Schoß warf.

»Hier. Für dich«, sagte er.

Der Kamm war aus hellbraunem Plastik, jeder zweite Zinken fehlte. Ein paar Haare hingen in den verbliebenen Zähnen.

Das kann doch nicht sein Ernst sein, dachte Dana.

»Wissen Sie, ich . . .«, begann sie, aber der Mann unterbrach sie grob.

»Kämm deine Haare! Ich zeig' mich nicht gern mit einer ungepflegten Frau. Du siehst völlig verwahrlost aus!«

Dana pfefferte den Kamm auf den Boden.

»Halten Sie bitte an. Ich möchte aussteigen«, sagte sie kalt.

Der Mann erhöhte die Geschwindigkeit ein wenig. »Glaubst du, ich lasse dich in *dem* Aufzug draußen herumlaufen? Du siehst aus wie eine Schlampe«, sagte er verächtlich. »Ich möchte, daß du dir sofort die Haare anständig kämmst!«

»Und ich möchte, daß Sie sofort anhalten!«

Während sie sprach, versuchte Dana, die Situation abzuschätzen. Der Wagen fuhr zu schnell, als daß sie einfach hätte hinausspringen können. Zudem war die Gegend furchterregend einsam. Eine ganze Weile schon war ihnen kein Auto mehr entgegengekommen. Bäume, deren Wipfel in den tiefhängenden Wolken verschwanden, Weinberge, soweit das Auge reichte, strömender Regen. Nirgendwo ein Gehöft oder auch nur eine Hütte, in der man hätte hoffen können, einen Menschen anzutreffen.

Scheiße, dachte Dana.

Die Lage hatte sich so unvermittelt zugespitzt. Dana hatte Unheil gewittert, aber ihre Befürchtungen hatten sich auf nichts gründen können als auf ein paar zudringliche Blicke des Fahrers. Dann hatte dieser von einem Moment zum anderen jegliches Bemühen, den Anschein von Normalität aufrechtzuerhalten, aufgegeben. Auf einmal war er aggressiv, böse, ein unberechenbarer, womöglich geistesgestörter Feind.

»Ich hatte dir etwas befohlen, wenn ich mich nicht irre«, sagte er. Er sah sie an. Seine vergrößerten Augen glänzten fiebrig. »Du sollst dich ordentlich herrichten!«

»Sie haben mir nichts zu befehlen. Hören Sie.« Dana hatte immer Angriff für die beste Verteidigung gehalten, sie war schwer einzuschüchtern, und ihre Stimme wurde nun sehr laut und angriffslustig. »Sie werden jetzt anhalten und mich aussteigen lassen, oder Sie werden eine ganze Menge Ärger bekommen, das kann ich Ihnen versprechen!«

Ihr scharfer Ton irritierte ihn einen Moment. »Ich kann dich hier gar nicht aussteigen lassen. Du würdest ja nicht weiterkommen.«

»Das ist mein Problem, nicht Ihres. Ich möchte sofort aussteigen!«

»Du bist ziemlich unhöflich. Setzt dich tropfendnaß in mein Auto, läßt dich mitnehmen und wirst dann auch noch frech! Man sollte es nicht glauben!«

Dana ließ sich auf nichts ein. »Ich möchte sofort aussteigen«, wiederholte sie stereotyp.

Der Mann bremste so scharf, daß der Wagen auf der nassen Straße heftig schlingerte. Er fuhr an den rechten Rand und schrie: »Los, raus mit dir! Verschwinde! Du bist häßlich, weißt du das? Du hast Hängetitten! Hat dir das noch keiner gesagt?«

Dana hielt ihren Rucksack fest umklammert und stieg aus. Der Regen strömte mit Wucht auf sie herab und durchweichte sie in Sekundenschnelle erneut. Die Luft kam ihr wesentlich kühler vor als am Morgen. Fröstelnd zog sie die Schultern hoch. Obwohl sie sich in einer mißlichen Lage befand, fühlte sie sich erleichtert. Auch wenn sie stundenlang durch den Regen wandern mußte, die Hauptsache war, sie brauchte nicht mehr im Auto dieses Psychopathen zu sitzen.

Er war mit quietschenden Reifen und erneut gefährlich schlingernd davongebraust. Dana hüllte sich in ihr Regencape, das sie allerdings nur unzureichend schützte, und schulterte den Rucksack. Irgendwann mußte doch jemand durch diese gottverdammte Gegend kommen, und wenn es sich nicht um einen völlig herzlosen Menschen handelte, würde er es nicht fertigbringen, an ihr vorbeizufahren.

Sie war zehn Minuten gelaufen, als sie ein Motorengeräusch hörte. Enthusiastisch dachte sie: Ich bin ein Glückskind!

Dann wurde ihr klar, daß ihr das Geräusch entgegenkam, anstatt sich ihr von hinten zu nähern, und das bedeutete, der betreffende Wagen fuhr in die falsche Richtung. Aber das war auch nicht schlimm. Sie konnte zurück ins Dorf fahren; von dort gab es vielleicht einen Bus in die nächstgrößere Stadt, und notfalls konnte sie dann doch ihre Geldreserven anbrechen und mit dem Zug bis Nizza fahren.

Sie wechselte die Straßenseite und streckte hoffnungsvoll den Daumen aus.

Der Wagen näherte sich mit überhöhter Geschwindigkeit. Ein altmodischer schmutzig-weißer Peugeot. Erst als er schon ziemlich nahe herangekommen war, begriff Dana in jähem Entsetzen, daß es sich um das Auto handelte, aus dem sie gerade erst entkommen war. Der Mann mit den vergrößerten Augen saß hinter dem Steuer. Sein Gesicht war verzerrt vor Wut. Die Beute war schon zu greifbar gewesen, als daß er es fertiggebracht hätte, sie sich entgehen zu lassen. Und zudem hatte ihn diese freche Schlampe beleidigt! War mit ihm umgesprungen, als sei er das letzte Stück Dreck, hatte sich seinen Befehlen widersetzt . . . Er hatte das Steuer herumgerissen und war zurückgerast wie der Teufel.

Der Teufel . . .

Dana drehte sich um und rannte; rannte, so schnell sie konnte, und wußte, sie rannte um ihr Leben.

An diesem Abend war es zum erstenmal so, wie es die ganze Zeit über hätte sein sollen. Sie waren zum Essen in einen kleinen Ort bei Grasse gefahren, durch einen dramatisch flammenden Sonnenuntergang, durch die geöffneten Wagenfenster gestreichelt von lavendelduftender, samtweicher Luft. Die wildromantische Landschaft war von einer Schönheit, die Tina mit allem versöhnte: mit dem Ärger und der Unruhe der vergangenen Tage und Nächte, mit der Tatsache, daß sie sich so weit vom Meer entfernt befanden, mit ... ja, im Grund wäre ihr gar nichts weiter eingefallen, denn auf einmal schienen ihr alle diese Dinge Lappalien zu sein, kaum wert, erwähnt zu werden. Seit Marios Geständnis hatte sich alles verändert. Die beunruhigenden Einzelheiten fügten sich zu einem logischen Bild.

Mario führte sie in ein Restaurant, in dem er, wie er erzählte, früher oft mit seinen Eltern gewesen war. An einfachen Holztischen konnte man in einem Gärtchen sitzen, das von einer niedrigen Steinmauer umgrenzt wurde. Zwischen Obstbäumen und Zypressen waren lange Schnüre mit Lampions aufgehängt. Draußen auf der Straße pilgerten Touristen entlang, in Shorts und T-Shirts, Kameras vor den Bäuchen baumelnd, Eiswaffeln in den Händen. Kinder schrien und lachten, und vereinzelt klangen aus dem bunten Sprachengewirr auch deutsche Wortfetzen. Aus der Küche roch es nach warmem Brot und Knoblauch, nach gebratenem Fleisch und Salbei. Mario hatte einen halben Liter Rotwein bestellt, den der Wirt in einer schönen, alten Karaffe servierte; unaufgefordert stellte er einen Krug mit klarem Wasser, einen Korb mit Baguettestücken und eine Schale mit Kräuterquark dazu.

. Tina atmete tief und entspannt. »Es ist wunderschön hier!« Sie nahm einen Schluck Wein. »Wir werden eine richtig gute Zeit haben, das weiß ich.«

Mario lächelte. Er wirkte ausgeglichen an diesem Abend, fand Tina, und er sah südländischer aus denn je. Er paßte hervorragend in die Gegend. In den letzten beiden Tagen hatte seine Haut etwas Farbe bekommen; mit den schwarzen Haaren, den dunklen Augen und dem lässigen, weißen Hemd mit den hochgekrempelten Armen wirkte er wie ein junger Franzose.

Selbst Dana müßte jetzt zugeben, daß er wirklich gut aussieht, dachte Tina stolz.

Seine Erklärung wegen des verschwundenen Telefonapparates war ihr eigenartig vorgekommen, aber seitdem sie wußte, er durchlitt gerade einen Tablettenentzug, relativierte sich jede Eigenartigkeit. Menschen in seinem Zustand, machte sich Tina klar, handelten nach einer eigenen, nur ihnen selbst vertrauten Logik. Widersprüchlichkeiten, Ungereimtheiten gehörten unweigerlich dazu.

Er habe Angst gehabt, hatte er erklärt, seine Mutter könne ihn erreichen. An jenem ersten Vormittag, als das Telefon ständig klingelte und Tina überzeugt gewesen sei, ihr Vater versuche anzurufen, da habe er vermutet, es könne sich nur um seine Mutter handeln.

»Meine Mutter ist in England, verstehst du? Kann sein, sie hat herausgefunden, daß ich hier bin, und versucht jetzt, alles zu erklären.«

Verwirrt hatte Tina zurückgefragt: »In England? Was tut sie denn da? Und was soll sie erklären?«

Ein Schatten glitt über sein Gesicht. »Es . . . fällt mir schwer, darüber zu sprechen. Sei nicht böse, bitte. Ich werde dir alles erklären. Laß mir etwas Zeit!«

Das Telefon befinde sich im Wohnzimmerschrank, fügte er hinzu, und selbstverständlich könne es Tina jederzeit anschließen und telefonieren, mit wem sie wolle.

»Ich will ja gar nicht telefonieren. Ich habe mich nur gewundert . . .«

Sie zerbrach sich den Kopf, welches Problem er mit seiner Mutter haben könnte. Einerseits stand ihr Bild neben seinem Bett, andererseits stöpselte er das Telefon aus vor Angst, sie könnte ihn erreichen. Und er hatte ihr von Anfang an nichts von seiner Beziehung zu Tina erzählen wollen. Ein Mensch wurde nicht so einfach tablettenabhängig. Lag die Ursache des Übels in seiner Kindheit, in der Person seiner Mutter? Tina erinnerte sich an das Photo und daran, daß sie gedacht hatte, dies sei eine komplizierte Frau.

»Laß mir Zeit«, hatte er gebeten. Tina kam sich sehr erwachsen vor, weil sie diesem Wunsch so diszipliniert nachkam. Keine Fragen! Sie würde warten, bis er sich ihr von selbst öffnete.

Das Essen kam, und beide machten sich mit großem Appetit darüber her. Tina konzentrierte sich auf ihr Lammfleisch. Der Wein schenkte ihr eine behagliche Leichtigkeit.

»Was wollen wir danach machen?« fragte sie.

Mario blickte überrascht auf. »Nach dem Essen?«

»Ja. Es ist ja noch früh.«

Er schaute auf seine Armbanduhr. »Es ist gleich neun!«

»Das *ist* früh! Oder willst du schon wieder nach Hause?«

Offenbar verdarb sie ihm gerade den Appetit, denn er legte sein Besteck zur Seite, tupfte sich mit der Papierserviette den Mund ab und nahm seufzend einen Schluck Wein. Kaum merklich hatte sich sein Gesichtsausdruck verfinstert. Um seinen schönen, weichen Mund lag ein mürrischer Zug.

»Wenn du . . . wenn du dich fürchtest . . .«, begann Tina vorsichtig.

Er unterbrach sie grob. »Wovor, zum Teufel, sollte ich mich fürchten?«

»Vor dem Ort. Den Menschen. Du sagtest, manchmal hättest du Probleme, in ein Kaufhaus zu gehen, und da dachte ich . . .«

Wiederum ließ er sie nicht ausreden. »Hör auf, Tina, fang bloß nicht an, die Krankenschwester zu spielen. Ich werde nervös, wenn sich jemand wie Mutter Teresa aufführt!«

»Aber ich . . .«

»Lieber Himmel, versuch halt einfach, mich in Ruhe zu lassen, ja?«

Tina schwieg verletzt und schob nun auch ihren Teller von sich. Mario hatte sich ein Stück Brot aus dem Korb genommen und zerbröselte es zwischen den Fingern.

»Wir können ja ein bißchen durch den Ort laufen«, schlug er schließlich vor.

»Wenn du magst«, sagte Tina steif.

Mario winkte dem Wirt. Er sah angespannt aus. Tina wußte, daß der Abend verdorben war. Es kam ihr vor, als habe jemand auf einen Schalter gedrückt und ein Licht ausgeknipst, und aus irgendeinem Grund ließ sich dieser Vorgang nicht rückgängig machen. Sie begriff nicht, womit sie Mario so verärgert hatte. Er kam ihr vor wie ein überempfindlicher, launischer Teenager im schwierigsten Alter, bei dem man jedes Wort auf die Goldwaage legen mußte. Und selbst Schweigen konnte verkehrt sein.

Michael wußte immer noch nicht, wie es Karen Graph gelungen war, ihn nach München zu schleppen. Sie hatten sich auf dem Hamburger Flughafen am Informationsschalter getroffen – Erkennungszeichen: ein zusammengerolltes *Hamburger Abendblatt* unter dem Arm –, und Michael sah seine schlimmsten Befürchtungen von der Wirklichkeit übertroffen. Die Frau war entsetzlich. Sie trug eine hellgrüne Sommerhose, deren Beine sie unten umgeschlagen hatte, dazu ein enges, gelbes T-Shirt mit dem aufgedruckten Frauenzeichen, dem Kreis mit dem Kreuz. Um ihren Hals wand sich eine dünne Lederschnur mit ein paar aufgefädelten Perlen; eine Art Indianerschmuck, dachte Michael gereizt. Karens nackte Füße steckten in ziemlich schmutzigen Turnschuhen. Sie hatte sich eine schwarze, riesige Tasche über die Schultern gehängt und schien unter deren Gewicht fast zusammenzubrechen. Über dem Arm trug sie eine Regenjacke in Neongrün. Das schlimmste, fand Michael, waren ihre Haare: Stoppelkurz geschoren und in einem fleckigen Rostrot gefärbt, erinnerten sie an eine Wiese nach einem Flächenbrand. Und warum hatte die Haut dieser Frau eine so bleiche, ungesunde Farbe? Michael dachte an die solariumgebräunte Dana. Die takelte sich zwar immer zu sehr auf und war keineswegs sein Fall, aber sie hatte Geschmack, was Farben anging, und wirkte zumindest gepflegt. Insgeheim nannte sich Michael einen kompletten Idioten, daß er sich zu diesem Abenteuer hatte überreden lassen.

Karen grinste bei seinem Anblick ironisch. »Sie sehen genauso aus, wie ich Sie mir vorgestellt habe! Tragen Sie *immer* Anzug und Krawatte?«

»Wenn es mir angemessen erscheint«, erwiderte Michael reserviert, und sie kicherte, als habe er einen Witz gemacht.

Beide wollten sie ihr Gepäck nicht aufgeben, sondern mit in die Maschine nehmen, und Michael bestand darauf, Karens unförmige Tasche zu tragen. Sie schien ihm ungewöhnlich schwer, und er fragte sich, was Karen alles eingepackt haben mochte. Sie erriet seine Gedanken. »Falls ich ein Gespräch aufzeichnen möchte, habe ich meinen Radiorecorder mitgenommen. Er ist uralt und leider riesig.«

»Halten Sie das wirklich für nötig?«

»Kein guter Journalist recherchiert ohne Aufzeichnungsgerät. Mein kleines Bandgerät funktioniert leider nicht mehr, also blieb nur das Ungetüm.«

Sie hatten einen längeren Aufenthalt bei der Gepäckkontrolle, weil der Radiorecorder natürlich auffiel und von einem Experten auseinander- und wieder zusammengebaut wurde, um sicherzugehen, daß kein Sprengstoff darin versteckt war. Michael fand die ganze Angelegenheit immer enervierender. Als sie endlich im Flugzeug saßen, vertiefte sich Karen sofort in ihre Zeitung. Sie ließ sich zweimal Kaffee nachschenken und schien äußerst guter Laune zu sein.

Michael hingegen starrte mißmutig aus dem Fenster. Wenn er sich nur nicht so albern, so kindisch, so dumm vorgekommen wäre! Und wenn da nicht gleichzeitig so viel Angst gewesen wäre. Denn unmittelbar, bevor er das Haus verließ, hatte er es noch einmal in Duverelle versucht, und noch immer hatte niemand abgenommen.

»Sie haben miese Laune, stimmt's?« fragte Karen kurz vor der Landung in München.

Michael sah keinen Anlaß, das abzustreiten. »Ja. Ich weiß nicht, warum ich mich habe überreden lassen, diese Reise anzutreten. Wir werden sowieso nichts von Interesse herausfinden, und mir ist diese Schnüffelei im Privatleben anderer Leute zuwider!«

»Ich habe das Gefühl, *daß* wir etwas finden werden«, behauptete Karen.

Michael seufzte. »Vermutlich handelt es sich um eine völlig harmlose Familie mit einem ebenso harmlosen Sohn. Wir sollten von der ganzen Sache niemandem etwas erzählen, sonst blamieren wir uns bis auf die Knochen.«

»Ach! Auf einmal? Darf ich Sie erinnern, daß *Sie* es

waren, der zuerst anfing, Mario für ein verdächtiges Subjekt zu halten? Sie haben es mir ja förmlich eingeredet!«

Michael konnte nicht umhin, das zuzugeben.

Karen fuhr fort: »Wenn wir wirklich nichts herausfinden – na ja, dann hatten wir einen netten Trip nach München! Ich wette, Sie sind seit Ewigkeiten nicht mehr verreist.«

»Die Gelegenheit hat sich nicht ergeben.«

»Sie leben sehr reglementiert, stimmt's?«

Ihr anzüglicher Ton ärgerte Michael. »Wenn Sie damit meinen, daß ich einer geregelten Arbeit nachgehe und nicht bis zum Nachmittag im Bett liege, dann haben Sie recht.«

»Hoppla«, sagte Karen, »jetzt bin ich Ihnen auf den Schlips getreten, oder? Wollen wir Frieden schließen?«

»Ich fühlte mich nicht im Krieg befindlich«, erwiderte Michael unterkühlt.

Er hatte für sie beide zwei Zimmer im Königshof bestellt. Sie kamen um sieben Uhr im Hotel an. Karen sagte, sie habe entsetzlichen Hunger, und wenn sie sich etwas wünschen dürfte, wollte sie im Bayerischen Hof essen. »Ich meine«, fügte sie hinzu, »wenn's Ihnen nicht zu teuer wird! Ich hab' leider keine Kohle. Aber ich könnte den Drink vorher bezahlen.«

»Schon in Ordnung. Sie sind mein Gast.«

»Okay. Ich ziehe mich nur schnell um. Zwanzig Minuten, ja?«

»Ja«, sagte Michael und betete insgeheim, sie möge nicht noch schlimmer daherkommen als zuvor. Als sie schließlich mit einiger Verspätung im Foyer erschien, atmete er erleichtert auf. Sie ließ noch immer jegliche Eleganz vermissen, und natürlich war an ihren Haaren einfach nichts zu ändern, aber sie sah zumindest halbwegs dezent aus. Sie trug einen cremefarbenen Knitterrock und

einen ärmellosen grauen Pullover darüber, statt des In-
dianerschmucks eine lange, feingliedrige Silberkette,
dazu passende silberne Ohrringe. Ihre Füße steckten in
schwarzen Sandalen mit jeweils einer Rosenknospe auf
der Spitze. Sie strahlte und hakte sich ungefragt bei ihm
ein.

»Ich bin schon eine Ewigkeit nicht mehr essen gegangen!« rief sie. »Schon gar nicht mit einem Mann.«

»Ich war auch schon lange nicht mehr essen«, sagte
Michael. Er lächelte. »Und schon gar nicht mit einer
Frau.«

»Ich habe schnell bei Peter angerufen. Meinem Freund
hier in München. Er kommt vielleicht auf einen Sprung
vorbei, dann können wir ihm schon mal berichten,
worum es geht.«

Obwohl sie im Trader Vic's nicht vorbestellt hatten, bekamen sie einen Tisch, und Karen vertiefte sich sofort in
die Speisekarte, wobei sie ein Gesicht machte wie ein Kind
beim Anblick des Christbaumes. Widerwillig dachte Michael, daß sie ihre netten Seiten haben mochte. Aber sie
war nie erwachsen geworden, kam mit dem Leben nicht
zurecht. Plötzlich rührten ihn ihre dünnen Arme, deren
Magerkeit jetzt in dem ärmellosen Pullover erst richtig
auffiel.

»Hat Dana schon einmal angerufen?« fragte er.

Karen schüttelte den Kopf. »Nein. Aber das ist zwischen uns auch nicht üblich. Ich mache mir um meine
Tochter nicht so viele Sorgen wie Sie sich um Ihre.«

»Ich denke, es wäre nicht übertrieben, einem jungen
Mädchen das Trampen zu verbieten.«

»Kann sein. Aber es *ist* übertrieben, ein junges Mädchen so zu beglucken, wie Sie das tun. Ich meine das jetzt
nicht böse, verstehn Sie? Es ist nur ... nur nicht mehr
zeitgemäß!«

»Kann sein«, sagte er, die gleichen Worte wie sie benutzend. Der Kellner brachte die Drinks und nahm die Essensbestellung auf. Als er fort war, sagte Karen: »Sie sind schon lange Witwer, nicht?«

»Seit sechzehn Jahren.«

»Haben Sie nie daran gedacht, wieder zu heiraten?«

Statt einer Antwort fragte er zurück: »Und Sie? Sie sind doch auch schon ziemlich lange geschieden.«

»Ich war nie verheiratet. Dana ist unehelich geboren. Sie war ein Unfall, für mich eine Katastrophe zuerst!« Sie bemerkte seinen Gesichtsausdruck und lachte. »Eben haben Sie gedacht: Typisch! Genau, was man von ihr erwartet. Ein uneheliches Kind, und das noch aus lauter Unachtsamkeit! Paßt doch ins Bild, nicht?«

»Es erstaunt mich nicht zu sehr, nein.«

»Hätte Ihnen nie passieren können, wie? Ich wette, Tina war auf die Minute geplant. Sie würden nicht mal im Bett die Kontrolle über sich verlieren.«

»Vermutlich nicht.«

»Danas Vater zahlt immer noch Geld für sie. Jeden Monat, obwohl ich nichts verlangt habe. Allerdings verdient er auch nicht schlecht. Ich meine, es tut ihm nicht weh, das kann man nicht sagen. Sein Geld ist meine Rettung. Meist hebt uns das gerade so über die Runden.«

»Warum arbeiten Sie nicht?«

»Oh – das ist eine gute Frage! Ja, warum wohl nicht? Ich krieg' keinen Job, das ist die beschissene Wahrheit!«

»Haben Sie sich bemüht?«

»Klar. Aber ich hab' einen schlechten Ruf in der Branche. Dana hat recht. Ich bin zu unzuverlässig, zu schlampig. Unpünktlich, pflichtvergessen. Und ich laufe herum wie eine Vogelscheuche.«

»Das ließe sich ja ändern«, sagte Michael vorsichtig.

Sie starrte ihn an. »Was?«

»Na, das alles. Pünktlichkeit und Zuverlässigkeit sind wirklich erlernbar.«

»Das sagen Sie so leicht. Für Sie war das bestimmt nie ein Problem. Ich wette, Sie kommen aus einer Offiziersfamilie. Ihr Vater war General oder Oberst oder so was!«

»Falsch, Wette verloren.« Er lächelte. »Mein Vater war protestantischer Pfarrer.«

»Das gibt's doch nicht!« Sie ließ den Strohhalm, den sie sich gerade genießerisch zwischen die Lippen geschoben hatte, aus ihrem Mund gleiten.

»Meiner auch!«

»Nicht zu fassen! Dann haben wir ja doch eine Gemeinsamkeit.«

»Einen Pfarrer als Vater zu haben ist in jedem Fall ein Problem«, sagte Karen, »wie man an uns sieht, nicht? Wir haben uns ziemlich extrem entwickelt. Ich denke . . .« Sie unterbrach sich, denn ein bärtiger, knapp fünfzigjähriger Mann in gestricktem Pullover trat an ihren Tisch.

Übriggebliebener Achtundsechziger, dachte Michael genervt.

Karen stieß einen Schrei aus, sprang auf und fiel dem Fremden um den Hals.

»Peter!« Sie küßte ihn ab und wandte sich an Michael. »Das ist Peter! Mein ehemaliger Kollege. Wir hatten eine saugute Zeit zusammen.«

Michael erhob sich höflich und gab Peter die Hand. Einen flüchtigen Moment lang bedauerte er, daß seine Unterhaltung mit Karen unterbrochen worden war.

Überraschenderweise hätte es ihn interessiert, mehr über sie zu erfahren.

Sie hatte keineswegs unbedingt in die Diskothek gewollt. Sie hatte lediglich auf deren Vorhandensein hingewiesen. Als sie das Restaurnat verlassen hatten, Mario noch immer in grimmiges Schweigen versunken, und die Straße überqueren, um zu ihrem Wagen zu gelangen, war Tina das fensterlose, flache Gebäude mit dem flimmernden »Discothèque«-Schild aufgefallen. Dröhnende Musik klang aus der Tür. Ein paar Jugendliche lungerten rauchend im Eingang herum, zwei kichernde Mädchen in Leggings und Stöckelschuhen kauerten auf der Bordsteinkante und beobachteten das Leben und Treiben ringsum.

»Schau mal, hier gibt es sogar eine Disko!« sagte Tina.

Mario nahm ihren Arm, sein Griff war eine Spur zu hart, um liebevoll zu sein. »Komm. Gehen wir hinein.«

»Wir müssen nicht . . .«

»Doch. Du wolltest doch noch irgendwo hingehen. Das sagtest du. Oder täusche ich mich? Sagtest du das nicht?«

»Es war ein Vorschlag. Aber nur, wenn du auch . . .«

Er hörte gar nicht weiter zu, sondern überquerte bereits die Straße, Tina hinter sich herziehend, direkten Kurs auf die Diskothek nehmend.

Im Grunde handelte es sich wirklich nur um einen Schuppen, klein, stickig, mit niedriger Decke. Mit ein paar simplen Lichteffekten hatte man eine Tanzfläche improvisiert, auf der eine Horde schwitzender junger Leute herumhüpfte. Die Luft war zum Zerschneiden. Die Musik dröhnte so laut, daß man kaum ein Wort miteinander würde wechseln können.

Mario schubste Tina fast auf einen der Stühle, dann ging er zur Bar und kehrte kurz darauf mit zwei hohen Gläsern zurück, in denen sich ein giftgrünes Getränk, jeweils ein Strohhalm und eine Papierpalme befanden.

»Was ist das?« fragte Tina.

Er hatte sie nicht verstanden. »Wie?«

Sie wiederholte ihre Frage schreiend. Er schrie zurück: »Ich weiß nicht! Ich habe gesagt, ich will etwas Starkes, und da hat er mir das gegeben!«

Schon mit dem ersten Schluck fuhr Tina ein heißer Strom durch alle Glieder. Das Zeug war so stark, daß sie völlig betrunken sein würde, wenn sie das Glas wirklich leerte.

»Lieber Gott«, sagte sie erschrocken, »da muß jede Menge hochprozentiger Rum drin sein!«

Auf eine – wie ihr schien – aggressive Weise trank Mario sein halbes Glas in einem Zug leer; er hatte Strohhalm und Papierpalme beiseite gelegt und kippte die Mixtur schwungvoll direkt in den Mund. Dann sah er Tina an. In seinen Augen glomm ein bösartiges Funkeln. »Na?« fragte er. »Amüsierst du dich?«

Sie zuckte mit den Schultern. »Nicht so toll hier.«

»Nicht so toll? Was soll das heißen? Du wolltest doch unbedingt hierher! Möchtest du tanzen?«

»Ich wollte *nicht* unbedingt hierher. Ich habe nur gesagt...«

Er sprang auf, zog sie von ihrem Stuhl, lief mit ihr zur Tanzfläche. Hier wurde die Luft um noch einige Grade stickiger, und es roch durchdringend nach Schweiß. Mario schien das nicht zu bemerken, zumindest störte es ihn nicht. Auf eine wilde, hektische Art fing er an zu tanzen, wobei seine Bewegungen ungewöhnlich abgehackt wirkten.

Er ist ein bißchen betrunken, dachte Tina, kein Wunder, so wie er dieses Zeug runtergeschüttet hat...

Sie fing ebenfalls an zu tanzen und war sich in den ersten Minuten ihres Körpers allzu bewußt, merkte, wie steif und ungelenk sie aussehen mußte. Aber nach und nach entspannten sich ihre Muskeln, sie hörte auf, über ihre Arme und Beine nachzudenken, überließ sich dem Rhythmus, versuchte nicht länger, ihre Bewegungen zu kontrollieren, sondern gab sich der Musik hin. Es war ganz einfach. Es war herrlich. Sie schloß die Augen. Das

Leben konnte sehr leicht sein, wenn man es nicht jede Minute im Griff haben wollte. Selbst in einem fensterlosen, heißen, musikdurchtosten Schuppen in Südfrankreich konnte es leicht sein, oder gerade da. War es das, was Dana so dringend brauchte, daß sie es immerzu suchte, daß sie es mitnahm, wo immer sie es bekam? Leichtigkeit und Vergessen. Das völlige Ausschalten quälender Gedanken.

Für einige Sekunden war ihr Dana sehr nah. So unmittelbar, so erschreckend nah, daß Tina die Augen aufriß und stehenblieb. Als hätte Dana die Hand nach ihr ausgestreckt...

Ihr gegenüber stand ein großer, dunkelhaariger Franzose. Er lächelte sie an. Unwillkürlich lächelte sie zurück.

Und dann ging alles sehr schnell: Mario war plötzlich neben ihr, und sein schönes, sanftes Gesicht war von Wut zu einer grotesken Fratze verzerrt. Er schoß auf den fremden Franzosen zu und schmetterte ihm die geballte Faust ins Gesicht, noch ehe dieser überhaupt begriff, was vor sich ging. Der Franzose ging zu Boden. Alle Tanzenden wichen zur Seite. Mario stürzte sich auf den am Boden liegenden jungen Mann und fing an, ihn gnadenlos mit den Fäusten zu traktieren, von allen Seiten, und ganz gleich, wohin er traf. Als der andere sich endlich zu wehren begann, blutete er bereits aus Mund und Nase und krümmte sich vor Schmerzen. Auf gespenstische Art wurde die schreckliche Szene von der buntes Licht versprühenden Kugel über der Tanzfläche zuckend beleuchtet.

»Aufhören!« schrie Tina. »Um Gottes willen, Mario, hör auf!«

Sie versuchte, Mario von seinem Opfer wegzuzerren, aber er hatte sich verkrallt wie ein tollwütiges Tier und schien Tinas Bemühungen nicht einmal zu bemerken. Der

Franzose hatte jede Gegenwehr bereits wieder aufgegeben; er versuchte nur noch, sich durch schwache Bewegungen mit Armen und Händen vor Marios umbarmherzigen Schlägen zu schützen.

»Helft ihm doch!« schrie Tina. Es war alles so schnell gegangen, daß die Umstehenden noch immer nicht richtig zu begreifen schienen. Keiner rührte sich.

»Helft ihm doch, verdammt! Helft ihm!« Sie brach fast in Tränen aus. »Er bringt ihn um!«

Obwohl niemand sie verstand, setzte ihre sichtbare Verzweiflung die Zuschauer endlich in Bewegung. Drei kräftigen Männern gelang es endlich, den tobenden Mario auf die Füße zu stellen. Er blieb stehen, machte keinen weiteren Versuch, den Franzosen erneut anzugreifen. Er atmete schwer, sein Gesicht glänzte naß vor Schweiß, und ein Büschel Haare fiel ihm tief in die Stirn, was ihm ein wildes, gefährliches Aussehen verlieh. Er schien keinen Kratzer davongetragen zu haben.

»Bist du wahnsinnig?« schrie Tina. Sie war außer sich vor Entsetzen. »Warum hast du das getan?«

Der junge Mann auf dem Boden hielt die Augen geschlossen, gab keinen Laut von sich, rührte sich nicht. Offenbar hatte er das Bewußtsein verloren. Sein ganzes Gesicht war blutverschmiert. Jetzt drängten sich alle um ihn, jeder versuchte zu helfen, sogar der verschlafene Barkeeper kam hinter seiner Theke hervor. Allerdings dachte niemand daran, Musik und Lichtorgel auszuschalten. Noch immer tobten die wilden Rhythmen durch den niedrigen Schuppen.

Mario starrte Tina an. »Du weißt genau, weshalb ich es getan habe. Du weißt es!«

»Du bist verrückt!«

Er packte sie am Arm. »Du kommst jetzt mit! Du wirst dich nicht länger von fremden Männern anlächeln lassen.

Hast du eigentlich eine Ahnung, wie du aussiehst? Wie du provozierst? Wie du dich anbietest?«

Zum ersten Mal hatte sie wirklich Angst vor ihm: eine echte, unkontrollierbare Angst, die hart an der Grenze zur Panik stand. Sie blickte sich hilfesuchend um, aber niemand achtete auf sie und Mario, alle waren nur mit dem regungslosen Mann auf dem Fußboden beschäftigt. Irgend jemand schrie etwas auf französisch, und Tina verstand soviel, daß ein Notarzt gerufen werden sollte. Der Barkeeper verschwand in einem Nebenraum, in dem sich vermutlich ein Telefon befand. Mario strebte, die sich sträubende Tina im Schlepptau, Richtung Ausgang.

»Du kannst jetzt nicht einfach abhauen!« Tina mühte sich vergeblich, ihn zurückzuhalten. »Du hast diesen armen Kerl halbtot geschlagen! Sie werden nach dir fahnden, wenn du jetzt wegläufst!«

Sie erreichte ihn nicht mit dem, was sie sagte, und sie hatte den schrecklichen Eindruck, daß sein eiliger Aufbruch keineswegs etwas damit zu tun hatte, daß er befürchtete, zur Rechenschaft gezogen zu werden. Ihm schien völlig unklar, daß etwas Unrechtes geschehen war. In seinen Augen hatte er nur getan, was nach Lage der Dinge getan werden mußte, und nun galt es, Tina so rasch wie möglich von diesem Ort der Verderbnis fortzubringen.

Das ist nicht mehr mit Tabletten zu entschuldigen, schoß es ihr durch den Kopf, das ist mit überhaupt nichts mehr zu entschuldigen.

»Mario, sei doch vernünftig! Du kannst nicht weglaufen. Ich werde nicht mitkommen!« Sie stemmte die Füße in den Boden wie ein störrisches Pferd, aber sie hatte seine Kraft unterschätzt und seine unvermindert anhaltende Gewaltbereitschaft. Er zerrte sie mit einem brutalen Ruck durch die Tür hinaus ins Freie, in die jetzt langsam einfallende Dunkelheit der Juninacht. Niemand hier draußen hatte etwas von dem mitbekommen, was drinnen in der Diskothek passiert war, und so machte auch hier keiner Anstalten, sie beide aufzuhalten. Ein paar gleichgültige Blicke streiften Tina, die von Mario eindeutig gegen ihren Willen vorwärts gezerrt wurde, jedoch schien sich niemand bemüßigt zu fühlen, einzugreifen. Das war eine Sache zwischen zwei Leuten, eine Eifersuchtsgeschichte vermutlich, und in derlei Dinge mischte man sich nicht ein. Vielleicht, wenn Tina um Hilfe geschrien hätte ...

Später in der Nacht sollte sie sich verzweifelt fragen, warum sie es nicht getan hatte: geschrien, so laut sie konnte. Es wäre ihr zu verrückt vorgekommen, zu albern und zu hysterisch. Und irgendwo hing es auch mit ihrer guten Erziehung zusammen. Man fiel nicht unangenehm auf der Straße auf. Schrie nicht herum wie ein Marktweib und machte seine Probleme nicht öffentlich. Zu guter Letzt: Was hätte es genützt? Sie hatte kein Geld dabei, hatte ihren Paß im Ferienhaus liegen lassen. Am Ende hätte sie doch mit Mario zurückfahren müssen.

Sie hatten das Auto erreicht, und er stieß sie grob auf den Beifahrersitz, knallte die Tür zu. In der Ferne meinte Tina die Sirene eines Krankenwagens zu hören. Aufstöhnend barg sie das Gesicht in den Händen.

Mario fiel neben ihr auf den Fahrersitz, verfehlte dreimal mit dem Schlüssel das Zündschloß, so gewaltsam versuchte er, ihn hineinzustoßen. Gleich darauf heulte der Motor wütend auf.

»Los, schnall dich an«, befahl Mario. Mit zitternden Händen befestigte Tina den Gurt.

»Wir hätten bleiben müssen«, sagte sie, »wenigstens sehen müssen, ob wir helfen können.«

»Wem helfen? Diesem Bastard, der dich angestarrt hat wie eine Hure?« Das Auto schoß rückwärts aus der Parklücke. Mario legte krachend den ersten Gang ein. Die Reifen quietschten.

Er ist verrückt. Er ist krank. Er ist vollkommen wahnsinnig.

In überhöhter Geschwindigkeit rasten sie aus dem Ort hinaus. Wäre ihnen irgend jemand vor den Wagen gekommen, Mario hätte keine Chance gehabt, zu bremsen. Aber niemand kreuzte ihren Weg, nicht einmal ein Polizist. Sie benahmen sich wie völlig betrunkene Verkehrsrowdys, aber niemand stoppte sie.

Unbehelligt verschwanden sie in der einsetzenden Nacht.

Auf den letzten Stufen zur Wohnungstür hörten sie das Telefon läuten. Andrew schloß, so rasch er konnte, die Tür auf und lief ins Wohnzimmer, aber gerade als er die Hand nach dem Telefonhörer ausstrecken wollte, verstummte das Klingeln.

»Zu spät«, sagte er.

Janet war ihm gefolgt und trat nun ebenfalls ins Zimmer. Sie blickte auf ihre Armbanduhr. »Es ist halb elf! Wer ruft denn um die Zeit noch an?«

Andrew zuckte mit den Schultern. »Keine Ahnung. Aber er wird es sicher wieder versuchen.«

Sie hatten viel früher von Cambridge zurücksein wollen, aber eine halbe Stunde vor London hatte es einen Unfall gegeben, und sie hatten eine Ewigkeit im Stau stehen müssen. Sie waren beide ziemlich erschöpft, als sie endlich ankamen.

»Möchtest du noch etwas trinken?« fragte Andrew nun.

Janet schüttelte den Kopf. »Ich glaube, ich will nur schlafen. Ich bin hundemüde.«

»In Ordnung. Ich komme auch gleich.«

Janet ging ins Schlafzimmer, zog sich aus, ließ ihre Sachen achtlos dort liegen, wo sie sie gerade abgestreift hatte. Als sie im Bad ihre Zähne putzte und dabei ihrem Spiegelbild begegnete, erstaunte sie die unvermittelte Blässe, die sich über ihre Wangen gelegt hatte. Sie wußte, warum sie sich auf einmal so elend fühlte, hätte aber nicht gedacht, daß man es ihr ansehen konnte. Ein Instinkt sagte ihr, daß der erfolglose Anrufer Phillip gewesen war. Er vermutete sicher, daß sie sich bei Andrew Davies aufhielt, und es hatte ihn wohl kaum Mühe gekostet, die Nummer herauszufinden. Er würde wieder anrufen, und irgendwann würde sie sich stellen müssen. Er hatte ein Gespräch verdient, eine Erklärung, eine Entschuldigung. Und Aufklärung darüber, wie ihre weiteren Pläne aussahen. Sie mußte ihn unterrichten, daß sie die Scheidung wollte. Nach fünfundzwanzig Jahren.

Ihr Magen krampfte sich plötzlich zusammen, und sie fürchtete schon, sich übergeben zu müssen. Es kam nicht soweit, sie atmete tief durch und legte beide Hände in einer beschwichtigenden Geste auf ihren Bauch.

Sie ging ins Schlafzimmer, legte sich ins Bett, löschte das Licht, aber auf einmal war ihre Müdigkeit verflogen und hatte einer nervösen Unruhe Platz gemacht. Sie wälzte sich von einer Seite auf die andere, schaltete schließlich das Licht wieder ein und schaute auf die Uhr. Viertel nach elf. Wo blieb nur Andrew? Sie stand auf und tappte, wie sie war – barfuß, in Slip und weißem T-Shirt – ins Wohnzimmer.

»Andrew?«

Alles blieb dunkel und still. Auch in der Küche war niemand. Janet überquerte den Flur, öffnete leise die Tür, die zu Andrews Arbeitszimmer führte.

Er saß am Schreibtisch, vor sich eine Akte, in deren aufgeschlagene Seiten er hineinstarrte, als warte er auf eine Offenbarung. Er bemerkte Janet nicht. Sie konnte sein von der Schreibtischlampe beleuchtetes Profil sehen und bemerkte, wie verspannt er sein mußte. Seine Lippen preßten sich aufeinander. Dann registrierte er wohl den Luftzug und schaute zur Tür. Zwischen seinen Augen stand eine steile, angestrengte Falte.

»Janet! Ich dachte, du schläfst schon!« Seine normale Stimme schien nicht recht zu seinem grimmigen Gesichtsausdruck zu passen. Nur langsam glätteten sich seine Züge.

»Ich kann nicht schlafen«, sagte Janet kläglich. Sie trat näher, schaute auf die Akte. »Was ist das?«

»Ach!« Mit einer entschlossenen Handbewegung klappte Andrew den Deckel zu. »Der Fall Corvey. Mein Problem heute abend.« Er stand auf, berührte mit dem Finger sacht Janets Wange. »Und welches ist deines?« fragte er leise.

»Phillip.«

Was sie sagte, verwunderte ihn nicht. Er nickte verstehend.

»Es ist . . . es gibt nichts, was ich ihm vorwerfen könnte. Absolut nichts«, sagte sie. In paradoxem Widerspruch zu ihrer Aussage klang ihre Stimme fast verzweifelt. »Er hat mir nie etwas getan. In mancher Hinsicht hat er . . . hat er mich besser behandelt als du.«

»Ich verstehe.«

»Trotzdem bindet mich nichts an ihn. Nicht einmal mehr unsere Kinder. Es ist so ungerecht!«

»Ach, Janet! Seit wann sind unsere Gefühle gerecht? Du bist doch keine Heilige!«

Sie schüttelte den Kopf, sah an Andrew vorbei zum Fenster, hinter dem die Nacht lag. »Es wird entsetzlich schwer werden«, sagte sie leise.

»Es wird auch entsetzlich schwer werden, mit einem

Beamten von Scotland Yard zu leben, der Depressionen bekommt, wenn er einen Verbrecher laufen lassen muß«, sagte Andrew. »Bist du sicher, daß du es willst?«

»So sicher, wie ich es schon früher war.« Ihre Stimme klang dumpf, weil Andrew sie plötzlich an sich gezogen hatte. Ihr Gesicht preßte sich in den Baumwollpullover, den er sich noch im Auto zum Schutz vor der Kühle des Abends übergezogen hatte. Sie konnte spüren, wie seine Hände unter ihr T-Shirt glitten, die Linie ihrer Hüften, ihrer Taille hinauf nachzeichneten. Er schob sie ein Stück von sich und umfaßte ihre Brüste. Sie keuchte leise. Seine Hände griffen fester und fordernder zu.

»Woran denkst du?« flüsterte er in ihr Ohr.

»An dich.« Es stimmte. Er mußte sie nur berühren, und sie vergaß Phillip von einer Sekunde zur anderen. Sie hob den Kopf, öffnete ihm ihre Lippen, nahm seine Zunge in den Mund. Das Schlimme war, daß er sie im Grunde nicht einmal anfassen mußte, um sie in diesen Zustand der Erregung zu versetzen. Es reichten ein Blick, seine Stimme, manchmal nur ein Bild, ein Geruch, eine Stimmung, die sie an ihn erinnerten. In den langen letzten achtzehn Jahren ohne ihn war es immer so gewesen. Ein After-Shave, dessen Duft sie im Vorbeigehen streifte und zumindest Ähnlichkeit mit den von ihm bevorzugten Marken aufwies: eine Stimme, die flüchtig an ihr Ohr drang und der seinen glich – immer sah sie sich dem Verlangen ausgeliefert, ihn sofort bei sich zu haben, auf der Stelle mit ihm zu schlafen. Er war der einzige Mann, bei dem sie von Sex in dunklen Straßenecken oder im Nebenzimmer einer turbulenten Party träumte; von Sex, der mit zerrissener Wäsche und Kratzspuren endete, der hastig, heftig, unkontrolliert und mit einem gewalttätigen Aspekt versehen war. Nie ersehnte sie das bei anderen Männern, auch wenn sie sie attraktiv fand, am allerwenigsten bei Phillip, der sich um die Vervollkommnung seiner Fähigkeiten als perfekter Liebhaber mit dem unermüdlichen Eifer eines strebsamen Schülers bemühte. Einmal hatte er – sie erwähnten es beide in stillschweigender Übereinkunft nie mehr in den folgenden Jahren – nach der Lektüre eines Artikels über heimliche masochistische Wünsche bei Frauen einen nächtlichen Überfall auf Janet inszeniert, hatte sich auf sie gestürzt und dabei die fauchenden Laute eines entfesselten wilden Tieres von sich gegeben, und Janet hatte nicht verhindern können, darüber einem Lachkrampf zu erliegen. Phillip war tief verletzt gewesen.

»Mach es doch einfach ganz normal«, hatte sie gesagt, als sie endlich wieder sprechen konnte, aber Phillip war wochenlang weder zu normalem noch zu ausgefallenem Sex in der Lage gewesen.

Irgendwie entledigte sich Andrew seiner Kleider, ohne dabei aufzuhören, Janet zu streicheln, mit den Lippen zu berühren. Er drängte sie auf das Sofa, das an der Längsseite des Zimmers neben der Tür stand und das noch aus seiner Studentenzeit stammte; stundenlang hatten sie sich seinerzeit darauf geliebt. Janet vernahm ein Geräusch von reißendem Stoff; Andrew hatte ihren Slip zerrissen, und gleich darauf war er auf ihr und in ihr, ohne daß ihr allzu bereitwilliger Körper Widerstand geleistet hätte. Sie stöhnte auf und sagte eine Menge Worte, an deren Sinn sie sich später nicht mehr erinnerte, und er sagte ebenfalls etwas zu ihr, mit scharfer Stimme, und auch davon wußte sie nachher nichts mehr. In ihrem Leib explodierte ein Feuer, und in den Flammen starb jedes Denken, jedes Empfinden jenseits dieses Raumes, jenseits dieses Mannes.

Erst viel später, als sie wieder klar zu denken vermochte und sich zurückerinnerte, kam ihr in den Sinn, daß es das

Eingeständnis ihrer Schuldgefühle gegenüber Phillip gewesen war, was Andrew wild gemacht hatte. Auf bewährte Weise hatte er sich in Sekundenschnelle seine Beute erneut gesichert.

Maximilian wußte, er hätte dem Schicksal dankbar sein müssen. Es schien ihm fast unwirklich, wie glatt und einfach er bis nach Südfrankreich gelangt war. Von Frankfurt aus hatte ihn ein Autofahrer bis in die Gegend von Karlsruhe mitgenommen, und dort war er auf einem Rastplatz auf eine deutsche Schulklasse gestoßen, die zu einer zweiwöchigen Klassenfahrt nach Avignon unterwegs war. Nach einigem Zögern hatten die zwei begleitenden Lehrerinnen zugestimmt, daß er mitkommen dürfe. Einfacher und komplikationsloser als im Gedränge von dreißig achtzehnjährigen Schülern, die zwar jünger waren, aber kaum jünger aussahen als er, hätte er gar nicht über die Grenze kommen können. Da er vermutete, daß gegen ihn bereits ein Haftbefehl lief, hatte er vor diesem Punkt der Reise größte Sorge gehabt, auch wenn die deutsch-französische Grenze zu jenen innereuropäischen Grenzen gehörte, an der nur noch stichprobenartige Kontrollen stattfanden. Aber es gab keinerlei Scherereien. Eine der Lehrerinnen sammelte alle Pässe ein, auch seinen, und drückte sie einem Grenzbeamten in die Hand; der Mann schaute flüchtig in ein paar Ausweise hinein, gab die Papiere dann zurück und winkte den Bus weiter. Es gab allerdings noch einen kritischen Moment, als die Lehrerin einzeln die Namen aufrief, um den jeweiligen Paß zurückzugeben.

»Mario Beerbaum!« Sie stockte, sah genauer hin. »Ihr Paß ist abgelaufen!«

Maximilian erkannte Mißtrauen auf ihrem Gesicht. Er mußte jetzt sehr überzeugend sein. »Ach Gott, dann hab' ich den falschen erwischt!« Er stand auf, ging durch den schmalen Gang schwankend nach vorne. Zögernd reichte sie ihm seinen Ausweis. Sie war jung und hübsch und hatte lange, rote Haare.

»Das kommt davon, wenn man die alten Dinger immer mit sich herumschleppt!« Er lächelte. Er wußte, daß Frauen bei seinem Lächeln dahinschmolzen. »Hoffentlich kriege ich keine Probleme bei der Rückfahrt!«

»Es finden ja sowieso kaum noch Kontrollen statt«, entgegnete sie. Das Mißtrauen auf ihrem Gesicht hatte sich aufgelöst. Er sah zu unbefangen aus, jungenhaft und arglos. Und zu schön. Er konnte erkennen, daß sie ihn attraktiv fand, daß seine Schönheit ihr kurzes Gefühl von Unruhe zerstreut hatte. So war es immer gewesen, bei beiden Brüdern. Die Menschen hatten sie wegen ihres Aussehens gemocht, hatten ihnen vertraut, hatten nicht daran gezweifelt, es mit netten, liebenswerten Jungen zu tun zu haben. Maximilian hatte das oft verwundert. Als ob Schönheit gleichzusetzen war mit Ehrlichkeit, fairem und anständigem Verhalten! Die Menschen lebten in Klischees. Sie erwarteten den Teufel in der Gestalt des Teufels, den Engel in der Gestalt des Engels. Sie begriffen nicht, daß das Tragen von Masken die Tagesordnung bestimmte.

Von da an lief alles ohne Probleme. Natürlich stand der fremde Gast im Mittelpunkt des Interesses der Schüler. Er war Mario, und er war ein Jurastudent im vierten Semester, und er konnte alle Fragen nach seiner Person beantworten, ohne sich in Widersprüche zu verwickeln.

Als sie Avignon erreichten, war es Nacht, und es fuhr kein Bus mehr nach Grasse. Maximilian wußte, wo der betreffende Bus abfuhr, denn einmal, vor vielen Jahren, war er mit Janet im Zug bis Avignon gefahren, und dann hatten sie den Bus weiter nach Grasse genommen. Wie alt mochte er gewesen sein? Zwölf oder dreizehn, erinnerte er sich. Damals war er wegen Schuleschwänzens aufgefallen, und Janet hatte beschlossen, sich für ein paar Wochen ganz ihm allein zu widmen und herauszufinden, wo die Gründe für seine Verweigerungshaltung lagen. Natürlich hatte das nichts gebracht. Ihre anteilnehmenden Fragen hatte er nur als aufdringlich empfunden und sich im übrigen verzehrt vor Heimweh nach seinem Bruder, der mit Phillip zu Hause geblieben war. Nach knapp zehn Tagen hatte Janet den Urlaub resigniert abgebrochen und die Heimreise angetreten. Wenn Janet gekränkt gewesen war, so hatte sie es nicht gezeigt, sie hatte sich vielleicht nur noch ein wenig mehr als vorher in sich zurückgezogen.

Maximilian fand heraus, daß er am nächsten Morgen um halb sechs Uhr die nächste Gelegenheit hatte, nach Grasse und dann weiter nach Duverelle zu kommen. Er suchte ein Bistro auf und ergatterte trotz der späten Stunde noch ein warmes Essen. In Avignon wimmelte es von Touristen, und niemand nahm Notiz von dem dunkelhaarigen Mann, dessen Hände stets leicht zitterten. Er merkte, daß sein Körper zusehends massiver auf den abrupten Tabletten-entzug reagierte, und betete, daß es nicht schlimmer wurde.

Am Busbahnhof setzte er sich auf eine Bank, versuchte zu schlafen. Die Nacht war sehr warm; dies und das kurz zuvor eingenommene Essen ließen Maximilian sich eini-germaßen entspannt fühlen. Nur das Zittern bedrückte ihn. Er war seinem Bruder so nah . . . Morgen konnte er sich überzeugen, daß alles in Ordnung war, und dann würde er sich stellen, und was dann kam, würde man sehen . . . Vielleicht könnte er . . . Aber da verwirrten sich bereits seine Gedanken, der Kopf fiel ihm auf die Brust, die Strapa-zen der letzten Tage überwältigten ihn, und er glitt von einem Moment zum anderen in tiefen Schlaf.

Sie waren stundenlang durch die Nacht gebraust, kreuz und quer, in gefährlich überhöhter Geschwindigkeit. Mario achtete nicht im geringsten darauf, wohin er fuhr, er jagte den Wagen über Landstraßen und über Feldwege, auf denen er von einem Schlagloch zum nächsten sprang und es den Anschein hatte, als müßten die Achsen des Autos jeden Moment brechen. Dann wieder tätigte Mario urplötzlich und aus dem rabiatesten Tempo heraus eine Vollbremsung, bei der er und Tina in die Gurte geschleudert wurden, daß sie nach Luft schnappten. Er riß das Steuer herum und raste den Weg zurück, den sie gerade erst gekommen waren, und dabei peitschte er den Wagen zu einer mörderischen Geschwindigkeit hoch, bei der sie unweigerlich ums Leben gekommen wären, hätte er nur für einen Augenblick die Kontrolle über das Fahrzeug verloren.

Am Anfang hatte Tina geschrien, hatte ihn angefleht, langsamer zu fahren, hatte um eine Erklärung gebettelt, hatte geweint. Nichts davon schien Mario zu erreichen. Er gab keine Antwort, zeigte keine Reaktion. Er starrte geradeaus in die Nacht, in den Augen einen fanatischen, wirren Ausdruck, der Tina schaudern ließ. Irgendwann hörte sie auf, mit ihm zu reden, sie barg ihr Gesicht in den Händen und betete lautlos, es möge ihnen niemand entgegenkommen, denn das hätte unweigerlich zu einem Unfall geführt. Dann irgendwann wurde ihr schlecht bei der Vorstellung, was passieren würde, wenn niemand diesen Wahnsinnigen am Steuer stoppen würde, und nun betete sie, es möge ihnen doch jemand begegnen, irgend jemand, am besten eine Polizeistreife. Als Mario wieder einmal eine Vollbremsung vollführte, hob sie den Kopf in der Hoffnung, er habe angehalten, weil sich ihnen jemand in den Weg gestellt hatte. Aber weit und breit war niemand zu sehen. Sie standen auf einer schmalen, steil bergauf führenden Straße, rechts von ihnen aufsteigende Felsen, links ein tiefer Abgrund, und Tina bemerkte voller Schrecken, daß er in die Berge gefahren war, in den Grand Canyon du Verdon, in dem es wimmelte von Schluchten und halsbrecherischen Serpentinenwegen.

»O Gott«, flüsterte sie.

Mario starrte auf das Amaturenbrett. »Wir haben nicht mehr viel Benzin«, sagte er. Es waren die ersten Worte, die er seit Stunden sprach, und angesichts des Irrsinns, in dem er sich befand, hatte der Realismus seiner Aussage beinahe etwas Erschreckendes.

»Wir sollten eine Tankstelle aufsuchen«, sagte Tina mit bemüht ruhiger Stimme. An einer Tankstelle konnte sie entkommen. Dort gab es Menschen, zumindest einen Tankwart. Sie würde ihn um Hilfe bitten. »Laß uns ins Tal zurückfahren und eine Tankstelle suchen.«

Mario warf ihr einen finsteren Blick zu. »Das werden wir nicht tun.«

Er verfiel in angestrengtes Grübeln, es war seinem Gesichtsausdruck anzusehen. Der Motor lief noch.

»Mach doch den Motor aus«, bat Tina zaghaft, »wir verbrauchen doch immer noch mehr Sprit!«

Er schien sie wieder einmal nicht zu hören. Tina erwog, die Tür aufzustoßen, hinauszuspringen und davonzurennen. Sie hatte keine Ahnung, wo genau sie sich befanden, aber wenn sie immer bergab lief, mußte sie irgendwann auf Menschen stoßen. Doch würde sie so weit kommen? Mario war kräftiger als sie, vermutlich auch schneller, in seiner Wut noch entschlossener und stärker als gewöhnlich. Und nicht mehr zurechnungsfähig. Vielleicht schlug er sie tot, wenn er sie erwischte. Sie durfte nichts tun, was seinen Zorn steigern konnte.

»Ich weiß, wohin wir fahren,« sagte Mario plötzlich. Seine Stimme klang völlig normal. Sie hätten ein ganz

gewöhnliches, junges Liebespaar sein können, das überlegte, wie ein gemeinsamer Sonntagnachmittag gestaltet
werden könnte.

»Wohin fahren wir denn?« fragte Tina. Sie bemühte
sich, ebenfalls ganz normal zu klingen, aber sie hatte nicht
den Eindruck, daß es ihr gelang. Ihre Stimme hörte sich
an, als habe sie Watte im Mund.

Er antwortete nicht, sondern fuhr los. Er schien genau
zu wissen, wohin er wollte, und auch, wie er dort am
besten hinkam, denn er fuhr mit schlafwandlerischer Sicherheit über die Serpentinenwege, und zum Glück hatte
er inzwischen auch das Tempo gemäßigt; es war, als habe
sich mit dem Bewußtsein, ein Ziel für diese nächtliche
Fahrt zu haben, der Krampf in ihm gelöst, als sei ein
innerer Frieden über ihn gekommen. Auch sein Gesicht
war ruhiger. Er bog in einen schmalen Feldweg ab, der
steil bergauf führte. Der Wagen rumpelte hin und her, sosehr sich Mario auch bemühte, die schlimmsten Unregelmäßigkeiten zu umfahren. Tina spähte angestrengt hinaus, versuchte, irgendeinen Anhaltspunkt dafür zu entdecken, wo sie sich befanden. Auf jeden Fall nicht auf
dem Weg zum Haus. Sie fuhren nur immer weiter in die
Berge hinein.

Wo schleppt er mich hin? dachte sie panisch. In welche
gottverdammte Einsamkeit bringt er mich?

»Mario . . . « Ihre Stimme klang schrill.

Er wandte den Kopf zu ihr. Seine Augen blickten leer.
»Ja?«

»Mario, wohin fahren wir?«

»In unser Zuhause.«

»In unser . . . meinst du, zum Ferienhaus zurück?« Es
schien ihr auf einmal als der begehrenswerteste Ort der
Welt. Dort gab es Nachbarn. Sie konnte schreien, und
man würde sie hören. Sie würde nicht noch einmal so

dumm sein, den Mund zu halten. Sie würde kreischen, bis das Glas zersprang. Vielleicht . . . vielleicht nahm er gerade nur eine verrückte Abkürzung? Sie wußte selbst, daß sie sich einer absurden Hoffnung hingab.

Er warf ihr einen langen, eigentümlichen Blick zu. »Dort ist nicht unser Zuhause.«

»Wo ist es dann?«

Mario antwortete nicht. Sie machte einen erneuten Versuch. »Ich . . . ich will gerne mit dir in unser . . . Zuhause, Mario. Es ist nur . . . alle meine Kleider sind noch im Ferienhaus, und meine . . . meine Zahnbürste . . . Könnten wir nicht rasch dort vorbeifahren und unsere Sachen holen? Es . . . es würde ja nicht lange dauern . . .« – Bitte, lieber Gott, laß mich ihn überzeugen.

Mario antwortete wiederum nicht. Er machte plötzlich ein angestrengtes Gesicht, so, als lausche er auf etwas.

»Hörst du?« fragte er.

Im ersten Moment wußte Tina nicht, was er meinte, aber dann vernahm sie das leise Stocken und Tuckern im Motor, und im nächsten Moment wurde es auch schon deutlich: Das Auto gab noch ein paar bellende, würgende Geräusche von sich, stotterte ein Stück voran, blieb dann abrupt stehen. Der Benzintank war leer.

Jetzt zögerte Tina nicht länger: Sie riß die Beifahrertür auf und sprang hinaus in die Dunkelheit.

Sie rannte bergab, in die Richtung, aus der sie gekommen waren. Sie wußte, daß es hier weit und breit keine menschliche Siedlung gab, aber wenn es ihr gelang, genügend Abstand zwischen sich und Mario zu legen, kam ihr vielleicht die Dunkelheit zu Hilfe. In der Nacht konnte sie untertauchen, aber dazu mußte sie ihren Verfolger abschütteln. Sie fühlte sich extrem gehandicapt durch ihre dünnen Sandalen, das denkbar schlechteste Schuhwerk für eine steile Geröllhalde. Sie rutschte und stolperte, fiel zweimal hin, konnte sich jedoch jedesmal wieder aufrappeln.

Hinter sich hörte sie Mario schreien: »Bleib stehen! Bleib sofort stehen!«

Sie beschleunigte ihr Tempo noch. Sie konnte ihr Herz hämmern, das Blut in ihren Ohren rauschen hören. Ihr Atem ging keuchend. Und dann plötzlich verlor sie erneut das Gleichgewicht, ihr rechter Fuß knickte am Knöchel um, ein scharfer Schmerz schoß ihr Bein hinauf, und mit einem Aufschrei fiel sie zu Boden.

Sie merkte nicht, daß sie sich Arme und Beine blutig schürfte. Sie krümmte sich zusammen, wissend, daß sie verloren war.

Er hatte sie im Nu erreicht und zerrte sie in die Höhe. Seine Hände hielten ihre Oberarme umklammert wie eiserne Zangen.

Tina schrie erneut. »Mein Fuß! Ich kann nicht stehen, Mario! Laß mich los!«

Der Schmerz im Knöchel sandte glühende Pfeile das Bein hinauf. Mario scherte sich einen Dreck darum. Mit der linken Hand hielt er sie weiterhin fest, mit der rechten holte er aus und schlug sie ins Gesicht, wieder und wieder. »Du wirst mir nicht noch mal weglaufen, elendes, kleines Flittchen! Ich bring' dich um, wenn du's noch mal tust, ich schwöre dir, ich bring' dich um!«

Mit ihrem freien Arm versuchte Tina, ihr Gesicht vor den Schlägen zu schützen, aber sie hatte keine Chance gegen den rasenden Mario; zudem meinte sie, jeden Moment vor Schmerzen ohnmächtig zu werden. Ihr Fußgelenk mußte zumindest angebrochen sein. Sie schluchzte und wimmerte und spürte dabei, daß ihre Wangen heiß wurden und wie Feuer brannten.

»Tu das nicht, Mario, bitte!«

Er hielt sie nicht mehr fest, und sie sackte zu Boden,

krümmte sich zusammen wie ein Embryo. Sie hörte ihn keuchen. Er hatte aufgehört, sie zu schlagen.

»Steh auf!« Seine Stimme klang wie aus weiter Ferne. »Wir haben noch ein ganzes Stück Weg vor uns!«

»Ich kann nicht«, murmelte sie in den Staub des Weges hinein, zu leise, als daß Mario sie hätte hören können. Sie spürte seine Hände an ihren Schultern und schrie unwillkürlich abermals auf, krümmte sich noch enger zusammen.

»Ich tu dir nichts«, sagte er. Diesmal zog er sie sehr vorsichtig in die Höhe, stellte sie auf ihre Beine. Sie verlagerte sofort ihr Gewicht auf den gesunden Fuß, während ihr vor Schmerz die Tränen in die Augen schossen.

»Ich glaube, ich brauche einen Arzt«, stieß sie hervor.

Er strich ihr die langen, wirren Haare zurück, berührte sanft ihr brennendes Gesicht. »Deshalb?«

»Nein. Mein Fuß. Als ich gestürzt bin . . . er ist bestimmt angebrochen . . . «

Er beugte sich hinunter und betastete vorsichtig ihren nackten Knöchel. Sie schaute auf seinen gesenkten Kopf hinab. Im Film, oder wenn sie einfach eine ungewöhnlich starke und entschlossene Frau gewesen wäre, hätte sie ihn jetzt mit einem Schlag ins Genick zu Fall gebracht und außer Gefecht gesetzt. Aber womit? Mit der bloßen Faust? Dies zu tun überschritt ihre Möglichkeiten, nicht nur ihre körperlichen, das wußte sie. Das Äußerste, dessen sie fähig war, hatte sie versucht; sie hatte die sich für einen Moment bietende Gelegenheit zur Flucht genutzt und war gescheitert. Von nun an konnte sie nur noch versuchen, ihn durch Fügsamkeit bei Laune zu halten.

Mario richtete sich wieder auf. »Ich glaube nicht, daß etwas gebrochen ist«, sagte er, »aber sehr schlimm verstaucht. Wenn du dich auf mich stützt, meinst du, du kannst laufen?«

»Ich weiß nicht . . . kann ich nicht im Auto warten, und du holst Hilfe?« Sie bemühte sich, so zu wirken, als habe sie keinesfalls vor, einen erneuten Fluchtversuch zu wagen, sondern als sorge sie sich wirklich nur um ihren schmerzenden Fuß. Aber sie sah bereits, daß sich seine Miene verfinsterte.

»Nein«, sagte er, »wir bleiben zusammen. Wir müssen doch nach Hause.«

»Ich habe schreckliche Schmerzen, Mario. Ich will ja auch mit dir nach Hause, aber vielleicht könnte vorher ein Arzt . . . «

»Nein!« Das klang hart und bestimmt. »Ich werde mich um deinen Fuß kümmern. Wir haben noch ein Stück zu laufen, aber das wirst du schon schaffen. Warum mußtest du auch wegrennen? Dann wäre das alles nicht passiert!«

Die Besorgnis, die er gerade noch gezeigt hatte, war schon wieder verschwunden. Er wirkte etwas verärgert und sehr unnachgiebig, so, als könnte ihn das geringste falsche Wort gefährlich reizen. Er war wieder zu einem unberechenbaren Feind geworden, der jeden Moment erneut die Beherrschung verlieren konnte. Tina legte ihren rechten Arm um seinen Hals, er seinen linken um ihre Mitte. So gestützt konnte sie sich mit einiger Mühe vorwärts bewegen, wenn auch der Schmerz noch immer tobte und es sie schauderte beim Gedanken an einen langen, steinigen Aufstieg.

Voller Angst fragte sie sich, als was sich das »Zuhause« entpuppen würde und was Mario dort mit ihr vorhatte.

Der Morgen verhieß einen heißen, wolkenlosen Tag. Es war kurz nach acht Uhr, als Maximilian in Duverelle aus dem Bus stieg, und schon zu dieser frühen Stunde stand das Thermometer auf siebenundzwanzig Grad. Als gleißend helle Scheibe kletterte die Sonne am östlichen Horizont in den Himmel. Ein Windhauch wirbelte Staub von der Straße auf und trug einen intensiven Geruch nach Rosmarin mit sich.

Maximilian ging langsam an den wenigen weißen, kleinen Häusern entlang, überquerte den Marktplatz, auf dem die Bauern der Umgebung dabei waren, ihre Stände für den heutigen Markttag aufzubauen. Es roch nach frisch gebackenem Brot und nach Gewürzen der Provence. Er hatte es nicht eilig, denn nun, fast am Ziel, wurde er immer unsicherer, was er tun sollte. Hatte Mario ein Mädchen bei sich? Und wenn ja, so hatte er ihm sicherlich nichts von der Existenz eines Zwillingsbruders erzählt. Er würde ein riesiges Durcheinander anrichten, wenn er jetzt plötzlich auftauchte. Konnte er einfach hineinschneien und »Hallo, hier bin ich!« sagen? Sein Bruder wäre entsetzt und vielleicht wütend, das Mädchen – so es ein solches gab – bekäme den Schreck seines Lebens.

Zudem sah er auch noch ziemlich anstößig aus; einer der Bauern stellte alte Möbel zum Verkauf, und in einem silbergerahmten Spiegel konnte sich Maximilian kurz mustern. Er fühlte sich ziemlich entmutigt. Die grauen Schatten eines stoppeligen Drei-Tage-Barts bedeckten sein Gesicht. Die Augen waren gerötet vor Müdigkeit. Er wirkte schmutzig und zerknittert, hungrig und ausgelaugt. Sowie er die Hände aus den Taschen seiner Lederjacke zog, wurde deutlich, daß sie heftig zitterten. Er fand, daß er aussah wie ein entsprungener Sträfling, und erst als er diesen Gedanken zu Ende gedacht hatte, fiel ihm auf, daß er in gewisser Weise genau das war.

Als er am Ferienhaus anlangte, überkam ihn ein wehmütiges und zugleich friedvolles Gefühl. Das Haus aus weißgrauen Steinen, das da im Schatten hoher Kirschbäume träumte, war ihm vertraut seit frühester Kindheit. Es stand für Familienferien weitab von Alltagssorgen und Problemen, für heitere, lange, heiße Sommertage, Grillabende im Garten, Streifzüge durch die Lavendelfelder und stundenlanges Träumen in den Wiesen voller Mohn, für lange Gespräche und sorgloses Gelächter. Es stand für alles, was hätte sein können, was ihr Leben hätte ausmachen können. Für alles, was sie verloren hatten.

Es lag friedlich und wie schlafend in der Morgensonne, die sich in den nach Osten gerichteten kleinen Fensterscheiben blitzend spiegelte. Der taubenetzte Garten schien eine blühende Oase. Auf der vorderen Veranda standen zwei Liegestühle, darauf lagen noch die weißgelb gestreiften Sitzkissen, über der Lehne des einen hing ein blaues T-Shirt. Ein Bild unbekümmerter Ferienfreude. Nichts deutete auf das geringste Problem hin.

Und doch verstärkte sich plötzlich das Gefühl der Furcht und Beklemmung, das Maximilian die ganze Reise überhaupt hatte antreten lassen. Er schaute sich um, suchte nach etwas, das seine Sorge handfest untermauern würde, einen Hinweis darauf, daß etwas nicht in Ordnung war. Überrascht stellte er dabei plötzlich fest, daß kein Auto in der Einfahrt parkte.

Er umrundete das Grundstück, um zu sehen, ob Mario seinen Wagen vielleicht anderswo abgestellt hatte, aber er konnte das Fahrzeug an keiner Stelle entdecken. Das erstaunte ihn sehr, denn er war überzeugt gewesen, daß Mario die Reise mit dem Auto angetreten hatte. Hatte er sich auf einmal für eine Zugfahrt entschieden? Maximilian schüttelte den Kopf. Sie waren beide ein wenig klaustrophobisch veranlagt, fuhren nicht gerne Zug. Sein Bruder noch weniger als er. Freiwillig würde er es nicht tun.

Wieso fehlte das Auto zu dieser frühen Stunde? Vielleicht war Mario ins Dorf gefahren? Bei dem kurzen Weg etwas absurd, aber man konnte nie wissen. Vielleicht fehlte irgend etwas zum Frühstück. In diesem Fall mußte er jeden Augenblick zurückkommen. Warum glaubte er nur nicht an diese Theorie?

Zögernd öffnete er das niedrige Gartentürchen. Zwischen den unregelmäßig geformten Steinplatten, die zur Haustür führten, wucherte das Unkraut. Der Mann, den sie für die Wartung des Grundstücks bezahlten, schien sich nicht gerade zu überschlagen vor Eifer. Aber wer sollte es ihm übelnehmen, wofür sollte er sich abstrampeln? Wie lange hatte sich keiner von der Familie blicken lassen!

Maximilian spähte durch ein kleines Fenster neben der Tür in den Flur. An der Garderobe hingen zwei leichte Anoraks, ein Paar Schuhe – eindeutig Damenschuhe – lag hingepfeffert unter dem Tisch. Er hatte recht gehabt. Sein Bruder war nicht allein. Er hatte ein Mädchen bei sich.

Dicht an der Wand entlang bewegte er sich um die Ecke zum Wohnzimmerfenster, schaute auch dort hinein. Ein paar Zeitschriften auf dem Sofatisch, ein leeres Glas auf dem Fernseher. Auf dem Teppich knäulte sich Schokoladenpapier. Diese Spuren von Unordnung wiesen auf das Mädchen hin; Mario hätte nie Papier auf den Boden geworfen, ein Glas im Wohnzimmer stehen lassen. War es gut oder schlecht, daß das Mädchen schlampig war? Zumindest gab es der Szenerie einen angenehmen Anstrich von Normalität.

Ich werde warten, beschloß Maximilian, es ist noch sehr früh am Morgen, und ich werde einfach warten, was geschieht.

Er entschied sich für einen Platz im Gras hinter wuchernden Rosmarinhecken. Hier konnte ihn niemand entdecken, aber wenn er um das Gebüsch herum spähte, hatte er den direkten Blick auf das Haus. Kaum eine Bewegung dort dürfte ihm entgehen.

Er streckte sich im taufeuchten Gras aus. Die Nacht auf der Bank in Avignon steckte ihm noch in den Knochen. Nur einen Moment, einen kurzen Moment wollte er sich hinlegen... Er schlief fast von einem Augenblick zum anderen ein.

»Peter hat sicher im Handumdrehen heraus, wo die Beerbaums früher in München wohnten«, sagte Karen, »dann können wir uns in der Nachbarschaft umhören. Er hat mich gefragt, ob er weitere Nachforschungen anstellen soll, aber ich habe gesagt, das machen wir selber. Für irgend etwas müssen wir ja diese Reise unternommen haben, nicht?«

Sie saß mit Michael im Frühstücksraum des Hotels und hatte sich vom Buffet geholt, was sie nur ergattern konnte. Der ganze Tisch war zugestellt mit Tellern und Schüsseln. Sie schien entschlossen, jede einzelne Müslisorte, jedes Obst, jeden Quark, jedes Brot zu probieren, nicht eine Art von Käse, Wurst und Marmelade auszulassen. Michael, der sich eine Semmel, ein weiches Ei und zwei Scheiben Käse geholt hatte, rückte seinen Teller und seine Untertasse so eng er konnte zusammen.

Typisch, dachte er ärgerlich, sie ist und bleibt rücksichtslos.

Mit einer einladenden Geste wies Karen auf den Tisch. »Sie können sich von alldem natürlich auch bedienen, Michael. Sie wollen doch nicht nur auf diesem armseligen Brötchen herumkauen, oder?«

»Ich habe morgens nicht viel Hunger.«

»Ich normalerweise auch nicht. Aber so ein Buffet macht mich immer total verrückt!« Sie hatte ein glückliches Leuchten in den Augen, während sie ihre Schätze musterte und überlegte, womit sie anfangen sollte. Wie immer, wenn sie plötzlich wie ein begeistertes Kind wirkte, löste sich Michaels latente Gereiztheit ihr gegenüber in Luft auf. Sie hatte etwas, das ihn rührte. Sogar heute früh, obwohl sie schauderhaft aussah und ihn mit ihrer Raffgier am Buffet blamiert hatte. Das Getuschel und Grinsen der Gäste ringsum war ihm nicht entgangen. Ihr natürlich schon. Flüchtig fragte er sich, ob er ihre völlige Gleichgültigkeit gegenüber der Meinung anderer Leute bewundern oder verachten sollte.

Sie schob sich einen übervollen Löffel Quark mit Pfirsichen in den Mund und verdrehte die Augen. »Göttlich! Wollen Sie?« Sie tauchte den Löffel wieder ein und streckte ihn Michael entgegen.

Der wich zurück. »Danke. Jetzt nicht.«

Sie musterte ihn aufmerksam. Er sah müde aus, frustriert, von Sorgen geplagt. »Haben Sie noch mal versucht, Tina zu erreichen?« fragte sie.

»Gestern nacht noch. Und heute früh. Zu völlig unchristlichen Zeiten also. Was den Grad meiner Besorgnis anzeigt. Normalerweise würde ich mir eher die Zunge abbeißen, als jemanden aus dem Schlaf zu klingeln.« Er seufzte und wartete auf eine spöttische Bemerkung, aber zu seiner Überraschung nutzte Karen die Gelegenheit nicht.

»Ja«, sagte sie, »für Ihre Verhältnisse tun Sie schon recht seltsame Dinge. Allein, daß Sie hier mit mir in München sind . . . Äußerst ungewöhnlich für Sie, nicht?«

»Ja. Ich fühle mich auch nicht besonders wohl.«

Über den Tisch hinweg berührte sie kurz seinen Arm. »Hey, Herr Staatsanwalt! Wir tun nichts Unrechtes!«

»Wir schnüffeln. Wir spionieren. Wir stecken unsere Nasen in die Angelegenheiten anderer Leute. Sie sind Journalistin und haben sicher eine andere Mentalität. Aber mir widerstrebt das zutiefst.«

»Sie haben aber Angst um Ihre Tochter. Und Ihnen ist dieser Mario suspekt.«

Michael schob seinen Teller zurück, um den Millimeter, der noch frei war. Er hatte keinen Appetit mehr. »Karen, ich weiß es nicht«, sagte er müde, »vielleicht habe ich mir etwas eingeredet. Und einreden lassen. Ich . . . ich war zu lange mit Tina allein. Daß ich hier sitze und Detektiv spiele, ist das Ergebnis meiner Eifersucht und ununterbrochenen Wachsamkeit meiner Tochter gegenüber. Ich komme mir lächerlich vor.«

»Und warum geht niemand ans Telefon?«

»Vielleicht weiß Tina, daß ich der Anrufer bin, und das nervt sie.«

Mit energischem Schwung köpfte Karen ein Ei und kippte eine Unmenge Salz hinein. »Ich werde nachher allein losgehen, um die Nachbarn zu befragen«, sagte sie. »Sie stehen das nicht durch und verschrecken uns die Leute noch. Sie bleiben hier. Warum gehen Sie nicht in die Hotelbar? Vielleicht lernen Sie was Nettes kennen?«

Er warf ihr einen Blick zu, der sie verlegen die Augen senken ließ.

»Sorry«, sagte sie nur.

Sie holte ihn ein, als er gerade die Autotür aufschloß. Er sah sie erstaunt an. »Wir hatten doch ausgemacht, daß du hierbleibst«, sagte er.

Janet schüttelte den Kopf. Ihre Haare waren noch naß vom Duschen. In diesem Zustand und im Licht des Morgens sahen sie aus wie frisch poliertes Silber. »*Du* hast beschlossen, daß ich hierbleibe.«

»Du hattest zugestimmt.«

»Ich hab's mir anders überlegt.«

Andrew musterte sie von Kopf bis Fuß und lächelte. »Alle Achtung«, sagte er, »du kannst ja schnell sein wie der Teufel!«

Als er sich drei Minuten zuvor von ihr oben an der Wohnungstür verabschiedet hatte, war sie noch im Bademantel gewesen. Jetzt trug sie Jeans und ein ungebügeltes weißes T-Shirt, das sie oberflächlich in die Hose gestopft hatte; hinten hing es noch heraus. Über ihren Schultern lag ein grauer Wollpullover, dessen Ärmel sie über der Brust verknotet hatte. Ihre nackten Füße steckten in schwarzen Abendsandalen mit Goldschnalle, offenbar das erstbeste Paar, da ihr in der Eile in die Hände gefallen war. Ihr ungeschminktes Gesicht wirkte unter dem nassen Haar sehr jung. Statt einer Handtasche hatte sie sich einen Lippenstift, Wimperntusche und einen Eyeliner geschnappt und hielt diese Gegenstände Andrew mit einer triumphierenden Geste in der offenen Hand entgegen. »Den Rest mach' ich im Auto! Ich hab' alles dabei!«

Er kapitulierte. Er hatte sie unter keinen Umständen dabeihaben wollen, wenn er nun während der folgenden Stunden eine bittere und schmerzliche Niederlage würde einstecken müssen. Doch nun dachte er, daß sie so oder so wußte, wie ihm zumute war, und daß er seinen albernen Stolz aufgeben konnte. Er hatte sie am Tag zuvor in Cambridge gefragt, ob sie seine Frau werden wollte, was bedeutete, er hatte sie gebeten, Teil seines Lebens zu werden. Auf die Dauer konnte und wollte er *diesen* Aspekt seines Lebens – seinen brennenden Ehrgeiz, seine tiefe, schmerzende Verletztheit, wenn ihm etwas mißlang – vor ihr nicht verbergen.

Als ahnte sie, was er dachte, sagte sie: »Ich will dich *ganz* kennen, Andrew. Nicht nur die angenehmen und unkomplizierten Seiten.«

Er kam um das Auto herum, schloß die Beifahrertür auf und öffnete sie. Sie würden ein lustiges Paar abgeben im Gerichtssaal: er im dunklen Anzug und Krawatte, sie in ihrem zerknitterten Aufzug mit den völlig unpassenden Sandalen an den Füßen. Der Gedanke ließ ihn lächeln und entspannte seine Züge.

»Ich hoffe«, sagte er, »die Begegnung mit meinen Schattenseiten wird dich nicht zu sehr erschrecken.«

Sie lachte und küßte ihn, und sie hielt es in diesem Augenblick für völlig ausgeschlossen, daß irgend etwas an ihm sie jemals ernsthaft würde erschrecken können.

Die Rosmarinhecke hatte viele Stunden lang Schatten gespendet, aber nun war die Sonne weiter gewandert und stand an ihrem höchsten Punkt, sandte ihre Strahlen senkrecht zur Erde. Maximilian erwachte davon, daß ihm unangenehm heiß wurde. Er rieb sich die Augen, setzte sich auf und blickte dann auf seine Uhr. Es war fast halb eins am Mittag. Wie hatte er nur so lange schlafen können?

Voller Ärger auf sich selbst kroch er an den Rand des Gebüschs und sah zum Haus hinüber. Es lag in derselben Ruhe – und Verlassenheit? – wie am frühen Morgen. Nichts auf der Terrasse hatte sich geändert, nirgendwo war ein Fenster geöffnet worden. Und noch immer stand kein Auto in der Einfahrt.

Er stand auf und verzog das Gesicht, denn seine Knochen schmerzten nach dem langen Liegen auf dem harten Boden. Entschlossen durchquerte er den Garten, für jeden sichtbar, der jetzt aus einem der Fenster geblickt hätte. Aber er war jetzt sicher, daß sich niemand im Haus aufhielt, daß auch während der Stunden, die er unverzeihlicherweise in tiefem Schlummer verbracht hatte, niemand gekommen und gegangen war. Das Haus war leer, und das schon die ganze Nacht, und vielleicht auch länger. Aber sein Bruder und das Mädchen hatten nicht einfach ihr Reiseziel geändert, sie *waren* hier gewesen. Und wohin immer sie gegangen waren, sie hatten vorgehabt, zurückzukehren. Mario hätte niemals die Kissen und das T-Shirt draußen liegen lassen. Anderen Leuten hätte das möglicherweise nicht gereicht als Beweis für die Absicht, wiederzukommen, aber Maximilian, der seinen Zwilling kannte wie niemand sonst, zweifelte keinen Moment an der Richtigkeit seiner Schlußfolgerung. Sie hatten zurückkehren wollen. Warum taten sie es nicht?

Die Terrassentür öffnete sich, als er zaghaft dagegendrückte. Man hatte sie zwar geschlossen, innen aber den Griff, der sie verriegelt hätte, nicht zur Seite gedreht. Eine Unachtsamkeit vermutlich, die sich aber in diesem Dorf kaum als verhängnisvoll erweisen konnte. Soviel Maximilian wußte, war hier noch nirgendwo eingebrochen worden oder etwas gestohlen worden.

Er ging durch das Wohnzimmer, spähte in die Küche. Sie war einigermaßen aufgeräumt, aber das gespülte Geschirr stand noch im Abtropfgitter und nicht in den Schränken. Auf dem Tisch lagen ein paar französische Geldscheine und ein Umtauschformular der Bank. Auf der kleinen, schattigen Veranda, hier an der Rückseite des Hauses, standen ebenfalls Liegestühle; auf einem von ihnen lag ein Buch.

Maximilian verließ die Küche und stieg langsam die

knarrende Treppe zum ersten Stock hinauf. Im Bad entdeckte er sofort eine Reihe weiblicher Utensilien, eine weiche Haarbürste, ein Täschchen mit Schminkstiften, eine Hautcreme, eine Reinigungsmilch. Dinge, die eine Frau kaum zurückließ, wenn sie vorhatte, über Nacht wegzubleiben. Auch die Zahnbürsten standen in ihren Gläsern. Maximilian runzelte die Stirn.

Er inspizierte Marios Zimmer, betrachtete Janets Photographie auf dem Nachttisch. In den Schränken herrschte penible Ordnung. Pullover und T-Shirts waren sorgfältig gefaltet und gestapelt, die Hosen akkurat über den Bügel gehängt. Das Bett sah aus, als habe nie jemand darin geschlafen.

Maximilian schaute in die übrigen Zimmer des ersten Stocks, konnte aber keinen Hinweis auf das Mädchen finden und begab sich schließlich ins Dachgeschoß. Mario hatte die wandelnde Versuchung also soweit wie möglich von sich entfernt einquartiert. Maximilian kam sich ziemlich indiskret vor, während er in Schränke und Schubladen schaute. Die junge Dame hatte alles recht chaotisch durcheinander geworfen. Unter dem Tisch stand ihr Koffer. Auf dem am Tragegriff befestigten Adreßschild fand Maximilian ihren Namen: Christina Weiss.

Jedenfalls sah es auch bei ihr keineswegs nach Abreise aus.

Zutiefst beunruhigt stieg er wieder die Treppe hinab. Als er an der geöffneten Tür des Arbeitszimmers vorbeikam, stutzte er. Es war ihm vorhin nicht aufgefallen, aber komischerweise sprang es ihm jetzt sofort ins Auge: Das Telefon stand nicht an seinem Platz. Es stand überhaupt nirgendwo im Raum. Irgend jemand hatte es ausgestöpselt und ... ja, vielleicht versteckt, vielleicht zerstört, in jedem Fall die Verbindung dieses Hauses zur Außenwelt unterbrochen.

Maximilian setzte sich auf die oberste Treppenstufe. Seine Besorgnis wuchs, die Unruhe in ihm zerriß ihn jetzt fast. Er stützte den Kopf in die Hände und dachte nach. Er mußte herausfinden, wohin Mario mit dieser Christina gegangen war, und er ahnte, daß ihm wenig Zeit dafür blieb.

Das Problem mit dem alten Mann war, daß er zuviel redete. Es fiel ihm schwer, auf den Punkt zu kommen. Er hätte Karen liebend gern seine ganze Lebensgeschichte erzählt – »ich habe *beide* Kriege miterlebt, stellen Sie sich vor!« –, und sie mußte ihn immer wieder behutsam auf den eigentlichen Zweck ihres Besuches lenken.

»Sie wollten mir doch von den Beerbaums berichten ... «

Sie hatte das Haus der Beerbaums, eine behäbige Villa im Stadtteil Nymphenburg, um deren Mauern sich Efeu rankte, schnell gefunden, aber als sie dort klingelte, öffnete nur ein kleines Mädchen und teilte ihr mit, die Eltern seien nicht da und es dürfe die Tür nicht aufmachen. Im Nachbarhaus auf der linken Seite störte sie eine junge Frau mit wirren Haaren und gerötetem Gesicht ganz offensichtlich gerade beim Putzen, denn sie hielt einen Staubwedel in der Hand und war schlechter Laune.

»Ich hab' keine Zeit, ich kaufe nichts, Wiedersehen!« Damit flog die Tür ins Schloß, noch ehe sich Karen überhaupt hatte vorstellen können.

Im Nachbarhaus rechter Hand hatte sie Glück. Der uralte Mann, der auf ihr Klingeln hin erschien, hatte das hoffnungsvolle Glänzen in den Augen, das ein überraschender Besucher bei einsamen Menschen hervorruft. Sie erkannte auf den ersten Blick, wie allein er war, wie endlos und eintönig seine Tage dahinplätscherten. Wenn er etwas über die Beerbaums wußte, würde er es bereitwillig erzählen, langsam, detailliert, bemüht, den Moment, da Karen wieder gehen würde, soweit wie möglich vor sich herzuschieben. Er würde sie einige Nerven kosten, aber er würde *reden*.

Sie nannte ihm ihren Namen und sagte, sie sei Journalistin, und wie sie es bei ihm vermutet hatte, verlangte er weder einen Ausweis noch eine Karte zu sehen. Er geleitete sie sofort in sein Wohnzimmer, das mit wuchtigen alten Möbeln zugestellt war und überquoll von Büchern, bot ihr einen Sessel an und fragte, ob sie Kaffee oder Tee wolle.

»Danke, nein. Ich habe gerade gefrühstückt. Herr Frank«, sie hatte seinen Namen auf dem Klingelschild gelesen, »Herr Frank, ich würde gern mit Ihnen über die Familie Beerbaum sprechen. Die wohnten ja nebenan. Ich meine, haben Sie sie noch erlebt?«

»Junge Frau«, sagte Albrecht Frank stolz, »ich wohne in diesem Haus seit 1938! Ich habe in der Straße viele kommen und gehen sehen, natürlich auch die Beerbaums. Sie sind also«, er senkte ein wenig die Stimme, »wegen *der* Geschichte hier?«

Es gab also eine Geschichte. Eine Geschichte, aufregend genug, einen alten Mann flüstern zu lassen? Karen wußte, es konnte sich durchaus um simplen Nachbarschaftstratsch handeln; Herr Beerbaum hatte seine Frau betrogen, oder Mario war in der Schule sitzengeblieben. Dennoch, der journalistische Spürhund in ihr war erwacht. Ihre völlige Unwissenheit kaschierend und zugleich wissend, daß sie Worte traf, die wie Flötentöne in Albrecht Franks Ohren waren, sagte sie: »Ich muß alles von Anfang an wissen.«

»Ich weiß *alles*«, sagte Albrecht rasch, »nicht, daß Sie denken, ich lausche an fremder Leute Türen . . . aber das eine oder andere kriegt man mit, und wenn man allein ist

236

wie ich, dann sind die Nachbarn noch wichtiger. Meine Frau ist Ende der siebziger Jahre gestorben, seither bin ich sehr einsam. Und meine Kinder sind in Amerika verheiratet. Da gibt es nicht viel Gelegenheit, sich zu sehen, auch wenn sie natürlich . . . «

»Ich verstehe durchaus, daß Sie manches gehört oder gesehen haben«, unterbrach Karen sanft, »das läßt sich in so einer Siedlung ja gar nicht vermeiden.«

»Ich habe die Jungs sehr gerne gemocht«, sagte Albrecht, »obwohl ich sie natürlich auch nie auseinanderhalten konnte. Aber die beiden . . . «

»Moment!« Karen richtete sich auf, sah ihn verständnislos an. »Jungs? Wir reden von den Beerbaums, nicht?« Hoffentlich war der Alte nicht verwirrt.

Er nickte. »Ja. Zwei Jungs hatten die. Mario und Maximilian. Zwillinge. Die sahen völlig gleich aus. Ich glaube, nur die Mutter konnte sie unterscheiden.«

»Entschuldigung«, sagte Karen verstört, »offenbar wurde ich von meinem Chefredakteur unzureichend informiert. Ich ging bisher davon aus, es gebe nur *einen* Sohn. Mario.«

»Kindchen, Ihr Chef wollte wohl mal sehen, ob Sie von allein hinter die Fakten kommen. Wie gut, daß Sie mich getroffen haben. Ich kenne die Details.«

Hatte Dana vergessen, den Bruder zu erwähnen? Karen hielt das für unwahrscheinlich. Es ging nicht um irgendeinen Bruder, es ging um einen eineiigen Zwilling. Dana hatte oft genug von Mario geredet, sie hätte auch von diesem Maximilian erzählt, hätte sie von seiner Existenz gewußt. Also war auch Tina ahnungslos. Warum unterschlug Mario seinen Bruder?

»In der Familie war nicht alles in Ordnung?« fragte sie aufs Geratewohl.

Albrecht Frank kicherte. »So kann man es nennen. *Nicht*

alles in Ordnung. Obwohl man ja erst dachte, das ist eine Bilderbuchfamilie. Er war Steuerberater, sie arbeitete mit ihm. Muß sehr tatkräftig geholfen haben, die Kanzlei aufzubauen. Eine gescheite Frau. Und hübsch.« Er zwinkerte mit den Augen. »Das hat sogar ein alter Mann wie ich noch gemerkt!«

»Man *dachte*, eine Bilderbuchfamilie . . .?«

»Na ja, sie gingen nett miteinander um. Dann kamen die Zwillinge. Beide gesund und munter. Schien alles in Ordnung. Doch dann tauchte *er* auf . . . « Albrecht war wieder leise geworden.

»Er?«

»Janet, also Janet Beerbaum, die Mutter, hatte sechs Jahre lang ein Verhältnis mit einem anderen Mann. Es begann kurz nach der Geburt der Kinder.«

»Oh . . .«

»Die ganze Straße hat es gewußt. Ich meine, die haben sich auch nicht allzuviel Mühe gegeben, die Geschichte geheimzuhalten. Er kam fast jeden Tag. Nur nicht am Wochenende, da war ja auch ihr Mann zu Hause. Aber sonst . . . mittags immer. In seiner Mittagspause wohl.«

»Und Sie sind sicher . . .?«

»Daß er ihr Liebhaber war? Ich bitte Sie, das war einfach nicht zu übersehen. Ich hab' manchmal zufällig beobachtet, wie sie ihn in der Haustür begrüßte. Also, so begrüßt man keinen Bekannten oder Verwandten. So begrüßt eine Frau den Mann, den sie liebt.«

Hast du zufällig gesehen, dachte Karen. Du hast dir vermutlich den Kopf verrenkt, um alles genau mitzubekommen. Dir dürfte in der ganzen Straße kaum je etwas entgangen sein.

»Manchmal sah ich, wie sie ihn verabschiedete. Da war sie dann im Bademantel. Ich denke, das ist . . .«

». . . das klingt recht eindeutig, ja.«

»Sechs Jahre«, sagte Albrecht genußvoll. »Das muß man sich einmal vorstellen! Und immer in Anwesenheit der Kinder. Die waren zwar anfangs noch Babys, aber später haben sie sicher manches mitgekriegt. Alle hier fanden das unmöglich.«

Karen sah ihn nachdenklich an. »Sechs Jahre. Die ganze Straße wußte es. Es erscheint mir eigenartig, daß nichts davon dem Ehemann zu Ohren gekommen sein soll.«

Albrecht schüttelte den Kopf. »Kann nicht sein. So, wie hier getuschelt wurde ... Ich weiß es nicht mit Sicherheit, aber wenn Sie mich fragen: Er hat es gewußt. Er hat es all die Jahre gewußt.«

»Aber ...«

»Tja, das hat keiner verstanden. Offenbar hat er nichts unternommen. Natürlich weiß man nicht, was zwischen den beiden geredet wurde.« Diese Wissenslücke stimmte ihn merklich betrübt. »Aber da die beiden ständig fortfuhren, einander zu treffen ... irgendwie schien er sich zu arrangieren.«

»Wer war der Mann?«

Albrecht zuckte mit den Schultern. »Ganz genau weiß ich es nicht. Ich habe ihn einige Male auf der Straße angesprochen. Er verstand mich sehr schlecht. Er war Engländer. Frau Beerbaum ist ja auch gebürtige Engländerin. Vielleicht kannte sie ihn von früher. Eine Jugendliebe.«

»Da hatte aber manches geschwelt hinter der bürgerlichen Fassade«, meinte Karen.

Albrecht nickte. »Kann man sagen. Ich habe ihren ... also, den Engländer, mal gefragt, wo er arbeitet. Soweit ich verstanden habe, war er Jurist und hier in der Rechtsabteilung irgendeines britischen Unternehmens tätig ... eine Bank? Ich weiß nicht mehr genau.«

»Und nach sechs Jahren brach die Beziehung ab?«

»Wie es den Anschein hatte, von heute auf morgen. Er kam nicht mehr. Vielleicht ist er nach England zurückgekehrt. Ich weiß nicht, ob Beerbaum endlich ein Machtwort gesprochen hat, oder ob es der Engländer satt hatte, nur der Liebhaber zu sein. Vielleicht hat er eine Entscheidung von Janet verlangt. Ich nehme an, sie hat sich der Kinder wegen für ihren Mann entschieden. Ihre Kinder hat sie abgöttisch geliebt, müssen Sie wissen. Sie wollte ihnen sicher die Familie erhalten.«

Ihre Kinder. Karen zerbrach sich noch immer den Kopf, weshalb bislang offenbar niemand etwas von der Existenz eines Zwillingsbruders erfahren hatte. Irgend etwas schien ihr daran faul zu sein. Aber bisher sah sie noch keinerlei Zusammenhänge. Janet Beerbaum hatte ihren Mann über Jahre betrogen. Der hatte es hingenommen. Eine keineswegs heile Welt, in der Mario aufgewachsen war. Aber in alldem fand sie nichts Greifbares.

»Was geschah danach?« fragte sie.

»Janet wirkte noch lange Zeit sehr deprimiert. Ich hatte den Eindruck, sie kam kaum über die Trennung hinweg. Na ja, aber sonst . . . schien Ruhe einzukehren.«

»Schien? Oder kehrte wirklich Ruhe ein?«

Wieder einmal zuckte Albrecht mit den Schultern. »Weiß man das genau bei solch einer Familie? Es wirkte alles normal. – Sagen Sie, möchten Sie nicht doch einen Kaffee? Oder Tee?«

»Danke. Wirklich nicht.«

»Im Sommer fuhren sie immer nach Südfrankreich. Hatten da ein Häuschen. Und die Zwillinge wuchsen heran. Sehr nette Jungen. Nicht so, wie die jungen Leute heute so sind. Sie wissen schon . . . brausen auf ihren Mopeds herum, trinken, rauchen und haben dauernd ein anderes Mädchen im Arm. Nein, so war das bei den Beerbaums nicht. Einer von beiden hatte mal kurz ein paar

Schulprobleme ... hatte geschwänzt oder so ... aber das renkte sich wieder ein.«

Du bist wirklich hervorragend informiert, dachte Karen.

»Ja«, sagte Albrecht, und seine Stimme verriet Bedauern, »ich weiß, Sie sind jetzt enttäuscht. Sie dachten, man hätte etwas ahnen müssen, nicht? Irgend etwas ... etwas, das darauf hingedeutet hätte ... Aber da war nichts. Absolut nichts.«

Karen runzelte die Stirn. »Hingedeutet? Worauf? Worauf sollte etwas hindeuten?«

Jetzt starrte Albrecht sie erstaunt an. »Aber wegen der Geschichte sind Sie doch hier?«

»Ich ...«, sie brachte ein nervöses Lachen hervor, »es scheint, als wolle mich mein Chef wirklich auf die Probe stellen ... Ich weiß im Moment nicht, wovon Sie sprechen ...«

Jeder andere wäre jetzt mißtrauisch geworden. Aber selbst wenn Albrecht Frank diese gänzlich ahnungslose Journalistin eigenartig fand, er hätte jetzt nicht zurückgekonnt. Seine Schleusen waren geöffnet, nichts hätte den Redefluß mehr aufgehalten.

»Guter Gott«, sagte er, »ich dachte, das wüßten Sie. Ich dachte, deshalb sind Sie hier. Wegen dem Mädchen ...«

»Dem Mädchen?«

Er flüsterte wieder. »Ich hab' sie ja damals gefunden. Drüben im Haus. In ihrem Blut hat sie gelegen. Würgemale hatte sie am Hals ... ich dachte, sie ist tot. Und das war es sicher auch, was er wollte. Maximilian, meine ich. Er hat es auch später zugegeben. In dieser kalten Nacht vor sechs Jahren hat er versucht, das Mädchen umzubringen.«

Sie saß in dem Taxi, das sie zum Hotel zurückbringen sollte, und hatte das Gefühl, jemand habe ihr mit dem Hammer gegen die Stirn geschlagen. Sie war wie betäubt. Was sie erfahren hatte in der letzten Stunde . . . es war zuviel, um es verdauen zu können. Zuerst einen Zwillingsbruder präsentiert zu bekommen, von dem bislang niemand etwas gewußt hatte, und ihn dann gleich darauf als Mörder überführt zu sehen . . . *Fast*-Mörder! Das Mädchen hatte gerettet werden können. Aber es hatte wochenlang im Koma gelegen, war als Schwerstpflegefall daraus erwacht. Verdammt zu ewiger geistiger Umnachtung, zu einem Leben im Rollstuhl, zu absoluter Hilflosigkeit.

»Alle«, hatte Albrecht erzählt, »meinten damals, es wäre gnädiger gewesen, sie wäre gestorben.«

Maximilian und Mario waren achtzehn gewesen, als es passierte. Sie standen kurz vor dem Abitur. Maximilian war seit kurzem mit einem Mädchen befreundet gewesen, einem sehr hübschen Mädchen mit langen, blonden Haaren.

»Sah aus, wie Janet Beerbaum als junges Ding ausgesehen haben muß. Aber viele Jungs orientieren sich ja an ihren Müttern, nicht?« hatte Albrecht berichtet.

Ein hübsches Mädchen mit langen, blonden Haaren. Wie Tina.

1989 war es gewesen. Albrecht erinnerte sich noch genau an die klirrende Kälte des Märzabends. »Als wollte es nie Frühling werden . . .« Seine Tochter hatte an dem Tag angerufen, und Karen hielt ihn nur mühsam davon ab, ihr alles über den Werdegang dieser Frau zu erzählen. Janet und Phillip Beerbaum waren für zwei Tage verreist gewesen, zu einem Steuerfachkongreß, und sie hatten Mario mitgenommen. »Der wollte damals nach dem Abitur auch etwas mit Steuern machen. Ich glaube, er hatte vor, einmal in die Kanzlei der Eltern einzusteigen.«

Maximilian war allein daheim geblieben. Albrecht war am Nachmittag einmal hinübergegangen, um zu fragen, ob er vielleicht irgend etwas brauchte. Aber Maximilian hatte gesagt, er komme allein zurecht. Er habe blaß ausgesehen. Na ja, vor dem Abitur saß er natürlich auch immer nur am Schreibtisch.

»Ich glaube, er hatte das Mädchen nicht erwartet. Seine Freundin. Er wirkte ... so wenig erfreut. Sie kam später am Abend. Es war schon ganz dunkel. Ich sah gerade zufällig hinaus ...«

Für die Polizei, hatte Karen gedacht, ist so jemand einfach unbezahlbar. Ein gelangweilter alter Mann, der ständig seine Augen in den Angelegenheiten anderer hat. Ein Traum von einem Zeugen.

»Ich hatte nämlich gehört, daß sich die Grünbergs stritten. Die wohnten damals gegenüber. Die stritten immer, weil er eine Geliebte hatte ... Ich schaute jedenfalls hinaus, und da klingelte das blonde Mädchen gerade bei den Beerbaums. Also, ich sage Ihnen ... es war ein wirklich eiskalter Abend. Kann sein, es schneite sogar ein bißchen. Aber die war trotzdem im Minirock unterwegs. In dünnen Strümpfen und auf Stöckelschuhen. Ganz anders als sonst, wissen Sie. Sie war nie besonders aufgetakelt. Aber sie wußte wohl, daß Maximilian sturmfreie Bude hatte. Und das wollte sie vielleicht ausnutzen. Aha, dachte ich mir, ist die Katze verreist, tanzen die Mäuse! So sagt man doch. Die wollte ... wenn Sie mich fragen, wollte die bis zum nächsten Morgen bleiben; Sie verstehen, was ich damit sagen will.«

Karen hatte versichert, daß sie das durchaus verstehe.

Albrecht erzählte, daß Maximilian geöffnet habe. Und er habe ein ziemlich finsteres Gesicht gemacht. Es schien sogar, als zögere er, sie hineinzulassen. Aber was blieb ihm übrig, es war kalt und dunkel, und sie war seinetwegen gekommen, sie strahlte ihn an ... Die beiden waren schließlich im Haus verschwunden.

»Ich habe ferngesehen an dem Abend und bin dabei eingeschlafen. Als ich aufwachte, war es fast Mitternacht. Erst dachte ich, ich sei von irgend etwas im Fernsehen aufgewacht, aber da lief ein Stummfilm ... und dann hörte ich die Musik. Richtig laute, dröhnende Musik. Viel zu laut, besonders um diese Uhrzeit. Ich konnte mir das nicht erklären, niemand in der Gegend war so rücksichtslos. Es kam aus dem Beerbaumschen Haus, so stand ich auf und sah aus dem Fenster.«

Was er sah, hatte ihn überrascht. Das Haus der Beerbaums war hell erleuchtet gewesen; in jedem Zimmer brannte Licht. Alle Fenster im ersten Stock standen weit offen. Überlaute Musik hämmerte durch die Nacht, Wagner-Opern, wie sich später herausstellte.

»Es war richtig unheimlich. Da stimmt doch was nicht, dachte ich. Irgend etwas sagte mir, ich solle besser hinübergehen und nachsehen, aber ich traute mich nicht. Ich fürchtete, mich lächerlich zu machen. Die jungen Leute schlugen ein bißchen über die Stränge, und wenn ich da auftauchte ... Bis heute verzeihe ich es mir nicht, daß ich nicht *doch* meinem Instinkt gefolgt bin. Denn irgendwo wußte ich, daß das alles einfach nicht zu Maximilian paßte. Sein Umgang mit diesem Mädchen war auffallend ... keusch gewesen. Eine Orgie bei wilder Musik ... das war irgendwie absurd.«

Er war dann schlafen gegangen. Sein Schlafzimmer lag nach der anderen Seite, so hatte er trotz der lauten Musik einschlafen können. Am nächsten Morgen hatte er sich sofort erinnert und war wieder zum Fenster gegangen, um nachzusehen. Die Musik war verstummt, aber noch immer brannten alle Lichter, standen alle Fenster offen.

»Ich beschloß, nun doch rüberzugehen. Ich wollte sagen, daß ich Brötchen holen gehe und daß ich wissen wollte, ob ich ihnen was mitbringen könnte. Aber als ich hinkam, stand die Haustür sperrangelweit offen, und auf mein Klingeln und Rufen reagierte niemand. Ich ging hinein...«

Im Erdgeschoß hatte er nichts Auffälliges entdecken können. Im Wohnzimmer brannte am CD-Player noch das rote Licht, das anzeigte, daß das Gerät angeschaltet war. Die CD war jedoch bis zum Ende gelaufen. Auf der Lautstärkenskala war die höchste Zahl eingestellt.

Albrecht war vorsichtig die Treppen hinaufgestiegen. Oben hatte eine unvorstellbare Unordnung geherrscht. »Es waren Bilder von den Wänden gerissen, Blumenvasen umgestürzt, Bücher umgeworfen. Es sah aus, als habe eine Schlacht getobt, als habe ein Kampf auf Leben und Tod stattgefunden.«

Zögernd ging er durch alle Zimmer, inzwischen voller Angst, worauf er schließlich stoßen würde. Er ahnte, daß ihn etwas Schreckliches erwartete. Und dann hatte er sie gefunden. Im Zimmer von einem der Jungen – Maximilians Zimmer, wie er später erfuhr. Sie lag auf dem Boden, kalkweiß im Gesicht, die Augen geschlossen. Um ihren Kopf herum war der helle Teppichboden getränkt mit Blut. Blaurote Würgemale entstellten ihren Hals. Sie schien tot zu sein.

»Ich war wie erstarrt. Ich stand nur da und wußte nicht, was ich tun sollte. Es war unfaßbar... furchtbar. Und dann sah ich plötzlich, daß sie atmete. Ganz schwach. Ich stürzte ans Telefon und rief den Notarzt an.«

»Und... der Täter war Maximilian?« hatte Karen mit belegter Stimme gefragt.

Albrecht hatte genickt. »Er stellte sich zwei Tage später der Polizei. Er hatte sie gewürgt. Im Kampf war sie hingefallen und dabei mit dem Kopf auf der Schreibtischkante aufgeschlagen, daher die schlimme Verletzung und das Blut. Maximilian hielt sie für tot und ließ sie liegen.«

»Mein Gott! Und jetzt . . . sitzt er im Gefängnis?«

Albrecht hatte den Kopf geschüttelt. »Ein Gutachter hat ihn für schuldunfähig erklärt. Für psychisch krank. Er sitzt in einer geschlossenen Anstalt. Irgendwo in Norddeutschland. Die Familie ist, glaub' ich, nach Hamburg gezogen. Die konnten den Leuten hier nicht mehr ins Gesicht schauen. Kann man ja verstehen . . .«

Ein Mordversuch. Eine psychiatrische Klinik. Ein Mädchen, für den Rest seines Lebens ein Pflegefall. Ein Zwillingsbruder, der von der Familie totgeschwiegen wurde. Ein Liebhaber der Mutter; ein Vater, der schweigend ertrug. Das Chaos hinter der bürgerlichen Fassade . . .

Karen saß im Taxi, und all diese Gedankenfetzen schwirrten in ihrem Kopf umher. Eine ungeheuerliche Geschichte, die sie Michael nun gleich überbringen mußte. Was würde in ihm vorgehen, wenn er erfuhr, daß seine Tochter mit einem Mann unterwegs war, dessen Bruder geistesgestört war, ein Mädchen zu töten versucht hatte und nun in einer Anstalt einsaß?

Vor dem Hotel zahlte sie und stieg aus dem Taxi. Sie entdeckte Michael gleich im Foyer. Er stand auf und kam auf sie zu. Seine Miene drückte Mißbilligung aus – aber worüber? Über ihre phosphorgelben Leggings, den kreischend gelben Pullover, die roten Schuhe?

Wird heute nicht der einzige Schock sein für ihn, dachte sie.

Er stand vor ihr. »Und?« fragte er nur.

Sie seufzte. »Ich glaube, ich habe etwas«, sagte sie.

Kurz bevor die Jury ihren Urteilsspruch bekanntgab, wurde Fred Corvey ein wenig nervös. Janet konnte ihn schräg von hinten im Profil sehen und merkte, daß sich seine Blässe vertiefte. Unruhig rutschte er auf seinem Stuhl hin und her. Das stand in krassem Gegensatz zu seinem bisherigen Verhalten an diesem Vormittag. Er hatte ein ungeheure Selbstgefälligkeit und Arroganz zur Schau getragen, eine abstoßende Siegesgewißheit. Der Staatsanwalt hatte sich tapfer geschlagen, hatte aus wenigen, unzureichenden Indizien *gegen* Corvey das Beste zu machen versucht. Ausdauernd ritt er auf dem plötzlichen Verschwinden des Kleinbusses herum, der zu schnell, zu plötzlich, zu vorteilhaft für den Angeklagten verschrottet und damit als Beweismittel aus dem Verkehr gezogen worden war. Den Angestellten des Schrottplatzes, der den Wagen seinerzeit in Empfang genommen hatte, nahm er hart in die Mangel, bestand darauf, ihn vereidigen zu lassen. Er warf ihm vor, von Corvey Geld dafür angenommen zu haben, daß er den Bus auf der Stelle verschwinden ließ, aber der junge Mann – ein abgebrühter, mit allen Wassern gewaschener Zeitgenosse, der kalt bis ans Herz zu bleiben schien – bestritt diesen Vorwurf energisch. Er sei in keiner Weise bestochen worden. Reiner Zufall, daß dieses Auto so rasch verschwand. Als ihn der Staatsanwalt darauf aufmerksam machte, daß ihm eine Klage wegen Meineides drohte, sollte sich seine Aussage als unwahr erweisen, zuckte er nur mit den Schultern.

Der Staatsanwalt strich weiterhin den Umstand heraus, daß sich Corvey häufig in Basildon bei jener Tante aufgehalten hatte, wofür es Zeugen aus der Nachbarschaft gab, die er einzeln aufmarschieren und aussagen ließ. Teilweise stimmten solche Besuche mit Zeiten überein, in denen Frauen verschwunden waren.

Hinzu kam der Tatort in der Nähe der kleinen Stadt. Corvey hatte jede Menge Gelegenheiten gehabt, auf seinen Streifzügen das alte Haus zu entdecken und sich zu vergewissern, daß niemand sonst dorthin kam. Und natürlich blieb als Hauptbelastungspunkt das Geständnis – von Corvey in Anwesenheit mehrerer Polizeibeamter, nach Aufklärung über all seine Rechte, insbesondere das Aussageverweigerungsrecht, freiwillig abgelegt. Die Jury möge selbst entscheiden, für wie glaubhaft sie es hielte, daß es Corvey erst zu Beginn der Hauptverhandlung plötzlich in den Sinn gekommen sei, er habe sich unter Druck gefühlt, sei völlig durcheinander gewesen und habe in einem Zustand geistiger Umnachtung Dinge gesagt, deren Bedeutung er nicht habe überblicken können.

Der Staatsanwalt war brillant, aber Corveys Anwalt ebenfalls, und er tat so, als sei es geradezu lächerlich, was da gegen seinen Mandanten vorgebracht wurde, weil »man der Bevölkerung unbedingt einen Täter präsentieren will, um den Preis, daß ein Unschuldiger hinter Gittern landet«!

Sein Trumpf waren zwei psychiatrische Gutachter, die sich, unabhängig voneinander, in den beiden vergangenen Tagen stundenlang mit Corvey beschäftigt hatten. Zwar schränkten beide ein, für eine tiefgehende Analyse Corveys nicht genügend Zeit gehabt zu haben, bescheinigten aber dem Angeklagten eine ungewöhnliche Labilität, eine extreme Furcht vor Respektspersonen, ein schwer beschädigtes Selbstwertgefühl sowie eine Veranlagung, in kritischen und von ihm als beängstigend empfundenen Situationen schockhaft zu reagieren, unter Umständen sogar »geistigen Aussetzern« unterworfen zu sein. Hinweise auf sexuelle Abnormitäten oder einen besonderen Hang zur Gewalt wollten beide nicht bemerkt haben.

Dr. Harrold, der ältere von beiden, sagte sehr ruhig: »Würde man mich fragen, ob ich Fred Corvey der Verübung der ihm vorgeworfenen Verbrechen für fähig halte, müßte ich einige Zweifel anmelden. Fragt man hingegen, ob ich es für möglich erachte, daß er während der Vernehmung durch Polizeibeamte ein falsches Geständnis ablegt, würde ich antworten, daß man das keinesfalls ausschließen kann.«

Corvey machte ein Gesicht, als habe er die Last der Welt auf seinen Schultern zu tragen. Während des Resumées des Richters, in dem dieser die wichtigsten Punkte der Verteidigung und der Anklage noch einmal zusammenfaßte, drehte Corvey sich um und sandte Andrew ein sanftes Lächeln zu, musterte Janet mit einem Anflug von Verachtung in den Augen. Wieder spürte Janet das Grauen, das sie auch bei ihrer ersten Begegnung mit ihm beschlichen hatte. Sie drückte Andrews Hand, und er erwiderte dankbar den Druck.

Janet entdeckte auch Freds Mutter im Gerichtssaal. Sie hatte sich fein gemacht, trug ein großblumiges Seidenkleid in Gelb und Türkis und hatte ihre Haare in eine frische Dauerwelle legen lassen, die zweifellos von einem schlechten Friseur gemacht worden war. Sie war krebsrot im Gesicht und bebte vor Angst.

Neben ihr saß der junge Mann, der sie seinerzeit in das Restaurant begleitet hatte. Er schien beruhigend auf sie einzureden, aber es war ersichtlich, daß er sie nicht erreichte. Diese Frau, das erkannte Janet, war am Ende ihrer Kräfte. Ein Schuldspruch würde ihr das Herz brechen.

Corvey machte ein Gesicht, als bilde er sich ein, er habe mit persönlicher Cleverneß das gesamte britische Rechtssystem ausgetrickst. Während sie ihn beobachtete, konnte Janet nur zu gut nachempfinden, was Andrew fühlte. Zorn auf die Ungerechtigkeit, die tatenlos hinzunehmen man aller Wahrscheinlichkeit nach gezwungen sein würde; Wut auf ein System, das zuwenig in der Lage war, die Opfer zu schützen; Schmerz über die Erkenntnis, daß es weitere unschuldige Frauen das Leben kosten würde, ehe man Corvey mittels Beweisen ins Gefängnis verfrachten konnte. Janet wußte, daß Andrew Fred Corvey wortlos das Versprechen gab, ihn hinter Schloß und Riegel zu bringen, und wenn es das Letzte wäre, was er in seinem Leben tun würde.

Es beschlich sie ein eigentümliches Gefühl, während sie die Strömung auslotete, die zwischen den beiden Männern verlief. Sie konnte einen so unendlich heftigen Haß spüren, der von Andrew ausging, daß es sie beklommen machte. Äußerlich war ihm nichts anzumerken, er war beherrscht wie immer. Etwas fahler im Gesicht als sonst vielleicht, aber das registrierte auch nur, wer ihn gut kannte. Doch im Innern brannte ein verzehrendes Feuer in ihm, das Feuer eines tödlichen Ehrgeizes, einer schrecklichen Unfähigkeit, Niederlagen einzustecken. Zum erstenmal, seitdem sie Andrew kannte, gewahrte Janet den Abgrund in ihm. Es dauerte nicht lange, nur für ein paar flüchtige Momente erschien es ihr fast greifbar, welch zerstörerische Kräfte in ihm wohnten, und sie erschrak davor. Dann verlor sich dieser Augenblick einer unbeweisbaren Intuition wieder; sie nahm den Saal wahr, die Menschen und Andrews vertrautes Gesicht. Auf einmal kam sie sich albern vor. Sie hatte einen unseligen Hang, Gespenster zu sehen, und sie tat sicher gut daran, sich selbst öfter zur Ordnung zu rufen.

Die Jury zog sich zur Beratung zurück, kam aber nach einer beängstigend kurzen Zeit wieder in den Saal. Die Zuschauer – von denen jeder einzelne, bis auf Mrs. Corvey vielleicht, von Fred Corveys Schuld überzeugt war – kamen in den Genuß, den Angeklagten wenigstens noch einmal beunruhigt und angstvoll zu erleben. Bei aller Siegessicherheit schien es ihm doch zu dämmern, daß es sein könnte ... Aber schon im nächsten Moment sprach ihn die Jury aus Mangel an Beweisen von der Anklage des vierfachen Mordes frei.

Von der alten Mrs. Corvey erklang ein Aufschrei, das Rot ihrer Wangen vertiefte sich, und sie brach in Tränen aus. Corveys Anwalt stand auf und schüttelte seinem Mandanten die Hand.

Janet legte Andrew die Hand aufs Bein. »Das ist nicht das letzte Wort in dieser Sache«, flüsterte sie. »Beim nächsten Mal gewinnst du!«

Sein Mund war nur ein dünner Strich. Er stand auf. Einen Moment lang kreuzten sich sein Blick und der Corveys. Auf Corveys Miene machte sich bereits der erste Anflug köstlichen Triumphes breit, aber er erlosch unvermittelt unter den unerbittlichen, unversöhnlichen Augen Andrews. Corvey wandte sich ab. Seine Mutter hatte sich zu ihm vorgedrängt und nahm ihn in die Arme. Ihr massiger Körper zitterte vor Schluchzen.

»Komm«, sagte Andrew zu Janet, »wir gehen. Im Moment gibt es hier nichts mehr zu tun.«

Sie verließen den Saal. Draußen lauerte eine Schar von Reportern, zu denen die Nachricht vom Freispruch bereits durchgedrungen war. Ein brünettes Mädchen im grauen Hosenanzug hielt Andrew ein Mikrophon unter die Nase.

»Inspector Davies!« Sie war augenscheinlich über die Hauptpersonen des Dramas gut informiert. »Sie haben Fred Corvey festgenommen. Was empfinden Sie in diesem Moment?«

Jetzt erst registrierte Janet, daß jemand einen gleißend hellen Scheinwerfer auf sie beide richtete, ein anderer eine laufende Kamera. Andrew hielt ihre Hand, während er antwortete.

»Nach dem Widerruf des Geständnisses hatte die Anklage nur Unzureichendes in der Hand«, sagte er, »und so bitter dieser Freispruch für meine Kollegen und mich nun ist: Er basiert auf dem rechtsstaatlichen Prinzip der Beweispflicht des Anklägers und dem Grundsatz des *in dubio pro reo*. Selbst in Augenblicken wie diesem halte ich unser System für das beste von allen.«

Die Reporterin setzte zur nächsten Frage an, aber Andrew machte eine abwehrende Handbewegung, die klarstellte, daß er keine weiteren Statements zu geben bereit war. Janet hinter sich herziehend, drängte er durch die Menge der Journalisten. Ein paar Blitzlichter flammten auf. Man rief Andrew Fragen über Fragen zu, aber weder antwortete er, noch blieb er stehen. Erst unten auf der Straße hielt er inne.

»Du warst sehr gut eben«, lobte Janet in aufrichtiger Bewunderung, »sehr souverän. Ist es wirklich deine Ansicht, was du der Journalistin sagtest?«

Andrew nickte. »Es ist meine Ansicht. Verstandesmäßig. Sie hat mich aber gefragt, was ich *empfinde*, und da hätte meine Antwort ehrlicherweise anders lauten müssen.« Er lächelte, sein müdes Gesicht hellte sich auf. »Meine Empfindung ist, daß ich mir wünschte, es hätte sich bei Corveys Festnahme eine Situation ergeben, die es erfordert hätte, die Waffe zu ziehen und ihn für alle Zeiten unschädlich zu machen.«

»Ich verstehe dich«, sagte Janet. Vorsichtig setzte sie hinzu: »Hast du schon einmal jemanden erschossen?«

»Nein. Noch nie.« Er wollte die Autotür aufschließen, hielt aber inne und drehte sich plötzlich zu Janet um. Er nahm ihr Gesicht zwischen die Hände, seine Finger gruben sich in ihre wirren, ungekämmten Haare.

»Es war so gut, daß du mitgekommen bist, Janet«, sagte er. Seine Stimme klang atemlos. »Ich habe es da drinnen gemerkt, was es mir bedeutet, dich an meiner Seite zu haben. Auch und gerade in solchen Momenten. Janet, bitte, zieh deine Scheidung durch, so schnell du kannst. Heirate mich. Ich bin ein solcher Trottel, daß ich nicht . . .«

»Was?« fragte Janet leise.

»Daß ich nicht vor fünfundzwanzig Jahren gemerkt habe, daß ich niemand anderen haben will als dich.«

Sie hatte kaum je erlebt, daß er sich so preisgab. Es berührte sie zutiefst. Sie hob die Hände, legte sie über seine, die immer noch ihr Gesicht umschlossen.

»Laß uns nach Hause fahren«, sagte sie.

Zuerst war er hin- und hergerissen gewesen zwischen seinem Wunsch, mit Janet zu sprechen, und seiner Angst, ein solches Gespräch nervlich nicht durchzustehen. Als er sie beim ersten Anruf in Andrew Davies' Wohnung am Apparat gehabt hatte, hatte er sofort wieder aufgelegt. Von da an hatten zwischen jedem Versuch, sie erneut zu erreichen, große Abstände gelegen, und wenn sich niemand meldete, war er beunruhigt gewesen, frustriert und in irgendeinem Winkel seiner Seele auch erleichtert.

An diesem Freitag nun probierte es Phillip etwa jede halbe Stunde in London, und jetzt fühlte er sich nicht mehr gespalten dabei. Er wollte Janet sprechen. Er hatte keine Lust mehr, die Dinge hinzunehmen, wie sie waren, und zu warten, bis sich Janet zu einer Erklärung herablassen würde. Er sah auch nicht ein, daß er die Geschichte mit Maximilian allein durchstehen sollte. Am frühen Morgen war die Polizei bei ihm gewesen und hatte gefragt, ob er neue Informationen habe. Ziemlich scharf hatte er entgegnet, in diesem Fall hätte er sich schon von selbst gemeldet. Dann hatte zu allem Überfluß Professor Echinger angerufen und seine Besorgnis kundgetan. Das wiederum hatte Phillip erneut in das unschöne Gefühl gestürzt, als Schlappschwanz vor dem Professor dazustehen. Zum erstenmal, seitdem er mit Janet verheiratet war und praktisch in einem ständigen Schlamassel lebte, verspürte er Wut – wirkliche Wut, nicht bloß Ärger, Gereiztheit oder einen sekundenlang aufflammenden Zorn. Eine langsam, aber stetig hochkochende Wut; eine Wut, die sich durch unzählige Schichten von Abgeklärtheit, Vernunft, Verdrängung arbeiten mußte und dabei an Kraft gewann. Am Ende, das ahnte er, würde eine Explosion stehen und der kaum bezähmbare Wunsch, Janet zu ohrfeigen, bis sie schluchzend um Verzeihung bat. Da er sich dies noch nie gewünscht, nicht einmal in seinen finstersten Träumen daran gedacht hatte, fühlte er sich in höchstem Maße verwirrt.

Es war gegen fünfzehn Uhr, als drüben in London endlich der Telefonhörer abgenommen wurde.

»Hallo?« fragte eine Männerstimme.

Phillip schluckte. Er brauchte zwei Sekunden, um sich zu fassen, dann fragte er: »Mr. Davies?«

»Ja, hier ist Andrew Davies.«

»Hier ist Phillip Beerbaum. Könnte ich bitte meine Frau sprechen?«

Zu Phillips Genugtuung war nun Davies für einen Moment aus dem Konzept gebracht. Nach einer kurzen Pause sagte er sehr förmlich: »Einen Augenblick, bitte!«

Janets Stimme klang gepreßt. »Phillip? Wir sind vor einer Minute nach Hause gekommen.«

»Ich habe mehrmals versucht, dich zu erreichen.«

»Das tut mir leid.«

Er räusperte sich. Auf eine fast unheimliche Weise war während der wenigen Sätze, die sie gewechselt hatten, seine Wut verraucht. Er versuchte, die kläglichen Fetzen, die davon übrig geblieben waren, zusammenzusuchen, denn er spürte, daß jenseits seiner Wut eine beängstigende Traurigkeit lag, der er sich nicht ergeben mochte.

»Du hättest ja auch einmal anrufen können. Ich

meine ... findest du es gut, wie du dich einfach nach England abgesetzt hast und dann untergetaucht bist?«

»Natürlich nicht. Ich ...«

»Dir hätte ja auch etwas zugestoßen sein können. Kannst du dir eigentlich vorstellen, wie viele Sorgen ich mir gemacht habe?« Das stimmte nicht, er hatte sie sofort bei Davies vermutet, aber das brauchte sie nicht zu wissen. Nun kehrte endlich etwas von seiner Wut zurück. Verdammt, sie hatte ihn behandelt wie einen Schuhabstreifer. Er atmete schwer.

»Nach fünfundzwanzig Jahren«, sagte er, »hättest du mir wenigstens eine Erklärung geschuldet!«

»Ich bin nicht mit dem Plan abgereist, hier zu bleiben, Phillip. Bitte glaub mir das. Ich hatte nicht vor ... Andrew aufzusuchen.«

»Aber du hattest vor, den Termin in Schottland platzen zu lassen.«

Sie seufzte leise. »Nein. Nicht einmal das hatte ich vor. Aber ich war sehr verzweifelt deswegen. Ich war von Anfang an gegen Schottland, das weißt du.«

»Wir hatten uns geeinigt ...«

»Ich hatte resigniert. Das ist nicht ganz das gleiche.«

»Na ja ...«, meinte er vage. Sein Ärger darüber, daß sie den Termin bei Mr. Grant ungenutzt hatte verstreichen lassen, schien ihm ohnehin Ewigkeiten zurückzuliegen. Was wog das noch gegenüber der Tatsache, daß er Janet verloren hatte, daß er vor den Trümmern seines Lebens stand?

»Das ist ja auch nicht mehr wichtig. Schottland, meine ich. Wichtiger ist ...«, er zögerte, »wichtiger ist, was du jetzt vorhast.«

»Das ist alles nicht so einfach. Schon gar nicht am Telefon. Wir sollten uns sehen.«

»Oh ... an mir liegt es nicht, daß wir derzeit nur telefonisch kommunizieren können. *Du* bist abgehauen, nicht ich!«

»Ich verstehe ja, daß du böse auf mich bist, Phillip. Wir müssen unbedingt reden.«

Was für eine schreckliche, gemeine Situation, dachte er müde. Sie sitzt in der Wohnung ihres Liebhabers und will mit mir reden, und wahrscheinlich will sie mir sagen, daß sie sich für *ihn* entschieden hat, aber selbst wenn dem nicht so wäre, könnten wir diese Scherben nicht mehr zusammensetzen.

»Janet«, sagte er hilflos.

Ihrer Stimme konnte er anhören, wie sehr ihr dieses Gespräch an die Nieren ging.

»Ich habe mich ziemlich unfair benommen«, gab sie zu, »bitte verzeih mir!«

Verzeihen . . . wie oft denn noch? Vielleicht wäre alles anders gekommen, wenn er ihr nicht damals schon verziehen hätte. Wenn er auf einer Trennung bestanden und sich die Jahre voller Lügen und unechter Harmonie erspart hätte – um am Ende nun doch durch den Schmerz gehen zu müssen, Janet zu verlieren. Wenigstens hätte er sich dann nicht selbst einen Waschlappen nennen müssen. Er wäre um das Gefühl herumgekommen, als trauriger Verlierer dazustehen, schwach und wehrlos.

»Wir werden über alles sprechen«, sagte er, »über das, was war, und über die Zukunft. Vor allem über die Zukunft.«

Sie sagte nichts. Fühlt sich unwohl, dachte Phillip, sie weiß, daß sie mir weh tun wird, und das bekümmert sie. Grausam war sie nie. Es macht ihr keinen Spaß, andere zu verletzen.

»Ach, hier gibt es übrigens einigen Ärger«, sagte er. Es klang beiläufig, war aber sehr genau kalkuliert. Was er ihr erzählen wollte, würde ihr heiteres Liebesnest ziemlich zum Schwanken bringen. »Maximilian ist aus der Klinik fortgelaufen.«

Er konnte mit der Wirkung zufrieden sein. Eine Schrecksekunde lang blieb Janet still, dann kam ein entgeistertes: »Was?«

»Ja. Die Polizei war schon zweimal hier. Echinger telefoniert sich die Finger wund vor Sorge. Maximilian ist vor zwei Nächten durch ein Kellerfenster ausgebrochen.«

»Das kann doch nicht sein!«

»Ich erzähl' dir keine Märchen. Sie haben Haftbefehl gegen ihn erlassen.«

Janets Stimme klang schwach vor Entsetzen. »Aber . . . aber warum? Er wäre doch im August rausgekommen!«

»Keine Ahnung, warum er so einen Unsinn macht. Echinger ist völlig von den Socken. Das Ganze ist ein Schlag in die Magengrube für ihn als behandelnden Therapeuten.«

»Ich versteh' das nicht, ich . . .«

»Vielleicht will er zu Mario.«

»Zu Mario?«

»Ach, das weißt du ja auch noch nicht. Mario ist in Südfrankreich. Im Ferienhaus.«

Janet klang nun gänzlich ratlos. »Was macht er denn *da*?«

»Liebesurlaub. Er hat ein Mädchen kennengelernt, und die beiden . . .« Er unterbrach sich, denn er hörte ein eigenartiges Geräusch vom anderen Ende der Leitung, eine Art Seufzen, aber so gequält, so angstvoll, daß es wie ein kraftloser Aufschrei klang.

»Janet, was ist?« fragte er erschrocken.

Sie schien sich nur mühsam so weit zu fassen, daß sie sprechen konnte.

»Du hast ihn einfach so gehen lassen? Mit einem Mädchen? Du hast . . .«

257

»Janet, ich bitte dich, wie hätte ich ihn denn daran hindern sollen? Er ist vierundzwanzig Jahre alt. Und das Mädchen ist volljährig, wenn es das ist, was dich beunruhigt.«

»Wo hat er sie kennengelernt? Wann?«

»Offenbar schon vor längerer Zeit. Ich weiß nicht, wo und wie. Er hat nicht gesagt, warum er es geheimgehalten hat, aber ich nehme an, er dachte, wir werden automatisch nervös. Wegen... der Sache mit Maximilian damals.«

»O Gott!«

»Janet, Mario ist gesund. Du mußt nicht von einem auf den anderen schließen!«

Die Geschichte seinerzeit hatte sie entsetzlich getroffen, das wußte er. Ihn natürlich auch, aber auf andere Weise. Er war schockiert gewesen, daß so etwas in *seiner Familie* geschah, und hatte geglaubt, niemals wieder irgend jemandem in die Augen schauen zu können. Er war es auch gewesen, der darauf bestanden hatte, München zu verlassen und in den Norden zu gehen, wo niemand sie kannte, niemand Bescheid wußte. Sein Zustand hatte sich stabilisiert, als der Neuanfang geschafft war und Maximilian sicher hinter Klinikmauern saß. Sein Zustand stabilisierte sich immer, wenn es ihm gelungen war, die Dinge, die störten, zu verdrängen. Bis dann das Gebäude irgendwann krachend einstürzte, bis ihn einholte, was er von sich geschoben hatte.

Janet, für gewöhnlich Weltmeisterin im Davonlaufen, hatte diesmal nicht entkommen können. Nie hatte sie eine Distanz zu Maximilian und dem, was er getan hatte, herstellen können. Die Meinung der Leute war ihr ohnehin gleich gewesen, deshalb hatte sie nicht den geringsten Trost in Phillips perfekter Vertuschung des Sachverhaltes gefunden. Sie hatte sich Tag für Tag und Jahr um Jahr gegrämt, hatte gegrübelt und mit fast masochistischem Eifer nach ihrer Schuld an dem Geschehen gefahndet. Und nun überfiel Panik sie, weil Mario vielleicht auch . . .

»Wirklich, mach dich jetzt nicht verrückt, Janet«, sagte Phillip beruhigend.

»Ich melde mich wieder«, rief Janet hastig und legte den Hörer auf.

Im Taxi vom Flughafen nach Hause sagte Michael zweimal, er würde am liebsten sofort zu den Beerbaums fahren. Karen legte ihm jedesmal beruhigend die Hand auf den Arm. »Wir rufen erst mal an. Sie können die Leute jetzt nicht derart überfallen.«

»Meine Tochter . . .«

»Ihre Tochter ist mit dem gesunden Zwilling in Südfrankreich. Der andere sitzt in einer Klinik. Er ist derzeit ungefährlich.«

Seit Karen von ihren Entdeckungen berichtet hatte, waren ihrer beider Rollen vertauscht. Karen erschien jetzt besonnen und vorsichtig, Michael war wie von Sinnen und wußte kaum, was er als nächstes tun sollte. Zuerst hatte er sofort nach Nizza fliegen wollen, aber er erfuhr, daß er an diesem Tag keinen Flug mehr würde bekommen können. Als nächstes wollte er zur Polizei, aber Karen machte ihm klar, daß das nichts nützen würde. »Was sollen die denn machen? Nach Mario fahnden, weil er der Bruder eines Straftäters ist? Die Familie verhaften, weil sie uns den mißratenen Sohn unterschlagen hat? Das ist nicht strafbar, Herr Staatsanwalt!«

Schließlich ließ sich Michael überreden, nach Hamburg zurückzufliegen.

»Wir sprechen mit den Beerbaums«, sagte Karen, »wir fordern sie auf, uns reinen Wein einzuschenken. Und sie müssen uns helfen, Kontakt zu Mario und Tina herzustellen. Vielleicht gibt es dort in der Nachbarschaft jemanden, der nach den beiden sehen und ihnen bestellen kann, sie möchten bei uns anrufen.«

»Ja, dann können wir doch aber gleich zu den Beerbaums...«

Sie sah ihn mit einem Blick an, als sei er ein bockiges Kind. »Lassen Sie uns telefonieren. Lassen Sie *mich* telefonieren. Sie würden derzeit nur ein Fiasko inszenieren.«

Kann sein, daß sie recht hat, dachte er später im Taxi in Hamburg, ich würde die Nerven verlieren, Beerbaum schütteln, ihn...

Er unterbrach seine Gedanken, spürte, daß ihm der Schweiß ausbrach. Mit der Hand fuhr er sich über die Stirn, starrte zum Fenster hinaus. Ein trüber, verhangener Tag, zu kühl für die Jahreszeit. Ihm fielen glühend heiße, gewitterschwere, blütenduftende Sommertage seiner Kindheit ein. Das alte, unpraktisch und verwinkelt gebaute Pfarrhaus auf dem Land hatte einen herrlichen Garten gehabt, voller Obstbäume, wuchernder Hecken und verschwiegener, verträumter Plätze. Manchmal hatte er darin gespielt, nicht oft. Sein Vater sah es nicht gern, wenn seine Kinder ihrem Vergnügen nachgingen.

»Tu etwas Nützliches und stiehl dem Herrgott nicht die Zeit!« lautete sein gängiger Ausspruch. Paula, der Tochter, war diese Einstellung in Fleisch und Blut übergegangen. Hatte sie je etwas *nicht* Nützliches getan? Und er? War er anders als sie?

Er seufzte tief.

Karen wandte sich ihm zu. »Wovor haben Sie solche Angst?«

»Dieser Bruder... er ist psychisch krank. Was, wenn der andere...«

»... es auch ist? Michael, das ist ja eine Art Sippenhaft, was Sie da veranstalten. Warum sollte das denn so sein?«

»Es *könnte* so sein.«

»Dafür gibt es keinen Anhaltspunkt.«

»Trotzdem«, sagte er beharrlich. Er fühlte sich sehr elend. Wovor haben Sie solche Angst? hatte Karen gefragt. Guter Gott, beinahe empfand er Ärger. Seine einzige Tochter, sein Kind, alles, was er hatte, schwebte in Lebensgefahr. Zumindest, versuchte er sich rasch zu beruhigen, *denke* ich, sie schwebt in Lebensgefahr. Aber das ist für mich genauso schlimm. Es ist die Hölle.

Das Taxi hielt vor dem Haus, in dem Karen wohnte.

»Sie kommen jetzt zu mir«, befahl Karen. »Sie kriegen erst mal einen Schnaps, und ich rufe die Beerbaums an. Okay?«

Willenlos folgte er ihr die Treppen zur Wohnung hinauf, registrierte kaum, wie schwer Karens Tasche wog. Er merkte nicht einmal, wie schlecht es in dem Haus roch, daß die Tapete abblätterte, daß Feuchtigkeit die Wände durchzog. Karen schloß umständlich die Wohnungstür auf. »Es ist ein bißchen unordentlich hier. Stören Sie sich nicht daran.«

Er balancierte über herumliegende Turnschuhe, alte Zeitschriften, leere Teetassen hinweg. Im Wohnzimmer stand ein Bügelbrett aufgebaut, auf dem Sofa stapelten sich zahlreiche zerknitterte Wäschestücke.

»Tut mir leid«, sagte Karen, »als mir der Einfall kam, nach München zu fliegen, hatte ich mich gerade zum Bügeln aufgerafft.« Sie schnupperte in die Luft. »Riecht ziemlich abgestanden hier, nicht? Ich mach' mal das Fenster auf. Setzen Sie sich doch!«

Er stellte die Tasche in eine Ecke und setzte sich in den einzigen Sessel, der nicht mit Pullovern und Hosen belegt war. Karen brachte zwei Gläser und eine Flasche Cognac.

»Sie werden sehen, das hilft.« Sie schenkte ein, reichte

ihm sein Glas, kippte den Inhalt des ihren in einem Zug hinunter. »Ich werde jetzt Beerbaums anrufen.«

Michael nippte an seinem Cognac. Er beobachtete, wie Karen ein Branchentelefonbuch unter dem Sofa hervorzog – eigenartiger Aufbewahrungsort, dachte er – und darin blätterte.

»Steuerberatung...«, murmelte sie, und dann triumphierend: »Beerbaum, Phillip. Das ist er!«

Rasch wählte sie die Nummer. Während sie wartete, daß jemand abnahm, runzelte sie plötzlich die Stirn. »Eigenartig«, sagte sie, »der alte Mann erwähnte doch, Mario habe Steuerberater werden wollen wie sein Vater. Aber er studiert Jura. Das paßt doch nicht, oder?«

»Vielleicht hat er es sich anders überlegt«, meinte Michael.

Karen verzog das Gesicht. »Anrufbeantworter! Mist!«

Sie legte den Hörer auf und schickte sich an, erneut unter das Sofa zu tauchen. »Jetzt versuch' ich's über die Privatnummer.«

Michael stand auf. »Wir hätten gleich hinfahren sollen!«

»Ich finde«, begann Karen, aber sie wurde unterbrochen. Es klingelte an der Tür.

Sie rappelte sich auf und verschwand im Flur. Michael konnte hören, wie sie den Türöffner betätigte. Dann kam sie zu ihm zurück. »Ich bin gespannt, wer da kommt. Hier funktioniert der Sprechapparat nicht, wissen Sie. Es ist immer recht interessant, wer dann schließlich die Treppe heraufkommt.«

Der Erfolg bei den Recherchen – so erschreckend sich das Ergebnis für Michael auch darstellte – hatte ihr großen Auftrieb gegeben. Sie buchte ihn als Bestätigung ihrer journalistischen Fähigkeiten, der ersten seit Jahren. Sie war noch immer in der schrecklichen gelben Aufmachung wie in München, und ihre verfärbten Haare hoben sich in einem besonders schmerzhaften Rot dagegen ab. Sie wirkte jünger im Gesicht als bei der Abreise am Tag zuvor. Sie strahlte plötzlich Energie aus, schien optimistischer und selbstsicherer.

Später sollte er sich oft erinnern, daß ihn der Anblick, wie sie ihm da in dem verschlampten Wohnzimmer gegenüberstand und lächelte, mit Gereiztheit erfüllt hatte. Es hatte ihn geärgert, daß sie als spannendes Abenteuer zu empfinden schien, was ihn selbst in qualvolle Unruhe stürzte. Aber er würde nie vergessen, wie sie gewesen war in diesem Moment, wie lebendig und zuversichtlich, denn es war das letzte Mal, daß er sie so sah.

Fünf Minuten später hatten zwei Polizeibeamten die Treppen zur Wohnung herauf erklommen, beide recht abgekämpft und frustriert, denn wie sich herausstellte, hatten sie bereits mehrmals versucht, Karen anzutreffen. So vorsichtig wie möglich teilten sie ihr mit, daß in Frankreich, nahe der Grenze bei Mühlhausen, die Leiche eines jungen Mädchens gefunden worden sei. Ihren Papieren nach handele es sich um eine Dana Graph, wohnhaft unter dieser Adresse. Man bedaure tief, eine so schreckliche Nachricht überbringen zu müssen.

Maximilian fand den Telefonapparat schließlich auf dem Wohnzimmerschrank, nachdem er eine Stunde lang das ganze Haus abgesucht hatte. Er wußte selbst nicht, warum er das tat, was er sich davon versprach, dieses verschwundene Gerät zu finden. Es würde ihn kaum auf die Spur bringen. Vielleicht hegte er irgendeine vage Hoffnung, daß sich das Telefon als kaputt erweisen würde, was er dann wiederum als triftigen Grund dafür ansehen könnte, daß es verräumt worden war.

Der Apparat funktionierte einwandfrei, als er ihn im Arbeitszimmer wieder anschloß. Das Freizeichen ertönte klar und deutlich. Maximilian wählte irgendeine Nummer, und kurz darauf meldete sich eine Frauenstimme. Er legte auf.

Gut, das Telefon war in Ordnung. Mario hatte es also absichtlich versteckt, damit Christina keinen Kontakt zur Außenwelt aufnehmen konnte und damit sie – vor allem – von draußen nicht erreichbar war. Er mußte nur die Augen schließen und sich konzentrieren, und er konnte fühlen, wie Mario fühlte, konnte denken wie er, empfinden wie er. Christina hatte ihn enttäuscht. An irgendeinem Punkt der gemeinsamen Reise hatte die Enttäuschung begonnen – und war dann immer stärker und schmerzhafter geworden. Es war der Moment gekommen, von dem an das Mädchen nur noch Fehler machen *konnte*, ganz gleich, wie es sich verhielt. Er lauerte darauf, daß Christina sich falsch benahm, suchte wie besessen nach Beweisen für ihre Unzulänglichkeit. In seinen Augen trug die Welt die Schuld an der Misere. Die bösartige, verdorbene, lasterhafte Welt. Christina mußte vor der Welt versteckt werden.

Maximilian überlegte. Was tut man als erstes? Man beseitigt das Telefon. Aber das allein nützt nichts. Christina ist jung, wach, kontaktfreudig, lebhaft. Sie drängt nach außen. Sie läßt sich nicht einsperren. Sie nimmt andere Menschen wahr, andere Männer. Sie lacht, sie schaut, sie flirtet sogar. Jeder einzelne Blick, den sie einem anderen Mann zuwirft, jedes kokette Aufblitzen ihrer Augen, jedes bewußte Zurückwerfen ihrer Haare – lang und blond, da wäre er jede Wette eingegangen – schmerzt Mario wie ein Messerstich. Die Qual wird unerträglich. Er sucht zu verbergen, was in ihm vorgeht, aber gerade das läßt seine innere Spannung ins Unermeßliche wachsen. Er kann es nicht mehr aushalten, er kann nur noch daran denken, das, was ihn so quält, in irgendeiner Weise auszuschalten: die Welt.

Maximilian begann erneut im Haus herumzulaufen; die Augen angestrengt zusammengekniffen, versuchte er, jene geheimnisvolle innere Verbindung, die zwischen den beiden Brüdern immer bestanden hatte, wiederaufzunehmen. Wohin bist du mit ihr gegangen? Wohin?

Er blieb im Wohnzimmer stehen, direkt vor der Wand, an der Janets Aquarelle hingen. Sein Blick blieb an einem der Bilder hängen. Hohes Gras, durch das der Wind ging. Kalkfelsen. Der gläserene Himmel, dessen Sonne sich hinter einer Wolke verbarg und ihr Licht wie eine bloße Andeutung über das Land warf. Dunkle Wälder. Unter Zedern duckte sich die steinerne Hütte, fast abweisend mit ihren kleinen Fenstern, der niedrigen Tür. Kein Weg, der zu ihr führte, nichts, was...

Er unterbrach seine Gedanken. Die Hütte. Die beinahe greifbare Einsamkeit. Die beklemmende Weltabgeschiedenheit. Was hatte Janet von der Hütte gesagt, die sie zu viert auf einer Wanderung entdeckt und seitdem immer wieder zu einem romantischen Ausflugsziel gemacht hatten? »Hier ist das Leben so weit weg...«

Er stürzte aus dem Haus.

Kurz vor der Landung in Nizza sprach Andrew zum erstenmal wieder. Während des ganzen Fluges hatte er geschwiegen, nur auf die Frage der Stewardeß, ob er einen Kaffee wolle, mit einem »Ja« und einem »Danke« reagiert. Die übrige Zeit hatte er in die *Times* gestarrt, jedoch den Eindruck vermittelt, nicht wirklich vertieft zu sein: Die Zeitung diente nur als Mauer gegen die Welt.

Nun sagte er unvermittelt: »Ich verstehe einfach nicht, warum du das alles für dich behalten hast!«

Janet, die zum Fenster hinausgesehen hatte, wandte sich ihm zu. In den letzten Stunden war sie immer mehr in sich zusammengesunken. Sie war blaß und wirkte knochig im Gesicht. »Ich konnte nicht darüber sprechen«, entgegnete sie.

»Aber das verstehe ich ja gerade nicht. Wir waren einander so nah in den letzten Wochen. Ich fragte mich, wann hättest du es mir erzählt? Noch vor unserer Heirat? Danach? Nie?«

»Ich weiß nicht . . . wäre es so wichtig gewesen?«

Ungeduldig faltete er die Zeitung zusammen. »Ja! Vor allem deshalb, weil es dich ständig belastet. Wie lange hättest du mich im dunkeln tappen lassen, welche Qual dich da auffrißt? Lieber Gott, Janet, ich habe doch gespürt, daß da etwas ist!«

Sie atmete schwer, antwortete aber nicht.

»Es ist ja schließlich keine Kleinigkeit«, sagte Andrew, »dein Sohn hat versucht, eine Frau zu töten, die nur durch Zufall mit dem Leben davongekommen ist. Er sitzt in einer psychiatrischen Klinik. Ich verstehe jetzt manche Frage, die du mir im Zusammenhang mit Fred Corvey gestellt hast. Die Frage nach seiner Mutter, was sie falsch gemacht haben könnte . . . Ich war erstaunt, wie sehr dich das Thema erregte. Mir ist jetzt erst klar, wie sehr du dich . . . identifiziert haben mußt in dem Moment.«

»Es ist eine solche Last«, sagte sie leise.

Er nahm ihre Hand. »Was ängstigt dich denn so sehr?« fragte er. »Maximilian ist ausgebrochen. Du meinst, er wird Mario und dieses Mädchen aufsuchen. Das weißt du aber nicht genau. Zudem – er wäre in wenigen Wochen entlassen worden. Das bedeutet, die Fachleute halten ihn für geheilt, und ein wenig kannst du doch auf ihr Urteil vertrauen. Vielleicht gibt es irgendein ganz anderes Motiv, weshalb er weggelaufen ist.«

Die Stewardeß blieb neben ihnen stehen.

»Sie müssen sich anschnallen. Wir landen gleich!«

Sie fingerten an ihren Gurten herum.

»Janet«, fuhr Andrew fort und vermied es dabei, sie anzusehen, »ist es eine ganz andere Angst, die du hegst? Die Angst, daß Mario die gleiche Veranlagung hat wie sein Zwillingsbruder – nur bislang nicht sichtbar geworden und darum auch nicht therapiert? Befürchtet vielleicht auch Maximilian so etwas und will dem Mädchen zu Hilfe kommen?«

Janets Lippen blieben fest aufeinandergepreßt.

Jetzt sah Andrew sie an. »Hat es irgendwann irgendein Vorkommnis gegeben, das in dir einen solchen Verdacht geweckt hat? Etwas, wovon nur du und Maximilian wissen? Einen Anhaltspunkt dafür, daß Mario . . . gefährlich ist?«

»Andrew, ich . . .«

»Janet!« Seine Stimme war eindringlich. »Wenn dem so ist, ist dir klar, daß du es niemals hättest für dich behalten dürfen? Himmel, ich verstehe ja, daß du ihn hast schützen wollen, aber . . .«

In ihre Augen trat ein Ausdruck von Ärger. »Du phantasierst dir etwas zusammen. Kannst du nicht aufhören, mich diesem Verhör zu unterziehen?«

»Nein, das kann ich nicht!« Andrew bemühte sich nun nicht länger, *seine* Verärgerung zu verbergen. »Verdammt noch mal, du hast mir einiges zugemutet in den letzten Stunden, findest du nicht? Dein Mann ruft an, und du brichst fast zusammen am Telefon. Dann erfahre ich von diesem schrecklichen Drama in deiner Familie. Und dann schreist du los, du müßtest auf der Stelle nach Nizza fliegen, sonst gebe es ein Unglück. Aber wenn ich es wage, weitere Fragen zu stellen, fährst du mich an, ich solle dich nicht verhören. Was siehst du eigentlich in mir? Einen Beamten von Scotland Yard, der dir eine Falle stellen will? Oder den Mann, dem du gestern gesagt hast, daß du ihn heiraten wirst?«

»Du hättest ja nicht mitkommen müssen.«

Er schwieg. Er kannte sie kaum wieder. Nie hatte er sie so abweisend, so aggressiv erlebt. Erschüttert bis ins Innerste.

Aber, dachte er zornig, ich hätte ebenfalls Grund, erschüttert zu sein. Meine Welt ist auch ziemlich durcheinandergeraten, und ich versuche, mich zusammenzunehmen.

Als die Maschine gelandet war und sie heraustraten auf die Treppe, die zum Rollfeld hinunterführte, als der warme, süß duftende Wind aus dem Landesinneren über sie hinwegstrich, da überkam Andrew ein Gefühl der Beklommenheit: Dies hier hätte – einige Zeit später -- das Ziel ihrer Hochzeitsreise sein können. Auf einmal hatte er eine Ahnung, daß es hier statt dessen eine Bewährungsprobe für sie beide geben würde.

Phillip grübelte den ganzen Nachmittag über Janets Reaktion am Telefon nach. Sie war fassungslos gewesen vor Entsetzen. Und zwar, wie ihm klar wurde, als er das Gespräch rekonstruierte, weniger wegen der Tatsache, daß Maximilian aus der Klinik davongelaufen war, als vielmehr deswegen, weil Mario mit einem Mädchen in Urlaub gefahren war. Allen Ernstes schien sie eine Wiederholung der Tragödie zu befürchten. Ohne daß er es wußte, kam Phillip auf den gleichen Gedanken wie Andrew: Gab es einen Hinweis auf die Möglichkeit, daß auch Mario krank war? Wußte Janet davon, ohne daß sie es jemandem gesagt hatte?

Abgesehen von dieser Geschichte hatte ihn das Gespräch vor allem deshalb aufgewühlt, weil er mit feinem Instinkt gespürt hatte, daß in Janet der Abschied bereits vollzogen war. Ihr ganzes Problem bestand nur noch darin, für ihn das Ende schonend zu gestalten. Sie wollte ihm nicht weh tun und wußte doch, daß sie ihn tief verletzen würde. Er hatte sich das Heft des Handelns aus der Hand nehmen lassen, vor sehr langer Zeit schon. Vor achtzehn Jahren hätte er sie vor die Tür setzen sollen, nach ihrer sechsjährigen Affäre mit Davies, als sie sich der kleinen Kinder wegen nicht entschließen konnte, von sich aus auszubrechen; als Andrew Davies ihr wohl zudem noch zu unzuverlässig schien, als daß sie ihr Familienleben aufs Spiel gesetzt hätte. Und er, Volltrottel, der er war, hatte sie dankbar in die sichere Geborgenheit seiner Arme zurückgenommen. Nun hatte er keine Entscheidungsfreiheit mehr.

Das hieß – ihm blieb doch noch etwas. Keine Möglichkeit mehr, an der Sache etwas zu ändern, aber noch immer die Chance, die Flucht nach vorne zu ergreifen, Janet einen Schritt voraus zu sein. Es war Freitag, später Nachmittag. Heute konnte er nichts mehr tun, aber am Montag früh würde er zu einem Anwalt gehen und die Scheidung einreichen.

Der Einfall belebte ihn. Er machte ihn nicht glücklicher, aber er versetzte ihm einen Adrenalinstoß, der zumindest für eine kurze Zeit die körperliche Schwere seiner Depression aufhob. Er wollte sofort seinen Anwalt anrufen, der ihn zwar kaum in der Angelegenheit vertreten würde, da er nicht auf Scheidungen spezialisiert und zudem mit Janet befreundet war, aber er würde ihm einen guten Namen nennen können. Es ging Phillip nicht darum, bei der Sache gut wegzukommen, es machte ihm nichts aus, Janet die Hälfte all seines materiellen Besitzes auszuzahlen, oder mehr, wenn sie wollte. Es ging vor allem darum, sich endlich morgens im Spiegel wieder ins Gesicht sehen zu können.

Während er noch nach der Nummer des Anwalts suchte, klingelte das Telefon.

Halb und halb hatte er erwartet, es wäre Janet, aber er vernahm die Stimme eines Mannes, die ihm vage bekannt vorkam. Die Stimme vermittelte den Eindruck einer eigenartigen Mischung aus tiefster Erschöpfung und beinahe verzweifelter Erregung.

»Michael Weiss hier. Ich habe es bereits in Ihrem Büro versucht, aber da lief nur der Anrufbeantworter.«

Phillip, der nichts wußte von Michaels Beruf, fragte sich, weshalb sich dieser Mann immer wie ein Ankläger anhörte. Er hatte schon wieder das Gefühl, sich entschuldigen zu müssen.

»Mein Büro ist zur Zeit nicht besetzt«, erklärte er.

»Ich habe ein großes Problem, Herr Beerbaum. Ich erreiche meine Tochter nicht.«

Der Mann war neurotisch! Kein Wunder, daß seine Tochter nicht ans Telefon ging.

»Herr Weiss, ich . . .«

»Herr Beerbaum, ich will Ihnen nicht verhehlen, daß ich vor ein paar Stunden aus München zurückgekehrt bin . . .«

Die Aussage war von entwaffnender Harmlosigkeit, aber in Phillips Kopf schrillten alle Alarmglocken. Seine Haut wurde feucht und begann entlang der Wirbelsäule zu kribbeln.

»Ja?« sagte er.

»Ich habe Erkundigungen eingezogen.« Es schien Michael nicht einmal peinlich, dies zuzugeben. »Mario ist nicht Ihr einziger Sohn, Herr Beerbaum. Er hat einen Zwillingsbruder. Und der sitzt wegen versuchten Totschlags in einer psychiatrischen Klinik. Und ich erreiche meine Tochter nicht!« Michaels Stimme war sehr laut geworden. Phillip, obwohl zu Tode erschrocken und wie gelähmt, kombinierte fast mechanisch, was in Weiss vorging: Wenn der eine Bruder, dann vielleicht auch der andere . . .

Und noch etwas schoß ihm durch den Kopf: Er kann nicht wissen, in *welcher* Klinik Maximilian einsitzt. Er kann daher auch nicht wissen, daß er verschwunden ist. Und er darf es auf gar keinen Fall erfahren. So, wie der beisammen ist, löst er eine landesweite Panik aus.

»Herr Beerbaum«, Michael klang leiser, aber dafür nur noch gefährlicher, »ich wäre jetzt schon auf dem Weg nach Nizza, aber ich kann nicht fort. Ein junges Mädchen wurde ermordet. Dana Graph, Tinas beste Freundin. Ich kann die Mutter im Augenblick nicht allein lassen.«

Einen entsetzlichen Moment lang war Phillip überzeugt, diese Tat stünde in einem Zusammenhang mit Maximilians Verschwinden, gehe auf das Konto seines Sohnes, und vor seinem inneren Auge stieg die Vision einer grausigen Blutspur des amoklaufenden Maximilians quer durch Europa auf.

»Wie . . . ich meine . . . wer . . .«

»Wir wissen noch nichts Genaues. Sie wurde dicht hinter der Grenze bei Mühlhausen, auf französischer Seite, gefunden. Ermordet, zuvor mißbraucht.«

Ironischerweise löste das Wissen um eine Vergewaltigung, die für das Opfer zusätzliche Qual bedeutet haben mußte, bei Phillip Erleichterung aus. Damit war Maximilian außer Verdacht. Er vergewaltigte nicht, das hätte, laut Professor Echinger, nicht in sein Krankheitsbild gepaßt. Maximilian tötete nur. *Nur!*

Er entspannte sich etwas. »Mir tut das sehr leid«, sagte er. Natürlich tat es ihm wirklich leid. Aber er hatte so verdammt viele eigene Probleme . . .

»Hören Sie zu«, sagte Michael, ohne auf die anteilnehmende Bemerkung einzugehen, »Sie werden mehr Ärger bekommen, als Sie je zu bewältigen in der Lage sind. Ich mache mir große Sorgen, und ich will Kontakt mit meiner Tochter. Ich möchte ihre Stimme hören, und sie soll mir sagen, daß es ihr gutgeht. Es ist mir völlig gleich, auf welche Weise Sie das bewerkstelligen, was Sie anstellen, um sich mit Ihrem Sohn in Verbindung zu setzen, aber sagen Sie ihm, er soll dafür sorgen, daß mich Tina umgehend anruft. Haben Sie das verstanden?«

»Ich . . .«

»Ich muß noch einige Stunden bei Frau Graph bleiben. Sie nehmen jetzt einen Stift und ein Stück Papier, und ich diktiere Ihnen die Nummer, unter der ich hier zu erreichen bin.«

»Ich denke«, sagte Phillip, der sich langsam aus seiner Erstarrung löste, »Sie ändern zunächst einmal Ihren Ton mir gegenüber.«

Michaels Stimme und sein Tonfall waren die eines Mannes, den eine Extremsituation dazu gebracht hat, seine Maßstäbe und Konventionen über Bord zu werfen, sich einen Dreck um gepflegten Stil, um Höflichkeit und Anstand zu scheren. In ihm brach etwas durch, wovon er nicht einmal geahnt hatte, daß es in ihm lag.

»Herr Beerbaum, ich werde noch heute im Laufe des Abends mit meiner Tochter sprechen, und ich wiederhole, es ist mir egal, wie Sie das bewerkstelligen. Sie haben viel Mühe darauf verwendet, sich eine neue Existenz aufzubauen und jeden Hinweis auf Ihren zweiten Sohn vor Ihrer Umwelt zu vertuschen. Ich schwöre Ihnen, daß ganz Hamburg von der Sache erfahren wird, und egal, wohin Sie dann gehen, ich werde dafür sorgen, daß man es auch dort erfährt. Wenn Sie also weiterhin in Frieden leben wollen, dann setzen Sie jetzt alle Hebel in Bewegung, um den Kontakt zu Tina herzustellen!«

»Das ist Erpressung«, sagte Phillip.

Von Michael kam keine Antwort, aber in dem Schweigen lag hörbar eine eiserne Unnachgiebigkeit.

»Wie stellen Sie sich denn vor, wie ich die beiden erreichen soll?« fragte Phillip nervös. Der Schweiß lief ihm in einem feinen Rinnsal den Rücken hinab. Er fühlte sich gehetzt, in die Enge getrieben, wie ein Tier in der Falle.

»Sie werden doch dort in der Nachbarschaft irgendwelche Leute kennen. Rufen Sie die an, sie sollen die beiden aufsuchen und um Rückruf bei mir bitten. Denken Sie sich etwas aus. Und jetzt holen Sie sich etwas zum Schreiben, damit ich Ihnen meine Nummer hier diktieren kann.«

Geschlagen trottete Phillip davon, holte sich Papier und Bleistift. Michael gab die Nummer an und legte dann grußlos auf.

Maximilian wußte nicht, wie viele Stunden vergangen waren, seitdem er sich auf den Weg zu der Hütte in den Bergen gemacht hatte. Aus dem Keller des Ferienhauses hatte er sich ein Fahrrad geholt, die schon etwas erschlafften Reifen aufgepumpt, und dann war er losgestrampelt. Unter der glühenden Nachmittagssonne war er die Landstraße entlanggeradelt, gehetzt zuerst, später langsamer, als ihm klar wurde, daß er dieses Tempo nicht würde durchhalten können. Dummerweise hatte er vergessen, sich eine Flasche Wasser mitzunehmen, und in dieser Einsamkeit gab es keine Gelegenheit, sich etwas zu kaufen. Als die Dämmerung einbrach, fing er an, sich etwas besser zu fühlen, aber der Durst quälte ihn noch immer. Zudem wurde der Weg nun oft so steil, daß er absteigen und das Rad schieben mußte. Das Zwielicht des Abends begann langsam in Dunkelheit überzugehen, und er wußte, daß er schon viele Stunden unterwegs sein mußte. Und das, ohne sich völlig sicher zu sein, daß er dem richtigen Weg folgte. Die Zeiten, da sie während ihrer Ferien mehrmals zur Hütte gefahren waren, lagen weit zurück. Wann immer er an eine Abzweigung kam, zögerte er, welche Richtung er einschlagen sollte. Er nahm an, daß es eine schnellere Möglichkeit gab, die Hütte zu erreichen, aber er fürchtete, sich dann restlos zu verlaufen. Besser, er versuchte, sich an den Fahrweg zu halten. Sie hatten immer etwa eine halbe Stunde mit dem Auto gebraucht; für das letzte Stück, das man in jedem Fall nur zu Fuß zurücklegen konnte, dann noch einmal zwanzig Minuten. Er hätte nie gedacht, daß es ohne Auto *soviel* länger dauerte!

Ein steil in die Berge hinauf führender Geröllpfad, der von der Serpentinenstraße abzweigte, erregte seine Aufmerksamkeit. Es war jetzt schon ziemlich dunkel, und die Landschaft ringsum kam ihm unheimlich und fremd vor, aber er erinnerte sich, daß sie zuletzt immer in solch einen Pfad abgebogen und ihn dann so lange weitergefahren waren, bis er irgendwo in der Wildnis einfach aufhörte. Dieser hier könnte es gewesen sein.

Er blieb stehen. Die letzten Meter hatte er das Rad nur noch geschoben. Die Zunge klebte an seinem ausgedörrten Gaumen. Er hätte ein Vermögen gegeben für einen Schluck Wasser. Seine Beine schmerzten und er war hundemüde.

Sein Fahrrad, das ihm nun überhaupt nichts mehr nützte, legte er hinter einem Eichengebüsch einfach auf die Erde. Nach einer Viertelstunde angestrengten Kraxelns steil bergauf, erschwert durch die Finsternis, stieß er auf Marios Auto, das einsam und verlassen mit unverschlossenen Türen und eingestecktem Zündschlüssel, aber – wie ihn ein kurzer Versuch belehrte – ohne einen Tropfen Benzin mitten auf dem Weg stand.

Es war schon dunkel, als Andrew und Janet Duverelle erreichten. Sie hatten am Flughafen in Nizza einen Wagen gemietet und waren gleich losgefahren, hatten jedoch zweimal völlig die Richtung verloren. Janet war darüber ganz aus der Fassung geraten, hatte geschrien, sie wisse, daß dies der richtige Weg sei, und sie könne nicht verstehen, warum er nicht direkt in das Dorf führe. Irgendwann hatte Andrew, der den Wagen fuhr, angehalten, den Motor abgestellt und Janet streng angeschaut. »Janet, du nimmst dich jetzt zusammen. Wir fahren ins nächstliegende Dorf und erkundigen uns nach dem richtigen Weg, und dann fahren wir nach Duverelle und sehen, was dort los ist. Und du wirst aufhören zu schreien, denn es hat keinen Sinn, daß wir beide total aufgelöst bei deinem Sohn aufkreuzen.«

Janet sagte kein Wort mehr.

Als sie dann endlich ankamen, stieg sie, noch immer schweigend, sofort aus und lief auf das Haus zu. Quietschend öffnete sich das Gartentürchen.

Andrew verließ ebenfalls den Wagen und folgte ihr. Blütenzweige streiften sein Gesicht, als er den Weg entlangging. Aus der Dunkelheit tauchten die steinernen Mauern des Hauses auf, das inmitten einer wuchernden Wildnis zu schlafen schien.

Wie schön es hier ist, dachte Andrew.

Janet stand vor der Haustür, pochte heftig dagegen.

»Es rührt sich nichts«, sagte sie.

Andrew blickte hinauf zu den dunklen Fenstern.

»Vielleicht sind sie nicht da. Das könnte doch sein, oder? Es ist . . .«, er schaute auf das Leuchtzifferblatt seiner Armbanduhr, »es ist halb elf. Für zwei junge Leute noch lange keine Schlafenszeit.«

Janet schien kaum hinzuhören. Sie rüttelte am Türgriff. »Wir müssen irgendwie hineinkommen!« rief sie.

»Du hast keinen Schlüssel?«

»Natürlich nicht. Aber der Mann, der sich hier um alles kümmert, hat einen. Zur Not müssen wir ihn aus dem Bett holen, aber . . .«, sie hörte auf, an der Tür zu rütteln, »vielleicht ist ja auch irgendwo ein Fenster offen.«

Andrew folgte ihr in den Garten. Auf der Terrasse gewahrten sie die Sitzkissen auf den Stühlen und das vergessene T-Shirt. Aus dem Inneren des Hauses erklang das Schrillen des Telefons.

Janet zuckte zusammen. »Das Telefon! Jemand ruft an! Ich . . .«

»Janet, das ist doch keine Katastrophe. Reg dich nicht so auf!« Eher zufällig drückte Andrew leicht gegen die Terrassentür. Zu seiner Überraschung gab sie nach und öffnete sich.

Janet war sofort an ihm vorbei im Haus, rannte durch das Wohnzimmer. Sie jagte die Treppe hinauf in das kleine Arbeitszimmer. Das Telefon stand auf dem Fußboden. Es klingelte und klingelte.

Janet riß den Hörer hoch. »Ja?« fragte sie atemlos.

Vom anderen Ende kam ein kurzes, irritiertes Schweigen. Dann erklang Phillips Stimme: »Wer ist da?«

»Oh, Phillip, ich bin es, Janet. Ich . . .«

»Was tust du denn in . . .«

»Wir sind sofort hierhergeflogen. Hast du etwas gehört?«

»Von den Jungs, nein. Der Vater des Mädchens spielt verrückt. Er versucht seine Tochter seit Tagen vergeblich telefonisch zu erreichen. Wenn ich ihm nicht im Laufe des Abends Tina in irgendeiner Weise ans Telefon bringe, will er einen Skandal entfachen und alles auffliegen lassen.« Phillip schien sehr verzweifelt.

»Er hat die Geschichte mit Maximilian damals herausgefunden«, fügte er hinzu. »Er weiß alles. Auch, daß ich alles vertuscht habe, daß . . . ach Gott, Janet, er kann mich ruinieren!«

»Das ist im Moment nicht so wichtig«, sagte Janet. Leise und gehetzt fuhr sie fort: »Wir müssen die beiden finden!«

»Mario und Maximilian?«

»Mario und das Mädchen. Hier im Haus sind sie nämlich nicht.«

»Gibt es Anzeichen, daß sie da waren?«

»Die Gartentür war offen. Und draußen liegen die Kissen auf den Stühlen.«

»Vielleicht«, sagte Phillip, wie vor ihm Andrew, »sind sie ausgegangen?«

»Ich weiß es nicht. Ich habe ein ganz schlechtes Gefühl.«

»Wahrscheinlich wäre es das beste, noch ein paar Stunden zu warten, ob sie zurückkommen. Aber was mache ich nur mit diesem hysterischen Vater?«

»Der kann doch so schnell gar nichts tun. Er kann ja nicht durch ganz Hamburg laufen und jedem erzählen, was er weiß!«

»Wenn er sich an die Presse wendet? Für die ist das doch *die* Story!«

»Es sind womöglich leere Drohungen, die er . . .«

»Janet, verdammt, spiel es nicht runter! Du hast nicht mit ihm gesprochen. Der Mann ist kurz vorm Durchdrehen. Vielleicht interessiert es dich ja nicht mehr, was aus mir wird, aber ich will mir nicht alles ruinieren lassen, was ich aufgebaut habe. Ich muß mit Mario sprechen, und . . .«

»Ich kann ihn dir nicht aus dem Boden stampfen«, zischte Janet gereizt. Ein paar Sekunden lang schwiegen sie einander erbittert an.

Dann sagte Phillip leise: »Janet, du . . . ihr habt doch sicher ein Auto, ja? Würde es dir etwas ausmachen . . . ich meine, es könnte doch sein, sie sind in einem der Restaurants, in denen wir früher immer waren. Es würde nicht zuviel Zeit kosten, wenn du hinfährst und nachsiehst, oder? Ich habe Angst, daß . . .«

»Du hast Angst um *dich*«, sagte Janet und legte auf.

Andrew erschien in der Zimmertür. »Im Bad stehen ein paar Gegenstände, die nur einer Frau gehören können. Ich denke, sie waren wirklich hier.«

Janet stand entschlossen auf. »Kommst du mit? Ich möchte ein paar Stellen absuchen, wo sie hingegangen sein könnten.«

Ohne eine Antwort abzuwarten, verließ sie den Raum.

Es kam Tina vor, als würde der Alptraum nie enden. Wie viele Stunden saß sie schon in dieser Hütte? Zwölf? Vierundzwanzig? Oder mehr? Ihr war jegliches Zeitgefühl verlorengegangen. Phasen verzweifelten Grübelns um einen Ausweg aus ihrer Lage wechselten mit solchen der Apathie ab, in denen sie verharrte wie ein Tier, das in einer Falle gefangen ist und sich mit seinem Tod abgefunden hat.

Der pochende Schmerz, der im Knöchel ihres rechten Beines seinen Ausgang nahm, strahlte inzwischen in den ganzen Körper aus. Er sandte glühende Stiche in die Rippen, in Schultern, Arme, Hände. Zeitweise machte er ihr das Atmen schwer. Wenn sie, völlig übermüdet, wie sie war, für Momente einschlief, sorgte er dafür, daß sie rasch wieder aufschreckte.

Sie kauerte auf einem Teppich in der Ecke, um die Schultern eine staubige, modrig riechende Decke, die Mario aus einem Schrank geholt und ihr gegeben hatte. Sie fröstelte die ganze Zeit, obwohl es warm war. Es mußte an den Schmerzen liegen, vielleicht hatte sie auch Fieber. Irgendwann während dieser ewigen, endlosen Stunden hatte sie über Durst geklagt, und Mario war aufgestanden, hatte einen Blecheimer ergriffen und wortlos die Hütte verlassen. Tina hatte ihm nachgestarrt, und ihr waren Tränen der Wut und Enttäuschung in die Augen gestiegen, als ihr aufging, daß sie keine Chance hatte, seine Abwesenheit zur Flucht zu nutzen. Sie würde keine zehn Meter weit kommen; schon den Weg hierher in der vergangenen Nacht hatte sie nur bewältigt, weil Mario sie stützte, zog und schob. Allein hätte es keinen Sinn, es auch nur zu versuchen.

Sie schaffte es zumindest, sich so weit aufzurappeln, daß sie bis zu einem der beiden Fenster kriechen und sich am Fensterbrett hinaufziehen konnte. Als sie in der Nacht angekommen waren, hatte sie wegen der Dunkelheit und ihrem völligen Aufgehen in Angst und Schmerzen nichts von der Umgebung wahrgenommen. Jetzt schaute sie hinaus, kniff blinzelnd die Augen vor der gleißenden Helligkeit zusammen. Was sie sah, deprimierte sie tief. Er hatte sie in eine gottverlassene Einsamkeit geschleppt, in eine Einöde aus Felsen, braunem, kurzem Gras, aus Bergen und Wäldern. Weit und breit schien sich kein Haus, keine zweite Hütte zu befinden. Ein schmaler Felsenpfad führte weiter aufwärts in die Berge. Möglicherweise kamen dann und wann Wanderer vorbei, aber sicher nicht besonders häufig. Und schon gar nicht in dieser mörderischen Hitze, die Tina zwar in der steinernen Hütte und wegen ihres Fiebers nicht unmittelbar spüren konnte, die ihr die flimmernde Luft draußen, die völlige Reglosigkeit der Zweige, das verdorrte Gras jedoch verrieten.

Sie schleppte sich zu ihrem Platz zurück, wurde dort für ihre Kühnheit mit einem minutenlangen Anschwellen der Schmerzen bis zur Unerträglichkeit bestraft. Dabei erstaunte es sie, daß sie nicht ununterbrochen heulte. Zeitlebens hatte sie wegen jeder Kleinigkeit sofort zu weinen angefangen. Nun, da sie zum erstenmal in einer wirklich verzweifelten Lage war, blieben ihre Augen trocken.

Schließlich war Mario zurückgekehrt, den Eimer voller Wasser, das er, wie Tina vermutete, aus einem Bach geholt hatte. Mit einer Schöpfkelle füllte er einen Becher. Sie trank in hastigen, durstigen Zügen. Das Wasser schmeckte überraschend gut, sehr rein und frisch. Es stärkte ihre Lebensgeister so weit, daß es ihr gelang, für eine halbe Stunde tief und traumlos zu schlafen.

Aber später wurde dann alles wieder schlimmer, und nun war es erneut Nacht, und sie saßen noch immer in dieser elenden Hütte und warteten auf etwas, wovon Tina nicht wußte, was es war, und Mario, wie es schien, ebenfalls nicht. Er hatte auf der hölzernen Bank am Tisch – alles war hier aus Holz: das spärliche Mobiliar, der Boden, die Pfeiler, die das Dach trugen – Platz genommen, stützte den Kopf in beide Hände und starrte vor sich hin. Er roch durchdringend nach Schweiß. Sie bewegte sich, weil ihr linker Fuß eingeschlafen war, und stöhnte dabei vor Schmerzen auf. Ihr rechter Knöchel war dick geschwollen, die Haut darüber spannte und glänzte.

»Mario«, sagte sie. Wieder regten sich Überlebenswille und Kampfgeist nach einer Phase der Ergebenheit, vielleicht hervorgerufen durch das unvermittelte Aufheulen des Schmerzes. »Mario, wir ... wir werden irgendwann etwas zu essen brauchen.« Nicht, daß sie diesen Punkt im Moment für relevant hielt, obwohl sich ihr Magen wie hohl anfühlte. Aber sie *mußte* irgend etwas sagen, *mußte* ihn aus seinem Schweigen reißen. Hatte er vor, hier zu sitzen, bis sie beide tot umfielen?

»Mario, außerdem muß ich einen Arzt haben. Mein Fuß sieht ziemlich schlimm aus. Ich glaube auch, ich hab' Fieber.«

Er blickte noch immer nicht hoch.

»Mario«, sagte sie erneut, leise und eindringlich, »worauf warten wir denn hier?«

Endlich hob er den Kopf und sah sie an. Sie erschrak vor der Leere, der Ausdruckslosigkeit seiner Augen.

»Wir werden sehen, was kommt«, erwiderte er nur.

»Wir werden verhungern«, sagte Tina, »wir werden sterben.« Die Worte klangen schrecklich und unwirklich, und doch wußte Tina in dem Moment, da sie sie aussprach, daß sie den Kern trafen. Sie *würden* sterben. Und das war es auch, worauf Mario wartete.

»O Gott!« flüsterte sie.

Ein Anflug von Zärtlichkeit trat in Marios Augen und machte ihn für einen Moment etwas menschlicher. »Ich würde nie zulassen, daß es schlimm wird für dich, Tina. Du sollst keine Schmerzen haben. Du wirst nicht leiden.«

»Ich leide *jetzt* schon. Ich habe *jetzt* Schmerzen. Und ich will nicht sterben!«

Er sah sie sanft, etwas mitleidig an. »Es ist das beste für dich, das mußt du mir glauben. Es gibt keinen anderen Weg, dich zu retten. Ich habe wirklich nachgedacht, aber es gibt keinen.«

Er ist geisteskrank, dachte Tina entsetzt, wirklich geisteskrank. »Warum?« fragte sie leise. »Wenn ich nur verstehen könnte, warum.«

Aber Marios Blick wandelte sich wieder in leeres Starren. Noch eine halbe Minute, und er würde erneut in einen Zustand der Unerreichbarkeit abgleiten.

»Mario«, sagte Tina deshalb rasch, »ich brauche mehr Wasser. Ich muß mir kalte Umschläge um den Knöchel machen, ich werde sonst verrückt vor Schmerzen. Kannst du mir Wasser holen?«

Mario zuckte zusammen. »Was?«

»Ob du mir Wasser holen kannst. Ich brauche Wasser!«

Beim letzten Mal hatte es eine knappe Viertelstunde gedauert, bis er wiedergekommen war. Tina war entschlossen, alles auf eine Karte zu setzen. Sie hatte nichts mehr zu verlieren, denn er würde sie töten, davon war sie inzwischen fest überzeugt. In seinen Augen hatte sie nackten Wahnsinn gelesen; mit Bitten und Betteln würde sie bei ihm ebensowenig erreichen wie mit Appellen an seine Vernunft. Es hatte keinen Sinn, ihn vor dem Gefängnis oder der Irrenanstalt zu warnen, denn mit Sicherheit fürchtete er keines von beiden. Abgesehen davon, hatte er höchstwahrscheinlich im Sinn, mit ihr gemeinsam zu sterben.

Tina hielt es für beinahe ausgeschlossen, daß ihr eine Flucht gelingen könnte, aber es ging um ihr Leben, und das war jeden Versuch wert. Sie würde mit dem verletzten Bein nicht weit kommen, ehe er ihre Flucht bemerkte, und er würde sofort alles nach ihr durchkämmen. Sie hatte nur eine winzige Chance: die Dunkelheit. Die gewährte ihr ein wenig Schutz, die Möglichkeit, sich zunächst zu verbergen und sich dann langsam an den Abstieg zu machen. Das Risiko bestand darin, daß er sie wahrscheinlich sofort erwischte und in seinem Zorn erwürgte oder erschlug. Doch dann wäre wenigstens alles schnell vorbei, und sie mußte nicht noch Stunden oder Tage in dieser Hütte sitzen und auf das Ende warten.

»Mario«, wiederholte sie, »der Eimer ist fast leer. Wir brauchen neues Wasser!«

Er stand tatsächlich auf, nahm den Eimer und verschwand in der Nacht.

Zentimeter um Zentimeter kroch Tina durch den Raum. Sie biß die Zähne zusammen, um nicht zu stöhnen. Sie bewegte sich auf allen vieren, wobei sie sich bemühte, das verletzte Bein gestreckt zu halten und wenig zu bewegen. Dennoch hatte sie zweimal das Gefühl, vor Schmerzen jeden Moment ohnmächtig zu werden. Sie mußte durchhalten, mußte wenigstens die Tür erreichen, mußte ins Freie gelangen, in die schützende Dunkelheit . . . Noch ein Meter, noch ein halber . . .

Mach jetzt nicht schlapp, befahl sie sich, nicht an die Schmerzen denken, nicht an . . .

Die Tür wurde aufgerissen, und vor ihr stand Mario.

Mit vor Entsetzen weit aufgerissenen Augen starrte sie zu ihm hinauf. Sie kauerte auf dem Boden, und er erhob sich riesenhaft über ihr, drohend, dunkel, hinter sich die Nacht, die ihr nun nichts mehr nützte. Sie war ihm ausgeliefert, sie war allein. Sie würde sterben.

»Ich wollte nicht weglaufen«, sagte sie, »wirklich nicht. Ich . . . ich mußte mal raus, verstehst du, ich kann ja nicht hier in der Hütte . . . Gott, sieh mich doch nicht so an . . .«

Er kauerte sich vor sie hin, umfaßte mit beiden Händen ihre Oberarme. Er sah sie eindringlich an. »Keine Angst. Ich tue Ihnen nichts. Bitte hören Sie auf zu zittern!«

»Ich . . . ich . . .«, versuchte sie zu sagen, aber sie brachte keine weiteren Worte heraus.

Seine Hände lagen noch immer auf ihren Armen, warme, kräftige Hände. »Wir müssen weg«, sagte er. Er stand auf und versuchte, sie in die Höhe zu ziehen, zuckte jedoch bei ihrem Aufschrei zusammen. Er sah sie betroffen an. »Was ist?«

Da sie wußte, daß er geisteskrank war, wunderte sich Tina nicht einmal mehr. »Mein Bein«, flüsterte sie, »es tut so entsetzlich weh. Der Knöchel muß doch gebrochen sein.« Ihr Gesicht war kalkweiß, ihre Lippen grau.

Er kauerte sich wieder zu ihr auf den Boden. »Sie werden sich bestimmt wundern, und es ist leider keine Zeit, Ihnen alles ganz genau zu erklären, aber ich bin nicht der, für den Sie mich halten. Ich bin der Zwillingsbruder. Ich vermute, Sie wissen nichts von meiner Existenz.«

Er ist schizophren, dachte Tina, er gehörte längst in eine Anstalt.

Sie bemerkte, daß die Hände des jungen Mannes heftig zitterten. »Natürlich«, sagte sie beruhigend, »ich verstehe.«

Er seufzte. »Sie glauben mir nicht. Ich weiß nicht, welche Kleidung mein Bruder heute trägt, aber vermutlich nicht die gleiche wie ich, oder?«

Tina runzelte die Stirn. Es war ihr nicht sofort aufgefallen, aber nun bemerkte sie es: Marios Jeans waren vorhin von einem helleren Blau gewesen, und er hatte dazu ein weißes Hemd getragen. Wie war er plötzlich in ein blaues, ziemlich dreckiges T-Shirt geraten?

Sie stöhnte auf. »Ich glaube, ich verliere den Verstand«, flüsterte sie.

Der Mann, der aussah wie Mario und sich als dessen Bruder ausgab, musterte sie mitleidig. »Ich verspreche, ich erkläre Ihnen alles. Aber jetzt müssen wir sehen, daß wir hier wegkommen. Mein Bruder ist gefährlich. Wenn Sie sich auf mich stützen, meinen Sie, daß Sie dann laufen können?«

Sie nickte, ergeben in ihr Schicksal, denn wenn sie auch nichts mehr begriff, wenn sie vielleicht längst selber verrückt geworden war, so konnte sie doch nichts tun, als sich in alles fügen, was auf sie zukam.

Sehr vorsichtig zog er sie in die Höhe, aber ihr wurde trotzdem übel vor Schmerzen, aber vielleicht auch vor Hunger. Mühsam kämpfte sie um ihr Gleichgewicht. Als sie aus der Dunkelheit jenseits der Tür hinter dem Mann, der behauptete, Marios Zwillingsbruder zu sein, *den* Mann auftauchen sah, den sie als Mario kannte, versagten ihre Nerven; sie schrie auf und rutschte zu Boden, unaufhörlich weiterschreiend. Sie traf so unglücklich auf, daß der Schmerz, der in ihrem Bein lostobte, alles Bisherige übertraf und dafür sorgte, daß sie in den dunklen, tröstlichen Schutz einer Ohnmacht fallen konnte.

Nach dem zehnten Restaurant, das sie ergebnislos angefahren hatten, sagte Andrew, er könne sich nicht vorstellen, daß dies noch etwas bringen werde. »Es ist gleich Mitternacht. Die beiden sind vielleicht längst wieder daheim. Janet, wir können nicht das ganze Land nach ihnen durchkämmen!«

Sie hatten am Ortsausgang eines kleinen Städtchens angehalten, um weiter zu überlegen. Janet hatte hier ein Gartenrestaurant aufgesucht, in dem sie früher manchmal gewesen waren, aber inzwischen arbeiteten dort völlig andere Leute, die sich nicht erinnern konnten, Mario hier gesehen zu haben. Sie berichteten, in der Diskothek ein Stück die Straße hinunter sei am gestrigen Abend ein junger Mann bei einer Schlägerei ums Leben gekommen, und Janet erstarrte vor Schreck, aber sie konnten sie beruhigen: Der junge Mann war Franzose gewesen, stammte aus der Stadt. Der Täter sei geflohen, aber er habe wohl nichts zu tun mit dem Mann, den *sie* suchten? Nein, entgegnete Janet, das habe nichts miteinander zu tun.

Sie hatten sich, obwohl beide seit Jahren mit wechselnder Konsequenz Nichtraucher, eine Schachtel Zigaretten gekauft und qualmten nun, im Auto sitzend, vor sich hin. Andrew war inzwischen überzeugt, daß Janet Kenntnis von einer Geistesstörung bei Mario hatte, anders wäre ihre Panik nicht zu erklären gewesen. Er mußte sich ständig bemühen, seine Verärgerung über sie nicht zum Ausdruck zu bringen. Wie hatte sie so verdammt leichtsinnig und verantwortungslos sein können! Vermutlich jahrelang ein hochbrisantes Geheimnis mit sich herumzutragen, aus falsch verstandener Mutterliebe den Mund zu halten, damit ihrem Goldjungen nichts zustieß . . . Unwillkürlich mußte er an Mrs. Corvey denken, Freds Mutter, die für ihren Sohn gelogen hatte, ohne mit der Wimper zu zucken. Er hatte sie nicht verstanden, und er verstand nun auch Janet nicht. Die Erinnerung an Corvey schwemmte eine neue Zorneswelle in ihm hoch; mit einer unbeherrschten Bewegung kurbelte er das Fenster hinunter und warf seine Zigarette auf die Straße. Dann ließ er den Motor wieder an.

»Wir fahren jetzt zum Haus zurück und sehen nach, ob sie dort sind«, bestimmte er, und Janet zuckte zusammen unter der Schärfe seiner Stimme.

Daheim war niemand, das Haus so still und leer, wie sie es verlassen hatten. Allerdings klingelte wenige Minuten nach ihrer Ankunft das Telefon; es war wiederum Phillip, der es bereits seit einer halben Stunde ständig versucht hatte. Er schien am Ende seiner Nervenkräfte.

»Habt ihr irgend etwas entdeckt?« fragte er sofort.

»Nein«, antwortete Janet, »und mir fällt jetzt nichts mehr ein, wo man noch suchen könnte.«

In dieser Sekunde hatte Phillip einen Geistesblitz. »Die Hütte«, rief er, »hältst du es für möglich, daß er . . .«

»Guter Gott«, sagte Janet, »daß ich daran nicht gedacht habe! Die Hütte! Wir fahren sofort dorthin!«

Sie wollte schon auflegen, aber seine Stimme hielt sie zurück.

»Janet! Was weißt du von Mario? Was ist geschehen? Warum . . .«

»Später«, unterbrach sie ihn, und warf den Hörer auf die Gabel.

Fünf Minuten danach saßen sie und Andrew wieder im Auto und rasten durch die Nacht.

Als Tina das Bewußtsein wiedererlangte, hatte sie ein paar gnädige Augenblicke lang keine Ahnung, was geschehen war und wo sie sich befand. Ihr Bein schmerzte, aber sie wußte nicht sofort, was es damit auf sich hatte. Sie öffnete die Augen, sah über sich die hölzernen Balken, die das Dach der Hütte trugen, und wußte Bescheid. Sie richtete sich auf.

Es herrschte noch immer nächtliche Finsternis, doch in der Hütte brannte eine Öllampe und verbreitete ein schwaches Licht. Tina lag auf ihrer Decke. Jemand – Mario? – hatte ihr einen nassen, kalten Lappen um das Fußgelenk geschlungen. Sie hatte den Eindruck, daß dies die Schmerzen ein wenig linderte.

»Mario?« fragte sie halblaut.

»Sind Sie wach?« erklang es. Jetzt erst bemerkte sie, daß Mario – oder sein Zwillingsbruder oder wer auch immer – auf dem Fußboden gleich neben dem Tisch saß, und sie erkannte, daß er mit beiden Händen an das Tischbein gefesselt war. Außerdem verlief ein verkrustetes Rinnsal Blut von seiner Nase über die Lippen zum Kinn hinunter. Das Lid seines linken Auges schien angeschwollen.

Sie starrte ihn an, wollte sich vergewissern, daß sie keinem Trugbild erlag. Ihr Verstand mühte sich, umzusetzen, was ihre Augen sahen, und logische Schlüsse daraus zu ziehen: Wenn dieser Mann dort gefesselt war, und wenn sie mit einiger Sicherheit ausschließen konnte, daß *sie* ihn gefesselt hatte, dann gab es hier tatsächlich eine dritte Person. Einen Zwillingsbruder?

»Ja«, sagte sie nun auf die Frage des Mannes.

»Gott sei Dank, ich dachte schon, Sie wachen überhaupt nicht mehr auf. Es hat Sie ganz schön hingehauen vorhin. Was macht das Bein?«

»Es tut weh. Aber es geht, wenn ich es nicht bewege.«

»Wir sind in einer etwas brenzligen Lage. Ich versuche seit einer halben Stunde, diese Fesseln hier loszuwerden, aber bis jetzt bluten nur meine Hände, sonst hat sich nichts getan.«

»Hat Ihr Bruder Sie so zugerichtet?«

Er nickte. »Er hat mich niedergeschlagen. Er kam von hinten, und ich lag am Boden, ehe ich kapierte, was los ist. Ich hätte nicht gedacht, daß er mir gegenüber so brutal werden könnte.«

Tina mußte an den Abend in der Diskothek denken. Seither wußte sie, *wie* brutal Mario sein konnte.

»Ich habe Angst«, sagte sie.

Er ruckte heftig an den Stricken. »Ich fürchte, die lockern sich kein bißchen«, murmelte er, »er hat sie zigfach verknotet!«

»Wo ist er jetzt? Ist er weggegangen und überläßt uns hier unserem Schicksal?«

Der junge Mann schüttelte den Kopf. »Wohl kaum, nein. Er wird zurückkommen. Und es wäre verdammt gut, wenn wir bis dahin fort wären.«

»Er hat mir einen kalten Umschlag um mein Bein gemacht«, sagte Tina, »das war doch er, oder? Er kann doch nichts wirklich Schlimmes mit mir vorhaben, sonst würde er sich nicht um mein Bein kümmern!« Ihre Stimme hörte sich flehend an, sie hatte einen Hoffnungszipfel ergriffen und wünschte von ganzem Herzen, er möge sich als haltbar erweisen. Dabei wußte sie genau, daß es keinen Sinn hatte, zu hoffen. Mario war verrückt, sein Handeln war nicht mit Logik zu messen. Er war in der Lage, sich liebevoll ihrer Verletzung anzunehmen und ihr im nächsten Augenblick den Hals umzudrehen.

Sie bekam keine Antwort auf ihre Frage und begriff, daß sich auch Marios Bruder nichts vormachte. In ihrer Stimme klang ein unterdrücktes Schluchzen, als sie fragte: »Wie heißen Sie?«

Er sah sie abschätzend an. »Maximilian«, sagte er dann.

»Maximilian – was ist los mit Ihrem Bruder? Er ist geisteskrank, oder? Er hat mir erzählt, er war tablettensüchtig und macht gerade einen Entzug. Das hat mich zunächst beruhigt. Aber das ist es nicht. Das kann nicht der Grund für alles sein!«

»Er war nie tablettensüchtig«, sagte Maximilian. »Vermutlich kam er auf diese Erklärung, weil er weiß, daß *ich* von den Dingern abhänge. *Mich* haben sie damit so vollgepumpt, daß ich es ohne kaum aushalte. Wenn meine Hände nicht gefesselt wären, würden sie wie verrückt zittern.«

»Warum hat er nie etwas von einem Zwillingsbruder erzählt?«

»Weil die Tatsache, daß es zwei von uns gibt, das bestgehütete Geheimnis der Familie ist. Mein Vater hat dafür gesorgt, daß niemand davon sprechen durfte.«

»Warum nicht?« Sie merkte, daß eine neue Angst in ihr hochkroch. »Und warum hat man Sie mit Tabletten vollgepumpt?«

»Das ist eine lange Geschichte. Sie werden alles erfahren, das verspreche ich Ihnen. Aber zunächst müssen wir dringend überlegen, wie wir hier wegkommen. Glauben Sie, Sie können sich so weit bewegen, daß Sie zu mir herüberkriechen und versuchen, meine Fesseln zu lösen?«

»Und wenn er kommt?«

»Wir haben nichts zu verlieren. Bitte versuchen Sie es!«

Sie kroch auf ihn zu. Ein paarmal glaubte sie, Schritte zu hören, und hielt entsetzt inne, aber Maximilian drängte: »Da ist nichts. Los, schneller!«

Sie erreichte ihn, und auch aus nächster Nähe sah er Mario so perfekt ähnlich, daß es sie erneut fassungslos machte. Niemals hätte sie die beiden auseinanderhalten können. Nur die Augen ... die waren anders, die waren wie die Augen Marios, *bevor* er sich so beängstigend zu verändern begann. Sie waren nicht starr und leer. Sie waren lebendig und warm, erfüllt von Angst.

»Schnell!« drängte er noch einmal.

»Es wird nicht so rasch gehen«, sagte Tina. »O Gott, hat er viele Knoten gemacht! Halten Sie still!«

Sie fingerte an den Knoten herum, brach sich sofort zwei Fingernägel ab, fluchte leise, machte weiter. Maximilian vernahm ihren keuchenden Atem neben seinem Ohr.

»Er muß durchgedreht sein, als Sie anfingen, sich ihm als Frau zu zeigen«, sagte er, »mir war klar, daß das passieren würde. Ich ahnte, daß er mit einem Mädchen verreist ist, und habe mich sofort auf den Weg gemacht.«

»Warum haben Sie nicht die Polizei verständigt?«

»Er ist mein Bruder.«

Der erste Knoten gab nach. Sie konnte ihn lösen. »Einen hab' ich«, sagte sie.

»Okay. Schnell den nächsten!«

»Was hat er am Anfang in mir gesehen – wenn nicht eine Frau?«

»Einen Engel. Ein überirdisches Wesen. Das Geschöpf, nach dem er immer gesucht hat.«

»Du bist das Bild, das ich in mir barg ...!«

»Hat er das gesagt?«

»Ja. Ich konnte mir keinen Reim darauf machen. Das

heißt . . . ich dachte mir, daß er etwas in mir gesehen hat, etwas, das ich dann nicht erfüllt habe. Aber . . . es war alles so verworren . . . und dann erzählte er das mit den Tabletten, und ich dachte, das sei die Erklärung für alles.«

»Es ist ein Zitat aus der ›Walküre‹. Sicher hat er Wagner gehört, ja?«

»Häufig. Vor allem nachts.«

Er seufzte. »Warum sind Sie da nicht weggelaufen? Oder kam Ihnen das nicht eigenartig vor? Ein junger Mann, der nächtelang Wagner-Musik hört?« Der nächste Knoten löste sich. »Ich wollte ja weg«, sagte Tina, »ich hatte Angst. Aber ich war nicht sicher, ob nicht ich . . . wissen Sie, ich habe so wenig Erfahrung mit Männern. Eigentlich gar keine. Ich habe mit überhaupt nichts Erfahrung. Und deshalb dachte ich immer, vielleicht reagiere ich übertrieben. Vielleicht bin ich unnormal. Vielleicht steigere ich mich hinein in etwas . . . Au!«

»Was ist?«

»Der Strick ist so rauh. Mein Finger blutet!«

»Machen Sie weiter!«

Sie biß die Zähne zusammen, wischte das Blut an ihrem Rock ab, zerrte weiter an den Knoten herum.

»Er ist versessen auf die Musik von Wagner«, erklärte Maximilian, »denn es findet sich darin häufig das Motiv der reinen Liebe jenseits der Geschlechtlichkeit. Einer Liebe, die über alle Verderbtheit triumphiert und Erlösung und Befreiung bringt. *Danach* hat er gesucht.«

»Er ist geisteskrank!«

»Er ist ein verzweifelter Mensch. Ich weiß, was er fühlt, weil ich alle seine Regungen kenne. Er sucht etwas, das er nicht finden kann. Er wird sein Leben lang leiden.«

»Er hätte in eine Anstalt gehört!«

Maximilian erwiderte nichts. Und auf einmal erkannte Tina die Wahrheit. Die Erkenntnis bemächtigte sich ihrer von einem Momemt zum anderen, war so eindeutig, daß es keinen Zweifel mehr geben konnte.

»O nein«, flüsterte sie. Ihre Händen sanken herab. »Sie auch! Sie beide! Sie *waren* in einer Anstalt, ja? Deshalb gab es Sie nicht, deshalb durfte von Ihnen nicht gesprochen werden. Deshalb bekamen Sie Tabletten. Und deshalb wissen Sie so genau, was in Mario vorgeht.« Sie wich zurück. »Was haben Sie angestellt, daß man Sie einsperrte? Sie müssen etwas Schreckliches getan haben!«

Verzweifelt zerrte er an seinen Fesseln. »Ich bin gesund. Bitte glauben Sie mir! Ja, ich war in... in einer Klinik. Aber ich wäre in ein paar Wochen entlassen worden. Lieber Himmel, Christina – Sie heißen doch Christina, nicht? –, seien Sie jetzt nicht dumm! Wir müssen hier weg!«

»Ich mach' Sie nicht los. Ich *kann* Sie nicht losmachen!« Sie wich noch ein Stück zurück.

»Christina, ohne mich schaffen Sie es nicht, von hier wegzukommen. Sie sind zu schwer verletzt. Binden Sie mich los, ich schwöre Ihnen, ich bringe Sie in Sicherheit!« Er starrte sie an, sah das tiefe, angstbedingte Mißtrauen in ihren Augen. Voller Wut und Furcht schrie er: »Verdammt noch mal, er wird uns töten! Er wird Sie töten, weil Sie sich als Trugbild erwiesen haben, und er wird mich töten, weil er sich von mir verraten fühlt. Wollen Sie das? Wollen Sie sterben?«

Sie schüttelte den Kopf. Er zerrte erneut an seinen Fesseln, merkte nicht, daß die aufgeschürfte Haut an seinen Gelenken bereits blutete. »Dann helfen Sie mir! So schnell Sie können! Helfen Sie mir!«

Wie hypnotisiert begann sie erneut an den Stricken herumzuzerren. Er schloß verzweifelt die Augen. Es ging so langsam, so langsam... Und er konnte nur warten und nichts tun, und dabei spürte er, daß das Mädchen nur mit halber Entschlossenheit vorging, daß es Angst hatte, zögerte, nicht wußte, ob es das Richtige tat. Und dann, während er noch mit geschlossenen Augen versuchte, sich so weit zu entspannen, daß das Zittern nicht überhand nahm, da roch er es plötzlich. Im ersten Moment schien es sich noch um eine Sinnestäuschung zu handeln, aber dann wurde es immer deutlicher, und er konnte sich nichts mehr vormachen: Es roch nach Rauch. Und als er die Augen öffnete, sah er, daß am anderen Ende der Hütte, wo eine Wand aus Holz einen angebauten, ebenfalls hölzernen Schuppen abteilte, feiner Qualm durch die Ritzen der Bretter drang.

»Feuer«, sagte er, »Christina, beeilen Sie sich! Mein Bruder hat Feuer gelegt.«

Im ersten Moment fürchtete er, sie werde nun vor Schreck erstarren, aber sie zuckte nur kurz zusammen und arbeitete mit verdoppelter Energie weiter.

»Ich hab' es gleich«, flüsterte sie.

Abrupt wurde die Tür zur Hütte aufgestoßen, und Mario stand auf der Schwelle. Sein Gesicht war weiß, seine Augen glühten vor Euphorie. Tina hielt sofort inne und rutschte ein Stück von Maximilian weg. Mario schien jedoch gar nicht bemerkt zu haben, was vor sich ging. Er verzog den Mund zu einem grausigen Lächeln.

»Tina«, sagte er zärtlich. Er trat in die Hütte, ging auf sie zu. Seinen Bruder beachtete er nicht.

»Tina!« Er kniete vor ihr nieder, hob eine Hand, strich ihr zärtlich eine Haarsträhne aus dem Gesicht. »Wie schön du bist«, flüsterte er, »so wunderschön!«

Der Qualm drang immer stärker in die Hütte. Nicht mehr lange, und die Pfeiler würden brennen, die Dachbalken, die hölzerne Einrichtung. Tina hustete. »Mario, ich möchte leben!« sagte sie leise.

Er schüttelte den Kopf, heiter lächelnd. »Es ist besser

so, glaube mir. Du findest die Erlösung. Die Flammen werden dich reinigen.«

Tina hustete abermals. Der Rauch biß in ihren Augen. Maximilian sagte kein Wort, er wollte die Aufmerksamkeit seines Bruders keinesfalls auf sich lenken. Wie wild arbeitete er an seinen Fesseln. Tina hatte es schon fast geschafft, es blieb nur noch ein Knoten.

»Du solltest deinen Traum nicht beenden, Mario«, sagte Tina. »Ich *bin* dein Traum. Gib uns eine Chance.«

Ja, dachte Maximilian, rede mit ihm. Lenk ihn ab ...

Erneut schüttelte Mario den Kopf, diesmal voller Bedauern. »Du hast mich getäuscht. Du kannst nichts dafür, es ist in dir. Es ist in allen Frauen. Ich wußte es schon auf unserer Reise ... als ich dich durch das Kellerfenster sah. Mit wieviel Lust du deinen Körper zur Schau gestellt hast!«

Tina fühlte Übelkeit in sich aufsteigen.

»Du warst das«, flüsterte sie, »der Mann am Fenster ...« Obwohl es keine Rolle mehr spielte, entsetzte sie diese Entdeckung zutiefst. Schon damals hatte er begonnen, den Verstand zu verlieren. Und sie hatte sich noch so sicher gewähnt ...

»Bald ist alles überstanden«, tröstete Mario sie zärtlich. Der Rauch zog bereits durch den ganzen Raum. Von draußen war das Prasseln der Flammen zu hören. Es hatte seit Mitte April nicht mehr geregnet, sie fanden reichlich Nahrung.

»Es wird ein Opfer sein und eine Erlösung. Es ist ein großer Moment!« Er strahlte, erleuchtet von einer tiefen Freude.

Und in diesem Moment gab der letzte Knoten in den Fesseln um Maximilians Gelenke nach. Die Stricke fielen zu Boden. Er war frei.

Er zögerte keine Sekunde. Er sprang auf, hob beide

Arme und ließ die Fäuste in Marios Nacken krachen. Mario kippte um wie ein gefällter Baum und blieb reglos liegen.

»Los«, schrie Maximilian, »raus hier!«

Inzwischen brannte die Hütte lichterloh. Der Qualm stand so dicht in dem kleinen Raum, daß man Fenster, Wände, Möbel kaum noch erkennen konnte. Hustend und keuchend ertastete sich Maximilian einen Weg zur Tür, die vor Schmerzen wimmernde Tina hinter sich herziehend. Er hatte keine Ahnung, wie es ihm gelang, die Tür zu finden. Er riß sie auf, schnappte nach Luft wie ein Ertrinkender. Tina hing in seinen Armen. Er hätte sie am liebsten von sich gestoßen und angeherrscht, sie solle allein weiterkriechen, er müsse sofort zurück und seinen Bruder aus den Flammen retten, aber es war nicht daran zu denken, daß Tina, aus der jetzt alle Energie wich, allein auch nur fünf Schritte weit kam. Er mußte sie zuerst aus der Gefahrenzone bringen, ehe er sich um seinen Bruder kümmerte.

Hinter ihnen schlugen die Flammen hoch in den Nachthimmel. Krachend stürzten Teile des Daches ein. Tina, die ihre Schmerzen fast nicht mehr ertragen konnte, wehrte sich vehement gegen Maximilian und wußte dabei kaum, was sie tat.

Und dann ging alles plötzlich sehr schnell: Von irgendwoher gellte der angstvolle Schrei einer Frau. »Mario!«

Und kaum eine Sekunde später fiel ein Schuß, kaum hörbar vor dem tosenden Hintergrund des Brandes; es klang eher wie das Knallen eines Sektkorkens. Maximilian sank in die Knie und fiel dann langsam, im Zeitlupentempo, vornüber, genau auf Tinas verletztes Bein.

Sie brachte nur noch ein leises Seufzen hervor, ehe sie zum zweiten Mal in dieser Nacht das Bewußtsein verlor. Erst viel später sollte sie sich daran erinnern, daß sie direkt in das Gesicht des Fremden geblickt hatte, der geschossen hatte, und daß in seinen Augen Haß und grimmige Freude gewesen waren.

Für alle Zeit blieben Bilder und Eindrücke dieser Nacht gestochen scharf in Janets Gedächtnis. Da waren die vielen Hubschrauber in der Luft, Polizei, Feuerwehr, Sanitäter. Wer hatte sie informiert? Es konnte nur Andrew gewesen sein, der zum Wagen zurückgerannt war, in halsbrecherischem Tempo den steilen Pfad hinunter, um vom Autotelefon des Mietautos aus bei der Polizei anzurufen und ihnen eine ungefähre Ortsbeschreibung durchzugeben – die weithin sichtbaren Flammen wiesen ohnehin den Weg. Währenddessen saß sie, Janet, im Gras vor der brennenden Hütte und hielt ihren sterbenden Sohn in den Armen. Wie durch einen Nebel entsann sie sich eines Zweikampfes, der sich zuvor zwischen ihr und Andrew abgespielt hatte, als ihr in den Sinn gekommen war, daß sich ihr anderer Sohn womöglich noch im Innern der Hütte aufhielt. »Laß mich, ich muß ihn holen, ich muß da rein!«

»Es geht nicht, Janet! Es hat keinen Sinn! Das brennt doch schon alles!« Er hatte sie geschüttelt, hatte sie umklammert gehalten, daß es schmerzte, war den Schlägen und Tritten, mit denen sie sich freizustrampeln versuchte, ausgewichen. Sie hatte seinen schweren Atem an ihrem Ohr hören können, und dahinter das schreckliche Prasseln und Tosen der Flammen, das Krachen, mit dem die Hütte in sich zusammenfiel. Und dann, von einem Moment zum anderen, war ihr Widerstand gebrochen, schlaff und wehrlos hing sie in Andrews Armen. Er wartete einen Augenblick, um sicherzugehen, daß sie nicht sofort wieder rebellisch wurde, aber sie regte sich nicht. Er setzte sie ins Gras und drückte ihr ein Taschentuch in die

Hand mit der Anweisung, es so fest sie konnte auf eine Wunde zu pressen, aus der in pulsierenden Stößen Blut drang. Erst nach ein paar Minuten realisierte sie, daß es nicht ihr Körper, sondern der ihres Kindes war, der hier mit dem Tod kämpfte und den Kampf doch bereits verloren hatte. Ein Stück weiter weg im Gras lag das blonde Mädchen und erwachte aus seiner Bewußtlosigkeit, richtete sich auf und sah sich aus schreckgeweiteten, fassungslosen Augen um. Das Feuer erleuchtete die Nacht taghell, warf seinen glutroten Schein weit über den Himmel. Die beiden Frauen, allein mit den Flammen und dem Tod, starrten einander wortlos an.

Später dann, als es von Menschen wimmelte, als Tina auf einer Bahre in einen Hubschrauber gebracht worden war, als sie den Toten, ein Tuch über sein Gesicht gebreitet, davontrugen, als Löschflugzeuge über dem Feuer kreisten und die Flammen unter dem Wasser kleiner wurden, fing Janets Verstand an, wieder zu arbeiten, und sie konnte zum erstenmal, seitdem sie darum gebettelt hatte, in die Hütte laufen zu dürfen, wieder sprechen.

»Du hast nicht gesagt, daß du eine Waffe bei dir hast«, sagte sie zu Andrew.

Andrew hatte in seinem langsamen, aber korrekten Französisch mit einigen Polizeibeamten gesprochen, die nötigsten Erklärungen abgegeben und seinen Scotland-Yard-Ausweis gezeigt. Nun hatte er sich wieder Janet zugewandt, die noch immer auf demselben Fleck saß wie vorher; ihr Schoß, ihre Arme und Beine waren verschmiert mit dem Blut ihres Sohnes. Ein Sanitäter hatte ihr eine Decke um die Schultern gelegt und ihr einen Plastikbecher mit heißem Kaffee in die Hand gedrückt. Andrew hielt ebenfalls einen Becher in der Hand, und Janet dachte: Sie geben einem Mörder Kaffee!

Er kauerte sich vor sie hin, musterte sie voller Besorgnis. »Ich bin Polizeibeamter«, antwortete er nun auf ihre Frage, »ich trage immer eine Waffe bei mir.«

»Du warst hier nicht im Dienst.«

»Aber ich wußte, daß es gefährlich werden konnte. Deshalb...« Er ließ den angefangenen Satz unbeendet. Er hatte sich gut im Griff, aber Janet konnte seinen Augen ansehen, wie bestürzt und verstört er in Wahrheit war. Er hatte auf einen Unbewaffneten geschossen, ohne abzuchecken, wie kritisch die Lage wirklich war.

Wie stufen sie das ein bei der Polizei? fragte sich Janet. Bricht es ihm das Genick, oder sagen sie, das kann jedem passieren?

Sie fröstelte. Andrew nahm ihren Arm. »Komm, ich bring' dich zum Auto. Ein Beamter fährt mit uns. Sie wollen unsere Aussagen protokollieren.«

Sie schüttelte seine Hand ab. »Faß mich bitte nicht an!« Schwankend kam sie allein auf die Füße, verschüttete dabei die Hälfte des Kaffees, merkte es aber nicht. Auch Andrew richtete sich auf. Plötzlich wirkte er älter, eingefallen im Gesicht und hilflos.

»Janet.« Er streckte erneut die Hand nach ihr aus, zog sie aber unsicher wieder zurück. »Janet, es tut mir entsetzlich leid. Ich wünschte, ich könnte es ungeschehen machen. Ich sah diesen Mann und dieses sich sträubende Mädchen... ich dachte, er nimmt sie als Geisel, er tut ihr etwas an...« Er hob hilflos die Hände. »Ich verlor die Nerven. Ich wußte, daß irgend etwas geschehen war, daß du Mario für sehr gefährlich hieltest, und als du seinen Namen riefst...«

Sie starrte ihn an. Ein gurgelndes Geräusch kam aus ihrer Kehle. Im ersten Moment dachte Andrew, es sei ein Schluchzen, doch dann erkannte er entsetzt, daß sie lachte – ein hysterisches Lachen.

»Janet!« sagte er beschwörend. Sie stand unter

Schock, sie bekam jeden Moment einen Nervenzusammenbruch.

»Er war nicht gefährlich«, sagte sie, »er war nicht gefährlich. Der gefährliche von den beiden ist in der Hütte verbrannt. Der, den du erschossen hast, war unschuldig. Er war gut.«

»Aber dann . . .« In Andrew keimte ein furchtbarer Verdacht. »Dann ist *Mario* verbrannt. Maximilian, der geheilt war, den du jetzt unschuldig nennst . . . den habe ich erschossen. Ich habe Maximilian erschossen.« Die Erkenntnis traf ihn wie ein Schlag. Er wurde kreidebleich, als er den tragischen Irrtum sah, der sein Handeln ausgelöst hatte und mit dem Janet ein Leben lang würde leben müssen. »Du hast ihn verwechselt. Mein Gott, Janet, du hast den falschen Namen gerufen!«

Sie lächelte wehmütig. »Nein«, sagte sie, »du irrst, wenn du glaubst, ich könnte meine Kinder je verwechseln. Es war Mario, den ich rief. Mario, den du getötet hast. Mario, der niemals irgend jemandem etwas getan hat.«

Begreifen dämmerte in Andrews Augen – und neuer Schrecken. »Ich habe alles falsch interpretiert. Du hast nie Angst wegen Mario gehabt. Wir sind hinter ihm und dem Mädchen nur deshalb wie die Verrückten hergewesen, weil du die beiden finden mußtest, ehe Maximilian sie findet. Aus irgendeinem Grund wußtest du, daß er noch nicht geheilt war, auch wenn die Ärzte das glaubten, und du . . .«

»Ich wußte, daß er nicht geheilt sein *konnte*.« Sie sah ihn ernst und ruhig an. »Begreif doch, er konnte es nicht sein. Denn siehst du, er war schon sehr lange nicht mehr in der Klinik . . . seit vielen Jahren nicht mehr.« Sie drehte sich um und ging langsam davon.

»Wir können sie nicht beschützen«, sagte Michael, »nicht für immer. Es hat nichts mit Schuld zu tun. Ich habe mich jahrelang überschlagen, Tina in Watte zu packen und nichts Böses zu ihr dringen zu lassen, und dennoch wäre beinahe ein Unglück geschehen. Es hat eben auch etwas mit...« Es widerstrebte ihm, das Wort in den Mund zu nehmen, es war ein Wort, das er nur selten benutzte, das ihm abgegriffen und anstößig erschien. »Es hat etwas mit Schicksal zu tun«, sagte er schließlich doch.

»Sie haben mich gewarnt. Sie haben Dana gewarnt. Aber wir hatten nur Spott übrig für Sie«, flüsterte Karen. Sie war zu erschöpft, um lauter zu sprechen. Ihre Stimme klang so rauh, als sei sie erkältet.

»Hören Sie auf damit«, bat Michael, »welchen Sinn macht es, sich zu quälen? Niemand hätte Dana hindern können, das zu tun, was sie tun wollte. Ich nicht und Sie auch nicht, selbst wenn Sie es versucht hätten.«

»Wenn ich es von Anfang an verboten hätte...«

Er nahm ihre Hand und drückte sie. Ihre Finger waren eiskalt. »Bitte nicht! Ganz gleich, was Sie getan hätten, es hätte immer so kommen können. Wir können unsere Kinder nicht einsperren, nicht?«

Es war Samstag morgen, draußen erwachte ein heller, sonniger Tag, aber die Luft, die durch das Fenster ins Zimmer flutete, war noch kühl. Karen saß mit angezogenen Beinen auf dem Sofa, zusammengekrümmt wie ein Embryo. Sie trug noch immer die gelben Kleidungsstücke vom Vortag. Das Make-up an ihren Augen hatte sich verschmiert und schwarze Ränder gebildet, was sie noch schlechter aussehen ließ, als sie es an diesem Morgen ohnehin tat. Sie hatte den ganzen Abend über geweint und geredet und wieder geweint, und irgendwann hatte sie sich von Michael völlig willenlos in ihr Schlafzimmer führen und auf dem Bett ausstrecken lassen. Er war dann auf die Suche nach einem Schlafmittel gegangen, hatte sämtliche Schubladen und Schränke in Bad und Küche durchsucht und war schließlich auf eine Schachtel mit starken Beruhigungsmitteln gestoßen, von denen der Beipackzettel verriet, daß sie bei akuten Schlafstörungen sehr hilfreich seien. Er ließ Karen zwei Stück schlucken, was sie ohne Widerrede tat, aber als er das Zimmer verlassen wollte, richtete sie sich sofort auf. »Gehen Sie nicht weg! Bitte, gehen Sie nicht weg!«

Er schüttelte beruhigend den Kopf. »Ich gehe ja nicht weg. Ich bin im Wohnzimmer, okay? Sie können jederzeit nach mir rufen.«

Als er eine Stunde später noch einmal nach ihr sah, schlief sie tief. Auf ihrem Gesicht waren die schwarzgefärbten Tränenspuren getrocknet. Ihr Mund stand leicht offen, und sie sah aus wie ein kleines Kind, sehr allein und sehr verletzbar.

Michael verbrachte die Nacht vor dem Fernseher, schaltete von einem Programm zum nächsten, konnte kaum erfassen, was er sah, war aber von einer so heftigen inneren Unruhe ergriffen, daß er es ohne die Stimmen aus dem Apparat nicht ertragen hätte. Als um halb fünf Uhr morgens das Telefon schrillte, begann sein Herz so zu rasen, daß er meinte, ein Infarkt würde ihn niederstrecken, noch ehe er den Hörer abnehmen könnte. Seine Stimme klang, als habe er einen Kloß im Hals. »Ja?« meldete er sich.

Es war Tina. Sie schien so nah, als rufe sie aus einer Telefonzelle um die Ecke an. Aber sie sei in Nizza, im Krankenhaus, berichtete sie.

»Im Krankenhaus? Um Gottes willen! Was ist denn passiert?«

»Ich bin gestürzt, mein rechter Fußknöchel ist angebrochen. Aber sonst fehlt mir nichts. Janet Beerbaum hat mir

Danas Nummer gegeben und gesagt, du bist da zu erreichen. Wieso bist du denn dort? Und wieso nachts?«

Es mußte sie in der Tat tief verwirren, ihren Vater um halb fünf Uhr morgens in der Wohnung von Karen und Dana anzutreffen. Michael wollte ihr zum gegenwärtigen Zeitpunkt noch nichts von Dana erzählen und wich daher aus. »Ich habe mir entsetzliche Sorgen um dich gemacht. Wir alle. Ich konnte nicht allein sein, und . . .« Er sprach nicht weiter, doch Tina schien diese Erklärung zu genügen. Sie sprudelte eine wirre Geschichte heraus, wobei es Michael, der ja mit einigen Fakten vertraut war, nicht verwunderte, von einem Zwillingsbruder zu hören; verwirrend fand er jedoch, daß sich *beide* Brüder in der Provence aufgehalten hatten – der eine saß doch in einer geschlossenen Klinik! – und daß auch Marios Mutter dazugestoßen war, und das noch in Begleitung eines Beamten von Scotland Yard.

Was tut Scotland Yard in der Provence? fragte er sich erstaunt, aber es würde die Zeit kommen, all diese Dinge zu klären.

»Liebling, Tina, ich werde, so bald ich nur kann, zu dir kommen«, sagte er, aber Tina meinte, vielleicht könne sie selbst auch schon bald wieder nach Hause, sie müsse mit dem Arzt sprechen und mit dem Beamten, der sie vernommen habe.

»Ich ruf' dich ganz bald wieder an«, versicherte sie. »Jetzt ist gleich mein Geld . . .« Und da schepperte es auch schon, und das Gespräch brach ab.

Michael blieb noch eine Weile mitten im Zimmer neben dem Telefon stehen und gab sich dem beglückenden Empfinden einer überströmenden Erleichterung hin. Er schämte sich, daß er hier stehen und sich so unendlich viel besser fühlen konnte, während im Nebenzimmer eine Frau schlief, deren Tochter ermordet worden war, aber er konnte nichts gegen diese Aufwallung von Glück und Dankbarkeit tun. Er sank schließlich auf das Sofa und stützte den Kopf in die Hände, und so saß er, bis er Karen hörte, die mit schweren, langsamen Schritten ins Bad tappte. Es war halb sieben. Er erhob sich, ging in die Küche und setzte Kaffeewasser auf.

Als sie dann beide im Wohnzimmer saßen, Karen noch etwas benommen von den Tabletten, aber bereits wieder gnadenlos konfrontiert mit ihrem Schmerz, da berichtete er ihr vorsichtig von Tina. Sie reagierte mit einer liebenswerten Größe, die er nicht erwartet hatte.

»Ich freue mich, wirklich, Gott sei Dank. Es ist schön, daß es wenigstens Tina gutgeht.«

Dann verfiel sie wieder in Selbstvorwürfe, und später nahm sie noch eine Beruhigungstablette, nachdem sie gestöhnt hatte: »Ich kann es nicht ertragen, Michael, ich kann es nicht ertragen!«

Sie schlief noch etwas, während Michael ein wenig aufräumte und dem tagealten Berg schmutzigen Geschirrs in der Küche zu Leibe rückte. Als Karen aufwachte, ging es ihr sehr schlecht, sie klagte über Übelkeit und Kopfschmerzen.

»Sie müssen unbedingt etwas essen«, sagte Michael. Sie hatte nach einer weiteren Tablette verlangt, aber er zögerte, sie ihr zu geben. »Kein Wunder, daß Ihnen schlecht ist, bei den vielen Pillen auf nüchternen Magen!«

»Ich kann nichts essen.«

Er hatte im Kühlschrank nur etwas angesäuerte Milch und ein paar Eier entdeckt, die seit Urzeiten da drin sein mochten. Als er sich erbot, einkaufen zu gehen, schüttelte sie fast panisch den Kopf. »Nein! Lassen Sie mich nicht allein! Bitte lassen Sie mich nicht allein!«

Dann sprang sie auf, rannte ins Bad und erreichte gerade noch die Toilette. Zusammengekrümmt auf den Fliesen kauernd, erbrach sie sich zitternd und würgend, wieder und wieder. Michael war ihr gefolgt, er hielt ihren Kopf und sprach beruhigend auf sie ein, und später kniete er neben ihr nieder und nahm sie in die Arme. Um sie herum stank es nach Erbrochenem und nach Schweiß. Karen vergrub ihr Gesicht an seiner Schulter, geschüttelt vom Weinen.

»Meine Schuld«, flüsterte sie schluchzend, »meine Schuld . . .«

Er schob sie ein Stück von sich weg und sah sie sehr ernst und eindringlich an, blickte in ihr blasses, häßliches Gesicht, umgeben von den roten Stoppelhaaren. Er zog ein Taschentuch hervor und wischte ihr vorsichtig den Mund ab, während er sagte: »Karen, jetzt hören Sie mir mal zu. Ich habe heute nacht dagesessen und über Schuld nachgedacht, genau wie Sie. Karen, ich habe meine Tochter beschützt und behütet und abgeschirmt vor der Welt, im besten Glauben und in der besten Absicht, aber was habe ich aus ihr gemacht? Eine junge Frau, so naiv, so unerfahren, so weltfremd, daß sie überhaupt nicht bemerkte, daß mit diesem Mario etwas nicht stimmte!«

Er ließ das Taschentuch sinken. Karen weinte noch etwas, aber an ihren Augen konnte er erkennen, daß sie ihm zuhörte.

»Ich habe nicht alles begriffen, was sie mir heute früh am Telefon erzählte«, fuhr er fort, »aber offensichtlich hatte sie sich in die Hände eines Geisteskranken begeben. Wahrscheinlich wäre es verdammt viel besser gewesen, sie hätte schon früher einen Freund gehabt, oder mehrere, denn dann hätte sie mehr gewußt vom Leben und von den Menschen und hätte die verdächtigen Anzeichen erkannt. Verstehen Sie, Karen, ich habe riesiges Glück gehabt. Sonst müßte ich jetzt unter meiner Schuld zusammenbrechen.«

»Aber . . .«

»Dana *hat* etwas bemerkt, nicht? Sie sprach als erste davon, daß ihr Mario unheimlich vorkomme. Das ist etwas, was Sie ihr gegeben haben, Karen: Erfahrung und einen Blick für die Realität. Sie war weit besser gerüstet für das Leben als Tina, aber sie hatte Pech. Natürlich, sie war zu leichtsinnig. Aber wohin hat Tina ihre Vorsicht geführt? Karen«, er klang jetzt fast verzweifelt, »können Sie es nicht sehen? Es hat keinen Sinn, jetzt nach Schuld zu suchen. Ganz gleich, was wir tun oder was wir nicht tun, es kommt der Punkt, da sind wir nicht mehr verantwortlich für das, was geschieht. Da können wir es gar nicht mehr sein. Das Leben folgt weit widersprüchlicheren Gesetzen als denen, in die wir es zu zwingen versuchen.«

Einen ersten, winzigen, kaum merkbaren Anflug von Trost meinte er auf ihrem Gesicht zu entdecken. Er zog sie wieder an sich, und sie weinte. Er aber wußte noch nicht, daß in ihm, während er dort auf den kalten Fliesen in dem stinkenden Bad kauerte, zaghaft ein neuer Mensch geboren wurde; ein Mensch, der wieder fähig war zu fühlen, Mitleid zu empfinden, Andersartigkeit zu ertragen, weich zu sein und zärtlich. Der sich dem Leben wieder zu öffnen vermochte.

Phillip überwand sich erst am späten Nachmittag, bei Professor Echinger anzurufen, um ihn von Maximilians Tod zu unterrichten. Irgend jemand, dachte er, muß es schließlich tun. Wie sich herausstellte, hatte aber die Polizei Echinger bereits informiert, und er war erschüttert und entsetzt.

»Er wurde erschossen, hat man mir gesagt. Ist das richtig? Wissen Sie, ich kann es kaum glauben!«

»Es stimmt. Ein Polizeibeamter erschoß ihn, weil er annahm, er sei gerade im Begriff, ein junges Mädchen als

Geisel zu nehmen«, entgegnete Phillip. Er unterschlug die Tatsache, daß es sich bei dem Polizeibeamten um den Liebhaber seiner Frau gehandelt hatte; dieses Thema mußte er dem Professor gegenüber nicht schon wieder anschneiden. Echinger gehörte zu jenem Teil seines Lebens, den er nun abgeschlossen hatte und so schnell als möglich vergessen wollte.

»Es ist furchbar. Es ist so furchtbar«, sagte Echinger. Er klang aufrichtig verzweifelt.

Wie stark bindet sich ein Therapeut an seine Patienten? fragte sich Phillip. In sechs Jahren täglicher Gespräche. Es muß eine ganz eigene, intensive Beziehung sein.

»Sie wissen vielleicht, daß auch mein anderer Sohn . . .«, sagte Phillip.

»Ich weiß. Es ist eine Tragödie. Bitte glauben Sie mir, in diesen Tagen gehört meine ganze Anteilnahme Ihnen und Ihrer Frau. Ich . . . ich kann an gar nichts anderes denken.« Der Professor stockte, fügte dann leise hinzu: »Es tut mir sehr, sehr leid.«

Es hörte sich an wie eine Entschuldigung, und einen Moment lang fragte sich Phillip, wofür der Arzt sich glaubte entschuldigen zu müssen. Doch dann ging ihm auf, daß Echinger sich die Schuld an Maximilians Flucht gab – vermutlich weniger wegen der mangelnden Sicherheitsvorkehrungen in der Klinik, denn als Freigänger hätte Maximilian so oder so verschwinden können, als vielmehr wegen der Tatsache, daß der Patient einfach davonlief, anstatt sich an den Therapeuten zu wenden. Eine Ohrfeige nach sechs Jahren Bemühungen um den Aufbau von Vertrauen. Phillip stellte das mit einiger Befriedigung fest.

»Was ich einfach nicht zu fassen vermag, ist, daß bei Mario plötzlich das gleiche Krankheitsbild auftrat wie bei seinem Bruder«, fuhr Echinger fort, »daß beide . . .«

Er sprach nicht weiter, aber Phillip konnte durch den Apparat hindurch förmlich spüren, wie er tief verwundert den Kopf schüttelte. Da er nicht die geringste Lust hatte, den »Fall Mario« mit dem Professor zu diskutieren, sagte er nur: »Ja, niemand hätte das gedacht!« und legte nach einem gemurmelten Gruß, dessen Erwiderung er nicht abwartete, den Hörer auf.

Fertig. Aus. Er hatte der Höflichkeit Genüge getan, nun war Schluß. Nie wieder ein Psychiater, nie wieder Echinger, nie wieder diese Klinik. Nie wieder zermürbende Gespräche mit der weinenden Janet: »Ich bin schuld, daß das mit dem Jungen passiert ist. Weil ich ihn enttäuscht habe. Was haben die Kinder in mir gesehen, und dann mußten sie miterleben, wie ich und Andrew...«

Hatte sie eigentlich irgendwann einmal darüber nachgedacht, was es ihn kostete, mit ihr darüber zu sprechen? Sie zu beruhigen? »Janet, auch Echinger sagt, daß, egal, was Maximilian gesehen hat, *viele* Gründe zusammenkommen mußten, um eine solche Krankheit entstehen zu lassen.«

»Er hat dieses Mädchen zu töten versucht, in dem Moment, da sie sich ihm als *Frau* zeigte! Das kann doch nur mit mir zusammenhängen. Es hängt *immer* mit der Mutter zusammen. Und ich habe...«

Manchmal, wenn sie in diese Litanei verfiel, ihre Taten aus vergangenen Tagen heraufbeschwor, hätte er sie am liebsten angeschrien: »Ja, vielleicht *hast* du schuld! Vielleicht *hat* es ihn krank gemacht, seine Mutter Tag für Tag bei den obszönen Verrenkungen mit diesem Wunder der Liebeskunst, Andrew Davies, zu erleben! Aber, verdammt, ich kann's nicht mehr hören! Ich kann nicht mehr hören, wie du dich wegen deiner Kinder zerfleischst! Hast du *einmal* überlegt, was du bei *mir* angerichtet hast?«

Aber er hatte es nie gesagt. Er hatte sie nicht noch

mehr aufregen wollen, sagte er sich. Aber in Wahrheit hätte er es nicht ertragen, ihr und sich seinen Schmerz, seine Verletztheit einzugestehen. Denn wenn er den Schmerz einmal beim Namen nannte, wurde er Wirklichkeit. Dann konnte er nie wieder so tun, als sei er nicht vorhanden.

Er hätte halb verrückt sein müssen vor Kummer, das wußte er. Er hatte auf einen Schlag seine Kinder verloren, seine beiden einzigen Söhne, und er hatte sie auf besonders grausame, erschreckende Weise verloren. Verbrannt der eine, erschossen der andere. Die meisten Väter wären über einen solchen Schlag ein Leben lang nicht hinweggekommen. Sie hätten das Schicksal, Gott, die Welt angeklagt. Sie wären dem Alkohol verfallen, hätten ihre Existenz ruiniert oder Depressionen bekommen. Aber niemals hätten sie sich befreit gefühlt.

Phillip atmete ein zweites Mal tief durch. Natürlich trauerte er um seine Kinder. Er empfand Entsetzen und Ungläubigkeit angesichts dessen, was geschehen war. Aber – so beschämend das sein mochte – er fühlte sich auch befreit. Befreit von einer unerträglichen Bürde, von einer Vergangenheit, an der er stets allzu schwer getragen hatte. Befreit von dem Grübeln um Schuld und Versagen. Er hatte alles verloren, seine Frau und seine Kinder. Abgehakt. Er konnte nur wieder und wieder diese Worte denken. Abgehakt. Befreit.

Er begann leise zu weinen.

»Niemals«, sagte Andrew, »hätte ich für möglich gehalten, daß du so etwas tust. Daß du so etwas tun *könntest*!« Die Asche fiel von seiner Zigarette hinab auf die Tischdecke; er hatte vergessen, sie abzuklopfen. Es kümmerte ihn nicht, so wenig, wie es ihm noch etwas ausmachte, daß er seinem einstigen Vorsatz, mit dem Rauchen aufzuhören, inzwischen gänzlich untreu geworden war. Seit ein paar Stunden nun rauchte er Kette. Janet ebenfalls. Sie saßen in einer Cafeteria im Flughafen von Nizza, tranken schwarzen Kaffee und Mineralwasser, rauchten und entfernten sich von Minute zu Minute weiter voneinander.

Draußen flimmerte die Luft über dem Flugfeld in der Mittagshitze. Drinnen herrschte reges Treiben. Die Urlaubssaison begann, Ströme von Touristen trafen ein, bereit, sich über die Strände und Hotels der Côte d'Azur zu ergießen. Auffällig groß war der Anteil alleinreisender Frauen, die mit einer Unmenge Gepäck kamen, schicke Kleider trugen, mit Hilfe der Sonnenbank bereits für eine attraktive Bräune gesorgt hatten und ihren angespannten Gesichtern durch das Tragen raffiniert geformter Sonnenbrillen einen mondänen Anstrich gaben. Sie zogen alle Register, in der Hoffnung auf ein paar Wochen Glanz und Glamour, der Illusion von großer Welt und, als höchsten Traum, auf eine romantische Begegnung, die sich vielleicht hinüberretten ließ in den eintönigen Alltag hinter einem Schreibtisch oder einer Ladenkasse.

Andrew und Janet jedoch bemerkten nichts von den Menschen ringsum, nichts von Stimmengewirr, Gelächter und eilenden Schritten. Sie lauschten nicht auf die Flugansagen, nicht auf Informationen, auf Namen, die ausgerufen wurden. Sie befanden sich auf einer Insel, abgetrennt vom Rest der Welt, aber nicht aneinandergerückt, wie es üblich ist bei Inselbewohnern. Zwischen ihnen lag ein ganzes Meer an Unverständnis, Fassungslosigkeit und steigender Feindseligkeit.

Auf Andrews Bemerkung – er habe es nicht für möglich gehalten, daß sie *so etwas* tun könnte – hatte Janet nichts erwidert. Sie versuchte nicht, um Verständnis zu werben, gab keinerlei Erklärungen oder Begründungen ab. Sie schien zu erwarten, daß er verstand, und wenn er das nicht tat, so war es ihr auch gleich.

»Wann trifft dein Mann ein?« fragte er nun. »Ich meine, wann genau?«

»Um Viertel vor drei«, sagte Janet.

»Aha.« Andrew nahm sich vor, spätestens um halb drei zu seinem Gate zu verschwinden. Sein Flug nach London ging zwar erst um vier, aber er hatte nicht das mindeste Bedürfnis, Phillip über den Weg zu laufen. Phillip kam nach Nizza, um gemeinsam mit Janet alles für den Verkauf des Hauses in Duverelle in die Wege zu leiten. Sodann würden sie beide zusammen mit ihren toten Söhnen nach Hamburg zurückfliegen. Dann... was dann kam, wußte niemand. Janet nicht, Andrew nicht, Phillip sicher auch nicht. Es war nicht der Zeitpunkt, zu dem einer von ihnen etwas über die Zukunft hätte sagen können.

Andrew nahm einen Schluck von seinem Kaffee, der kalt geworden war, und zündete sich die nächste Zigarette an. Er betrachtete Janet. Sie wirkte entrückt, erstarrt, versunken in sich selbst. Ihr Gesicht war kreideweiß. Die Haare, struppig und ungebürstet, hatte sie mit einem Gummiband am Hinterkopf zusammengezwirbelt. Sie hatte ihre Sonnenbrille abgenommen und neben sich auf den Tisch gelegt, und ihre Augen schienen heiß und trocken, wie bei einem Menschen, der Fieber hat.

Andrew wußte, sie würde ihm nie verzeihen, daß er ihren Sohn erschossen hatte, sie würde ihm keinerlei mildernde Umstände zubilligen, würde nicht annehmen, daß er die Situation falsch eingeschätzt und gemeint hatte, nur so und nicht anders handeln zu können. Es war, als sei jene Kraft in ihr, mit der sie auch in den jungen Jahren an ihm festgehalten hatte, als er sie nachlässig und verletzend behandelt hatte, getötet worden. Es gab keinerlei Bereitschaft mehr in ihr, zu verstehen und zu verzeihen.

Er fragte sich, ob er ihr dies voraus hatte. Verstehen und Verzeihen. Er konnte nicht begreifen, was sie getan hatte, und womöglich war auch er nicht im geringsten gewillt, es zu verzeihen. Es hatte ihn tief schockiert, ihr Geständnis zu hören – wobei sie ihre Aussage ihm gegenüber sicher nie als Geständnis gewertet hätte, sondern als die einfache Schilderung eines logischen Sachverhaltes, den jeder begreifen mußte.

Irgend etwas Düsteres hatte Andrew geschwant nach ihrer geheimnisvollen Aussage, nachts vor der brennenden Hütte in den Bergen. Ein Anflug von Begreifen, eine Wahrheit, zu erschütternd, als daß er ihr gestattet hätte, wirklich bis zu seinem Verstand durchzudringen. Sie waren bei der Polizei gewesen, waren verhört worden, hatten stundenlange Erklärungen abgegeben, und die ganze Zeit über hatte Andrew gewußt, daß Janet den Beamten gegenüber nicht die Wahrheit sagte. Als man sie schließlich hatte gehen lassen, waren sie zu Tode erschöpft und gleichzeitig so überreizt gewesen, daß sie wußten, an Schlaf war nicht zu denken. Man hatte ihnen erlaubt, im Ferienhaus zu wohnen; die Spurensicherung war dort bereits tätig gewesen. Sie setzten sich ins Wohnzimmer, fröstelnd, verstört, zerschlagen, und irgendwann fragte Andrew, was sie damit gemeint hatte – Maximilian sei seit Jahren nicht mehr in der Klinik gewesen...?

Er würde nie dieses Wohnzimmer vergessen mit den gerahmten Familienphotos – Janet, Phillip und die Zwillinge – im Regal. Nie die Nacht jenseits der Fenster, die sich langsam gegen Morgen hin erhellte. Nie Janets zusammengekauerte Gestalt auf dem Sofa, ihr blasses, müdes Gesicht.

»Wir hatten uns soviel erhofft von der Klinik, der Therapie. Es war klar, daß Maximilian krank war, psychisch krank, und uns war ein Stein vom Herzen gefallen, als der Richter ihn nicht ins Gefängnis schickte. Daran, das wußten wir, wäre er zerbrochen. Wir setzten alle Hoffnung auf den Professor und auf dieses schöne, alte Haus inmitten der herrlichen Natur. Mit wir meine ich Mario und mich. Phillip war aus der Sache längst ausgestiegen. Er ist der perfekte Verdränger, das haben wir ja schon früher gemerkt, nicht? Er verdrängte auch diesmal, was da so brutal in unser Leben eingebrochen war, und ging daran, alles neu zu ordnen, ein Dasein ohne Vergangenheit für uns zu schaffen. Wir mußten nach Hamburg umziehen und von vorne anfangen, und es kostete mich alle Überredungskraft, daß Maximilian nicht in Süddeutschland zurückbleiben mußte. Der Klinik in Schleswig-Holstein hat Phillip nur zähneknirschend zugestimmt.«

Sie hielt inne, ihr Blick wanderte zu einem der Familienbilder, hielt es für einen Moment fest, schweifte wieder ab. Sie sah Andrew nicht an, betrachtete einen imaginären Punkt auf der Wand hinter ihm.

»Mario und ich besuchten ihn, sooft es uns erlaubt wurde«, fuhr sie fort. »Es ging ihm sehr schlecht. Er wirkte depressiv, versunken in Hoffnungslosigkeit. Er vermißte seinen Bruder, ihn vor allem, aber auch mich, seinen Vater, sein Zuhause. Es war furchtbar, mitzuerleben, wie er förmlich ertrank in seinem Schmerz. Er sah nirgendwo Licht. Er wußte nicht, was über ihn gekommen war, als er das Mädchen zu töten versucht hatte. Sie muß versucht haben, ihn an jenem Abend zu verführen, und das hat er nicht ertragen. Er sagte immer, er habe gedacht, sie sei anders. Irgendwie verstand er nicht, wofür er eigentlich bestraft wurde. Er sah *sich* als Opfer, nicht sie. Das stürzte ihn in diese Verzweiflung. Er fühlte sich unverstanden und ungerecht behandelt. Wir sprachen natürlich mit dem Professor darüber. Er beruhigte uns, das sei ganz normal am Anfang, viele fielen zunächst in ein schwarzes Loch. Aber es wurde und wurde nicht besser. Es wurde schlimmer. Und er sprach immer häufiger von Selbstmord.«

»Ich verstehe«, sagte Andrew. Er hatte zu diesem Zeitpunkt, im Unterschied zu später, noch das Bedürfnis, ihr Verständnis entgegenzubringen.

»Nach etwa zwei Jahren war es so schlimm geworden, daß ich überzeugt war, er würde nun bald Ernst machen. Ich spürte es. Er würde kein halbes Jahr mehr in dieser Klinik am Leben bleiben. Der Professor nahm das Problem durchaus ernst, aber er hatte nicht wirklich Angst. Ich glaube, er hielt es für ausgeschlossen, daß jemandem in seiner Klinik ein Suizid gelingen könnte. Sie waren perfekt in ihren Sicherheitsvorkehrungen, und wenn Echinger mich fragte, wie Maximilian das meiner Ansicht nach anstellen wolle, wußte ich keine Antwort. Aber ich war und bin überzeugt, daß ein entschlossener Mensch an jedem Ort der Welt einen Weg findet, sich das Leben zu nehmen, und Maximilian *war* entschlossen. Er war so entschlossen, wie man nur sein kann.«

Janet machte eine Pause. Andrew barg das Gesicht in den Händen. Er wußte, was nun kam.

»Mario und ich, wir konnten an nichts anderes mehr denken. Natürlich sprachen wir auch oft darüber, was in Maximilian diesen Haß auf Frauen ausgelöst haben konnte. Der Professor vermied immer jegliche Schuldzuweisung in meine Richtung, aber Mario erzählte mir, daß er und sein Bruder... sie haben uns immer zugesehen, Andrew, früher, und Mario erzählte, es sei die Hölle gewesen. Er konnte sich an jede Einzelheit erinnern, sagte aber, daß Maximilian, wenn er mit ihm darüber sprechen wollte, sich kaum erinnerte. Er muß es verdrängt haben, aber vielleicht ist er gerade deswegen krank geworden. Ich...«

»Das ist absurd, Janet. Was immer die beiden gesehen haben... ich meine...« Er fühlte sich angegriffen und verärgert. Großer Gott, sie waren nicht gerade mit Messern aufeinander losgegangen, oder? »Millionen Kinder sehen so etwas«, sagte er schließlich. »Ich bin überzeugt, der Professor hat dir auch gesagt, daß...«

»Daß es Hunderte von Bausteinen gibt, die zu einer Krankheit führen können, ja. Sogar... angeborene Schädigungen. Aber ich bin überzeugt, daß ich ganz entschieden ein solcher Baustein war. Ich trug einen Großteil der Schuld. Ich... ich konnte ihn nicht einfach sterben lassen.« Sie holte tief Luft. »Wir hatten Angst. Wenn das Telefon klingelte, schraken Mario und ich zusammen. Wir glaubten immer, daß... Und wir fühlten, es konnte jeden Moment passieren. Mario spürte es noch stärker als ich. Die beiden waren einander immer so nahe. Jeder wußte, was im anderen vorging.«

Andrew nickte. »Ihr saht nur noch einen Ausweg«, vermutete er.

»Er mußte von dort weg«, sagte Janet.

»Und . . .«

»Und die einzige Möglichkeit war die, daß beide tauschten. Es war nicht schwer, kein Mensch hat sie jemals auseinanderhalten können, außer mir. Mario blieb von nun an in der Klinik. Und Maximilian kam mit mir nach Hause.«

»Ich kann es kaum glauben«, sagte Andrew. »Ich meine, abgesehen von allem anderen kann ich kaum glauben, daß ein Bruder das für den anderen tut. Sich über Jahre in einer psychiatrischen Klinik einsperren läßt . . .«

»Niemand, der sie nicht kennt, kann es verstehen. Sie waren *ein* Wesen, *eine* Identität. Ein Teil von ihnen mußte in der Klinik sein, und es war gleichgültig, welcher Teil das auf sich nahm. Im Grunde tauschten sie nur einfach ihre Namen. Mario war jetzt Maximilian, und Maximilian war nun Mario. Aber die Namen waren für sie sowieso immer nur etwas Willkürliches gewesen.«

Andrew schüttelte den Kopf. »Spiel es nicht herunter. Ein Wesen . . .! Sie waren eben *nicht* ein Wesen. Der eine von ihnen war schwer krank und gefährlich. Der andere war gesund. Der eine drehte fast durch in der Klinik, der andere konnte es offenbar aushalten. Sie sind zwei völlig voneinander getrennte, unterschiedliche Menschen. Alles andere ist Unsinn.«

Sie zuckte mit den Schultern.

Andrew seufzte. »Wurdet ihr denn während eurer Gespräche und Besuche nicht überwacht?«

»Anfangs war immer ein Pfleger dabei. Als sich Maximilians Zustand verschlechterte, hielt es Echinger für besser, uns alleinzulassen. Maximilian redete dann mehr, und das war dem Professor wichtiger. Er dachte wohl nicht im Traum daran, daß . . .«

»Nein«, Andrew stand auf, ging zum Fenster, sah hinaus in die Nacht, deren Schwärze am Horizont bereits in

Grau zerfloß, »nein, daran konnte kein normaler Mensch im Traum denken. Mein Gott«, er drehte sich um, sah Janet an, »und keiner hat etwas gemerkt? Der Therapeut? Dein Mann?«

»Mario – oder Maximilian, wie er jetzt hieß – spielte seine Rolle sehr gut. Es war nicht schwierig für ihn, denn die Qualen, die sein Bruder durchlitten hatte, hatte er mit ihm empfunden. Er wußte, was Maximilian zu der Tat getrieben hatte, wußte, was währenddessen und danach in ihm vorgegangen war, was er in der Klinik durchgemacht hatte. Er versenkte sich in ihn, war der depressive Patient, der von Selbstmord sprach. Ganz langsam wurde es besser. Echinger war unendlich stolz und betonte immer wieder, er habe es ja gleich gesagt.«

»Und ... Phillip?« Zum erstenmal heute sprach Andrew den Namen des Rivalen aus.

»Er hatte sich schon zu weit von uns allen zurückgezogen. Seine Söhne, selbst der gesunde Sohn, waren Ballast geworden. Er schaute gar nicht so genau hin, als daß er etwas hätte bemerken können. Und Maximilian – der von nun an Mario hieß – war nicht chronisch depressiv, er hatte an unerträglichem Heimweh, an Hoffnungslosigkeit gelitten. Sein Zustand besserte sich schlagartig, als er zu Hause war.«

»Genug, um Marios Leben leben zu können?«

»Mario war gerade mit dem Zivildienst fertig geworden und hatte sich an der Uni für Betriebswirtschaft eingeschrieben. Er wollte beruflich ja in Phillips Fußstapfen treten. Hier lag ein kleines Problem, denn Maximilian hatte immer Jurist werden wollen. Er erklärte, sich nicht mehr sicher zu sein, und schob den Studienbeginn um ein Semester hinaus. Diese Zeit brauchte er sowieso, um sich in der Freiheit zurechtzufinden und mit dem Tablettenentzug fertig zu werden. Sie pumpen die Leute zu voll in den Kliniken! Dann sagte er, er habe sich nun für Jura entschieden, und immatrikulierte sich. Phillip hatte, wie gesagt, innerlich ohnehin schon mit seinen Söhnen abgeschlossen. Er machte keinen Ärger deswegen.«

»Es ist so unglaublich«, sagte Andrew, »er hatte ja nicht mal sein Abitur gemacht!«

»Er legte das Zeugnis seines Bruders vor. Es gab keine Lücken bei ihm, denn er stand ja dicht vor seinem Schulabschluß, als ... die Sache dann passierte.«

Als die Sache passierte. Andrew fühlte heftigen Zorn, als er Janet da so bleich und müde, so benommen und in sich zusammengesunken auf dem Sofa kauern sah. Sie spielte es herunter. Nach all den Jahren, nach allem, was passiert war, sprach sie die Wahrheit noch immer nicht aus, umschrieb sie, suchte und fand beschönigende Worte.

»*Die Sache* war ein Mordversuch«, sagte er brutal und sah zufrieden, wie sie zusammenzuckte. »Tatsache bleibt doch, daß dein Sohn eine junge Frau töten wollte und daß es reiner Zufall war, daß sie überlebte.«

»Er war krank. Er ...«

»Genau. Er war krank. Und du holtest einen kranken, unberechenbaren, gefährlichen Mann aus einer psychiatrischen Klinik, in die ihn die Richter aus gutem Grund eingewiesen hatten. Du läßt ihn als tickende Zeitbombe frei zwischen anderen Menschen herumlaufen. Wie konntest du denn, um Gottes willen, nur so wenig Verantwortungsgefühl haben?«

»Er war nicht gefährlich und unberechenbar. Er wollte nichts Böses tun. Er wollte nur ...«

Andrew trat an sie heran, und Janet konnte spüren, daß er sie am liebsten geschüttelt hätte. Er beherrschte sich nur mühsam.

»Hör doch endlich auf, Janet! Hör doch endlich auf, dir und allen anderen etwas vormachen zu wollen. Dieser arme, kranke, gute Junge, der um keinen Preis etwas Böses tun wollte, hat in aller Heimlichkeit hinter deinem Rücken erneut eine Beziehung zu einem Mädchen aufgenommen. Er war raffiniert und geschickt genug, dies über Wochen vor dir und deinem Mann zu verbergen. Heimtückisch genug, deine Abwesenheit zu nützen, um diese Ferienreise anzutreten, von der er genau wußte, du hättest sie nie zugelassen. Was hast du denn eigentlich geglaubt? Daß er auf wundersame Weise seine kranke Veranlagung überwunden habe?«

Sie sah ihn nicht an. Er hatte plötzlich das Gefühl, als verließe ihn von einem Moment zum anderen alle Energie, flute hinaus aus seinem Körper und ließe eine leere, erschöpfte Hülle zurück. Seine Arme hingen kraftlos herab.

»Weißt du, was ich am wenigsten verstehe?« fragte er müde. »Wie du bei alldem noch nach England verschwinden konntest und sogar mit dem Gedanken spieltest, für immer dort zu bleiben. Nach allem, was du angerichtet hattest . . .«

Sie erwiderte auch diesmal nichts. Aber er kannte sowieso die Antwort: Wenn es zu schlimm wurde, lief sie davon. So war sie immer gewesen. Wenn sie nicht mehr konnte, brach sie ihre Zelte ab und tauchte unter. So weit sie konnte. In ein anderes Land, in ein anderes Leben. Sie verließ einen Menschen, eine Situation mit der gleichen Radikalität, mit der sie sich zuvor an den Menschen, an die Situation hingegeben hatte. Es war ihre einzige Möglichkeit, mit dem Leben fertig zu werden.

»Ich kann es nicht verstehen«, wiederholte er, »ich kann es einfach nicht verstehen.«

Wiederum sagte sie nichts, und er sah zum erstenmal ein, daß es ihr von nun an völlig gleichgültig war, ob er sie verstand oder nicht.

Sie hatten beide eine ganze Weile ihren Gedanken nachgegangen, und Andrew hatte nicht mehr auf die Uhr gesehen; nun stellte er plötzlich fest, daß Phillips Maschine jeden Moment landen mußte. Er kramte ein paar Geldstücke hervor und legte sie auf den Tisch.

»Ich muß gehen«, sagte er, »dein Mann kommt gleich an.«

Sie nickte. Er erhob sich, sah auf sie hinunter, in ihr starres Gesicht. Nichts auf der Welt, so schien es ihm, war so unerreichbar für ihn wie sie. Er streckte die Hand aus, so, als wolle er vorsichtig ihre Wange berühren, aber er tat es nicht und ließ die Hand wieder sinken.

Sie hatten mit keinem Wort darüber gesprochen, aber er wußte, weshalb sie unerbittlich blieb und bleiben würde, wußte, welchen Schuldspruch sie über ihn gefällt hatte. Sie glaubte ihm nicht, daß er ihren Sohn im Affekt erschossen hatte, in einem Augenblick von Panik und fataler Mißinterpretation der Situation. Sie war überzeugt, daß er eine Rechnung beglichen hatte, Rache genommen hatte für seine Niederlage gegen Fred Corvey, für den düsteren Moment, da Corvey als freier Mann den Gerichtssaal hatte verlassen dürfen. Diesmal hatte er die Justiz ausgetrickst, hatte dafür gesorgt, daß sie nicht zum Zuge kommen würde. Er hatte es Janet gegenüber selbst zugegeben: »Ich wünschte, es hätte sich eine Situation ergeben, die es notwendig gemacht hätte, die Waffe zu ziehen und Corvey für immer unschädlich zu machen.« Sein geheimster Wunsch, und diesmal hatte er den Wunsch befriedigt. Aber er fühlte sich nicht besser danach. Nur leer und allein.

Sie reichten einander die Hände wie zwei Fremde, dann durchquerte Andrew mit langsamen Schritten den Raum. Nun, das wußte er, war es ein Abschied für immer. Er würde sie nie wiedersehen.

Er trat durch die Tür und konnte sich nicht enthalten, noch einmal zurückzuschauen. Janet stand gerade auf, setzte ihre Sonnenbrille auf, kramte nach etwas in ihrer Handtasche, nach einem Lippenstift vielleicht oder einem Kamm.

Sie hatte gefunden, was sie gesucht hatte: Sie zog eine Photographie hervor. Ohne daß er es auf die Entfernung hin erkennen konnte, wußte Andrew, wen sie auf dem Bild betrachtete. Nie würde er das sanfte Lächeln vergessen, mit dem Janet ihre beiden Söhne ansah. Mario und Maximilian. Maximilian und Mario. Vielleicht waren die beiden jetzt zu einem Wesen geworden und hatten ihren Frieden gefunden.

Leise ging er davon.

Sie fanden diesen Roman so fesselnd, dass Sie ihn gar nicht mehr aus der Hand legen möchten? Dann lesen Sie doch einfach weiter!

Auf den folgenden Seiten finden Sie eine Leseprobe aus einem weiteren großen Spannungsbestseller von Deutschlands erfolgreichster Autorin: Charlotte Link!

blanvalet

Charlotte Link

Die Täuschung

Roman

Peter Simon, geschätzt als erfolgreicher Geschäftsmann und
geliebt als fürsorglicher Ehemann und Vater, verschwindet
spurlos auf einer Reise in der Provence. Als seine junge Frau
Laura verzweifelt vor Ort recherchiert, stößt sie nicht nur auf
eigenartige Widersprüche, sondern muß schließlich erkennen,
dass ihr Mann nicht der war, für den sie ihn hielt. Und daß die
Wahrheit mit tödlicher Gefahr verbunden ist...

Bericht aus der Berliner Morgenpost vom 15. September 1999

Grausige Entdeckung in einer Mietwohnung in Berlin-Zehlendorf

Ein furchtbarer Anblick bot sich gestern einer Rentnerin, die den Hausmeister einer Wohnanlage in Berlin-Zehlendorf überredet hatte, ihr mit seinem Zweitschlüssel die Wohnung ihrer langjährigen Freundin Hilde R. zu öffnen. Die vierundsechzigjährige, alleinstehende Dame hatte sich seit Wochen nicht mehr bei Freunden und Bekannten gemeldet und auch auf Anrufe nicht reagiert. Nun wurde sie in ihrem Wohnzimmer entdeckt. Sie war mit einem Seil erwürgt worden; der Täter hatte ihre Kleidung mit einem Messer zerschlitzt. Sexuelle Motive liegen offenbar nicht vor, auch war nach Angaben der Polizei kein Diebstahl nachzuweisen. Nichts läßt auf einen Einbruch schließen, so daß davon ausgegangen wird, daß die alte Dame selbst ihrem Mörder die Tür geöffnet hat.

Ersten Autopsieberichten zufolge könnte sich die Leiche bereits seit Ende August in der Wohnung befinden. Vom Täter fehlt jede Spur.

Prolog

Sie wußte nicht, was sie geweckt hatte. War es ein Geräusch gewesen, ein böser Traum, oder spukten noch immer die Gedanken vom Vorabend in ihrem Kopf? Sie neigte dazu, Grübeln, Schmerz und Hoffnungslosigkeit mit in den Schlaf zu nehmen, und manchmal wurde sie davon wach, daß ihr die Tränen über die Wangen liefen.

Aber diesmal nicht. Ihre Augen waren trocken.

Sie war gegen elf Uhr ins Bett gegangen und sehr schwer eingeschlafen. Zu vieles war ihr im Kopf herumgegangen, sie hatte sich bedrückt gefühlt und war in die alte Angst vor der Zukunft verfallen, die sie nur für kurze Zeit überwunden geglaubt hatte. Das Gefühl, eingeengt und bedroht zu werden, hatte sich in ihr ausgebreitet. Für gewöhnlich hatte ihr das Haus am Meer stets Freiheit vermittelt, hatte sie leichter atmen lassen. Noch nie, wenn sie hier gewesen war, hatte sie sich nach der eleganten, aber immer etwas düsteren Pariser Stadtwohnung zurückgesehnt. Zum erstenmal freute sie sich jetzt, daß der Sommer vorüber war.

Es war Freitag, der 28. September. Am nächsten Tag würden sie und Bernadette aufbrechen und heim nach Paris fahren.

Der Gedanke an ihre kleine Tochter ließ sie im Bett hochschrecken. Vielleicht hatte Bernadette gerufen oder im Schlaf laut geredet. Bernadette träumte intensiv, wurde häufig wach und schrie nach ihrer Mutter. Oft fragte sie sich, ob das normal war bei einem vierjährigen Kind, oder ob sie die Kleine zu sehr belastete mit ihren dauernden Depressionen. Natürlich plagten sie Schuldgefühle deswegen, aber sie vermochte es nicht wirklich zu ändern. Es blieb bei gelegentlichen Anläufen, sich selber aus dem Sumpf des Grübelns und der Verlorenheit zu ziehen, doch nie konnte sie einen anhaltenden Erfolg für sich verbuchen.

Außer im letzten Jahr … im letzten Sommer …

Sie sah auf den elektronischen Wecker, der neben ihrem Bett stand und dessen Zahlen intensiv grün in der Dunkelheit leuchteten. Es war kurz vor Mitternacht, sie konnte nur ganz kurz geschlafen haben. Wieder lauschte sie. Es war nichts zu hören. Wenn Bernadette nach ihr rief, dann tat sie das normalerweise ununterbrochen. Trotzdem würde sie aufstehen und nach ihrem Kind sehen.

Sie schwang die Beine auf den steinernen Boden und erhob sich.

Wie immer seit Jacques' Tod trug sie nachts nur eine ausgeleierte Baumwollunterhose und ein verwaschenes T-Shirt. Früher hatte sie, gerade in der Wärme der provenzalischen Nächte, gern tief ausgeschnittene, hauchzarte Seidennégligés angelegt, elfenbeinfarbene zumeist, weil ihre stets gebräunte Haut und die pechschwarzen Haare damit schön zur Geltung kamen. Sie hatte damit aufgehört, als er ins Krankenhaus kam und sein Sterben in Etappen begann. Sie hatten ihn als geheilt entlassen, er war zu ihr zurückgekehrt, sie hatten Bernadette gezeugt, und dann war der Rückfall eingetreten, innerhalb kürzester Zeit, und diesmal hatte er das Krankenhaus nicht mehr verlassen. Er war im Mai gestorben. Im Juni war Bernadette zur Welt gekommen.

Es war warm im Zimmer. Beide Fensterflügel standen weit offen, nur die hölzernen Läden hatte sie geschlossen. Durch die Ritzen sah sie das hellere Schwarz der sternklaren Nacht, roch die Dekadenz, die der glühend heiße Sommer dem Land vermacht hatte.

Der September war atemberaubend schön gewesen, und ohnehin liebte sie den Herbst hier besonders. Manchmal fragte sie sich, weshalb sie so beharrlich jedes Jahr Anfang Oktober nach Paris abreiste, obwohl es keinerlei Verpflichtungen dort für sie gab. Vielleicht brauchte sie das Korsett eines strukturierten Jahresablaufs, um sich nicht im Gefühl der Realitätslosigkeit zu verlieren. Im Oktober spätestens kehrten alle in die Städte zurück. Vielleicht wollte sie zugehörig sein, auch wenn sie sich in ihren schwarzen Stunden oft bitter für diesen vorgegaukelten Sinn in ihrem Leben anklagte.

Sie trat auf den Gang hinaus, verzichtete jedoch darauf, das Licht anzuschalten. Falls Bernadette schlief, sollte sie nicht geweckt werden. Die Tür zum Kinderzimmer war nur angelehnt, vorsichtig lauschte sie in den Raum hinein. Das Kind atmete tief und gleichmäßig.

Sie hat mich jedenfalls nicht geweckt, dachte sie.

Unschlüssig stand sie auf dem Flur. Sie begriff nicht, was sie unterbewußt so beunruhigte. Sie wachte so oft nachts auf, sie konnte eher jene Nächte als Besonderheit werten, in denen sie durchschlief. Meist wußte sie nicht, was sie hatte aufschrecken lassen. Weshalb war sie in dieser Nacht nur so nervös?

Tief in ihr lauerte Angst. Eine Angst, die ihr Gänsehaut verursachte und ihre Sinne auf eigentümliche Art schärfte. Es war, als könne sie irgendeine in der Dunkelheit wartende Gefahr wittern, riechen, fühlen. Als sei sie ein Tier, das das Herannahen eines anderen Tiers spürt, das ihm gefährlich werden kann.

Jetzt werde nicht hysterisch, rief sie sich zur Ordnung.

Es war nichts zu hören.

Und doch wußte sie, daß jemand anwesend war, jemand außer ihr und ihrem Kind, und dieser Jemand war ihr schlimmster Feind. Die Einsamkeit des Hauses kam ihr in den Sinn, sie war sich bewußt, wie allein sie beide hier waren, daß niemand sie hören könnte, falls sie schrien, daß niemand es bemerken würde, wenn etwas Ungewöhnliches hier vor sich ginge.

Es kann keiner in das Haus hinein, sagte sie sich, überall sind die Läden verschlossen. Die Stahlhaken zu zersägen würde einen Höllenlärm veranstalten. Die Türschlösser sind stabil. Auch sie zu öffnen kann nicht lautlos funktionieren. Vielleicht ist *draußen* jemand.

Es gab nur einen, von dem sie sich vorstellen konnte, daß er nachts um ihr Haus herumschlich, und bei diesem Gedanken wurde ihr fast übel.

Das würde er nicht tun. Er ist lästig, aber nicht krank.

Doch in diesem Moment wurde ihr klar, daß er *genau das* war. Krank. Daß sein Kranksein es gewesen war, was sie von ihm fortgetrieben hatte. Daß sein Kranksein sie an ihm gestört hatte. Daß es jene sich langsam verstärkende, instinktive Abneigung ausgelöst hatte, die sie sich die ganze Zeit über nicht wirklich hatte erklären können. Er war so nett. Er war aufmerksam. Es gab nichts an ihm auszusetzen. Sie war bescheuert, ihn nicht zu wollen.

Es war Überlebensinstinkt gewesen, ihn nicht zu wollen.

Okay, sagte sie sich und versuchte tief durchzuatmen, wie es ihr ein Atemtherapeut in der ersten furchtbaren Zeit nach Jacques' Tod beigebracht hatte, okay, *vielleicht* ist er da draußen. Aber er kann jedenfalls nicht hier herein. Ich kann mich ruhig ins Bett legen und schlafen. Sollte sich morgen irgendwie herausstellen, daß er da war, jage ich ihm die Polizei auf den Hals. Ich erwirke eine einstweilige Verfügung, daß er mein Grundstück nicht betreten darf. Ich fahre nach Paris. *Falls* ich Weihnachten hier verbringe, kann schon alles ganz anders aussehen.

Entschlossen kehrte sie in ihr Zimmer zurück.

Doch als sie wieder im Bett lag, wollte die Nervosität, die ihren Körper vibrieren ließ, nicht aufhören. Noch immer waren alle Härchen auf ihrer Haut hoch aufgerichtet. Sie fror jetzt, obwohl es sicher an die zwanzig Grad warm war im Zimmer. Sie zog die Decke bis zum Kinn, und eine Hitzewallung machte ihr das Atmen schwer. Sie stand dicht vor einer Panikattacke, die sich bei ihr immer mit einem fliegenden Wechsel zwischen Hitze und Kälte ankündigte. In der Zeit, in der Jacques starb und auch danach hatte sie oft solche Anfälle erleiden müssen. Seit ungefähr einem Jahr war sie frei davon. Zum erstenmal wurde sie nun wieder von den immer noch vertrauten Symptomen heimgesucht.

Sie fuhr mit den Atemübungen fort, die sie vorher draußen im Gang begonnen hatte, und oberflächlich wurde sie ruhiger, aber in ihrem Inneren glühte ein rotes Warnlämpchen und ließ sie in Hochspannung verharren. Sie wurde das Gefühl nicht los, daß sie keineswegs Opfer einer Hysterie war, sondern daß ihr Unterbewußtsein auf eine greifbare Gefahr reagierte und ihr ununterbrochen zurief, sie solle aufpassen. Zugleich weigerte sich ihr Verstand, derartige Gedanken zuzulassen. Jacques hatte immer gesagt, es sei Unsinn, an Dinge wie Vorahnungen, Stimme des Bauchs oder dergleichen zu glauben.

»Ich glaube nur, was ich sehe«, hatte er oft gesagt, »und ich nehme nur an, was sich als Tatsache beweisen läßt.«

Und ich bin im Moment einfach dabei, durchzudrehen, sagte sie sich.

Im gleichen Augenblick hörte sie ein Geräusch, und es war vollkommen klar, daß sie es sich nicht eingebildet hatte. Es war ein Geräusch, das sie gut kannte: Es war das leise Klirren, das die Glastür, die Wohn- und Schlafbereich in diesem Haus voneinander trennte, verursachte, wenn sie geöffnet wurde. Sie vernahm es an jedem Tag, den sie hier war, an die hundert Mal, entweder weil sie selbst hindurchging, oder weil Bernadette hin- und herlief.

Es bedeutete, daß jemand hier war und daß er keineswegs um das Haus herumschlich.

Er war im Haus.

Sie war mit einem Satz aus dem Bett.

Verdammt, Jacques, dachte sie, ohne die Ungewöhnlichkeit

dieses Moments zu beachten, denn es war das erste Mal, daß sie einen kritischen Gedanken ihrem toten Mann gegenüber zuließ, und das auch noch in Gestalt eines Fluchs. Ich *wußte* vorhin, daß jemand im Haus ist, hätte ich mich darauf doch bloß verlassen!

Sie konnte ihr Zimmer von innen verriegeln und hätte sich damit vor dem Eindringling in Sicherheit bringen können, aber Bernadette schlief im Nebenzimmer und wie hätte sie sich hier einschließen sollen ohne ihr Kind? Sie stöhnte bei der Erkenntnis, daß ein Instinkt, fein wie der eines Wachhunds, sie geweckt und nach nebenan geführt hatte; sie hätte die Chance gehabt, sich Bernadette zu schnappen und mit ihr Zuflucht in diesem Zimmer zu suchen. Sie hatte die Chance vertan. Wenn *er* bereits diesseits der Glastür war, trennten ihn nur noch wenige Schritte von ihr.

Wie hypnotisiert starrte sie ihre Zimmertür an. Jetzt konnte sie, in ihrer eigenen atemlosen Stille, das leise Tappen von Schritten auf dem Flur hören.

Die Klinke bewegte sich ganz langsam nach unten.

Sie konnte ihre Angst riechen. Sie hatte nie vorher gewußt, daß Angst so durchdringend roch.

Ihr war jetzt sehr kalt, und sie hatte den Eindruck, nicht mehr zu atmen.

Als die Tür aufging und der Schatten des großen Mannes in ihrem Rahmen stand, wußte sie, daß sie sterben würde. Sie wußte es mit derselben Sicherheit, mit der sie kurz zuvor gespürt hatte, daß sie nicht allein im Haus war.

Einen Moment lang standen sie einander reglos gegenüber. War er überrascht, sie mitten im Zimmer stehend anzutreffen, nicht schlafend im Bett?

Sie war verloren. Sie stürzte zum Fenster. Ihre Finger zerrten an den Haken der hölzernen Läden. Ihre Nägel splitterten, sie schrammte sich die Hand auf, sie bemerkte es nicht.

Sie erbrach sich vor Angst über die Fensterbank, als er dicht hinter ihr war und sie hart an den Haaren packte. Er bog ihren Kopf so weit zurück, daß sie in seine Augen blicken mußte. Sie sah vollkommene Kälte. Ihre Kehle lag frei. Der Strick, den er ihr um den Hals schlang, schürfte ihre Haut auf.

Sie betete für ihr Kind, als sie starb.

Samstag, 6. Oktober 2001

I

Kurz vor Notre Dame de Beauregard sah er plötzlich einen Hund auf der Autobahn. Einen kleinen, braunweiß gefleckten Hund mit rundem Kopf und lustig fliegenden Schlappohren. Er hatte ihn zuvor nicht bemerkt, hätte nicht sagen können, ob er vielleicht schon ein Stück weit am Fahrbahnrand entlang getrabt war, ehe er das selbstmörderische Unternehmen begann, auf die andere Seite der Rennstrecke zu wechseln.

O Gott, dachte er, gleich ist er tot.

Die Autos schossen hier dreispurig mit Tempo 130 dahin. Es gab kaum eine Chance, unversehrt zwischen ihnen hindurch zu gelangen.

Ich will nicht sehen, wie sie ihn gleich zu Matsch fahren, dachte er, und die jähe Angst, die in ihm emporschoß, löste eine Gänsehaut auf seinem Kopf aus.

Ringsum bremsten die Autos. Niemand konnte stehen bleiben, dafür fuhr jeder mit zu hoher Geschwindigkeit, aber sie reduzierten ihr Tempo, versuchten, auf andere Spuren auszuweichen. Einige hupten.

Der Hund lief weiter, mit hoch erhobenem Kopf. Es grenzte

an ein Wunder, oder vielleicht *war* es sogar ein Wunder, daß er den Mittelstreifen unbeschadet erreichte.

Gott sei Dank. Er hat es geschafft. Wenigstens so weit.

Der Mann merkte, daß ihm der Schweiß ausgebrochen war, daß das T-Shirt, das er unter seinem Wollpullover trug, nun an seinem Körper klebte. Er fühlte sich plötzlich ganz schwach. Er fuhr an den rechten Fahrbahnrand, brachte den Wagen auf dem Seitenstreifen zum Stehen. Vor ihm erhob sich – sehr düster heute, wie ihm schien – der Felsen, auf dem Notre Dame de Beauregard ihren schmalen, spitzen Kirchturm in den grauen Himmel bohrte. Warum wurde der Himmel heute nicht blau? Gerade hatte er die Ausfahrt St. Remy passiert, es war nicht mehr weit bis zur Mittelmeerküste. Allmählich könnte der verhangene Oktobertag südlichere Farben annehmen.

Der kleine Hund fiel ihm wieder ein; der Mann verließ das Auto und blickte prüfend zurück. Er konnte ihn nirgends entdecken, nicht auf dem Mittelstreifen, aber auch nicht zu Brei gefahren auf einer der Fahrspuren. Ob es ihm geglückt war, die Autobahn auch noch in der Gegenrichtung zu überqueren?

Entweder, dachte er, man hat einen Schutzengel, oder man hat keinen. Wenn man einen hat, dann ist ein Wunder kein Wunder, sondern eine logische Konsequenz. Wahrscheinlich trabt der kleine Hund jetzt fröhlich durch die Felder. Die Erkenntnis, daß er eigentlich tot sein müßte, wird sich seiner nie bemächtigen.

Die Autos jagten an ihm vorbei. Er wußte, daß es nicht ungefährlich war, hier herumzustehen. Er setzte sich wieder in den Wagen, zündete eine Zigarette an, nahm sein Handy und überlegte einen Moment. Sollte er Laura jetzt schon anrufen? Sie hatten vereinbart, daß er sich von »ihrem« Rastplatz melden würde, von jenem Ort, an dem man zum erstenmal das Mittelmeer sehen konnte.

Er tippte stattdessen die Nummer seiner Mutter ein, wartete geduldig. Es dauerte immer eine ganze Weile, bis die alte

Dame ihr Telefon erreichte. Dann meldete sie sich mit rauher Stimme: »Ja?«

»Ich bin es, Mutter. Ich wollte mich einfach mal melden.«

»Schön. Ich habe lange nichts mehr von dir gehört.« Das klang vorwurfsvoll. »Wo steckst du?«

»Ich bin an einer Tankstelle in Südfrankreich.« Es hätte sie beunruhigt zu hören, daß er auf dem Seitenstreifen einer Autobahn stand und weiche Knie hatte wegen eines kleinen Hundes, der gerade vor seinen Augen dem Tod von der Schippe gesprungen war.

»Ist Laura bei dir?«

»Nein. Ich bin alleine. Ich treffe Christopher zum Segeln. In einer Woche fahre ich wieder nach Hause.«

»Ist das um diese Jahreszeit nicht gefährlich? Das Segeln, meine ich.«

»Überhaupt nicht. Wir machen das doch jedes Jahr. Ist schließlich nie schiefgegangen.« Er sagte dies in einem bemüht leichten Ton, von dem er fand, daß er völlig unecht klang. Laura hätte jetzt nachgehakt und gefragt: »Ist irgend etwas? Stimmt was nicht? Du klingst merkwürdig.«

Aber seine Mutter würde es nicht einmal registrieren, wenn er im Sterben läge. Es war typisch für sie, besorgte Fragen zu stellen, wie die, ob das Segeln zu dieser Jahreszeit vielleicht gefährlich war. Möglich, daß sie sich tatsächlich Gedanken darum machte. Aber manchmal argwöhnte er, daß sie Fragen dieser Art routinemäßig abschoß und sich für deren Beantwortung schon nicht mehr interessierte.

»Britta hat angerufen«, sagte sie.

Er seufzte. Es bedeutete nie etwas Gutes, wenn sich seine Ex-Frau mit seiner Mutter in Verbindung setzte.

»Was wollte sie denn?«

»Jammern. Du hast wieder irgendeine Zahlung an sie nicht überwiesen, und angeblich reicht ihr Geld vorne und hinten nicht.«

»Das soll sie mir selber sagen. Sie braucht sich nicht hinter dich zu klemmen.«

»Du würdest dich regelmäßig verleugnen lassen, wenn sie dich im Büro anruft, behauptet sie. Und daheim ... Sie sagt, sie hätte wenig Lust, immer an Laura zu geraten.«

Er bereute es, seine Mutter angerufen zu haben. Irgendwie gab es stets Ärger, wenn er das tat.

»Ich muß Schluß machen, Mutter«, sagte er hastig, »mein Handy hat kaum noch Saft. Ich umarme dich.«

Warum habe ich das gesagt? überlegte er. Warum dieses alberne *Ich umarme dich*. So reden wir normalerweise gar nicht miteinander.

Es gelang ihm mit einiger Anstrengung, sich von der Standspur wieder in den Verkehr einzufädeln. Er hatte es nicht allzu eilig, pendelte sich auf einer Geschwindigkeit von hundertzwanzig Stundenkilometern ein. Ob seine Mutter nun auch über diesen letzten Satz nachdachte, der für sie eigenartig geklungen haben mußte?

Nein, entschied er, tat sie nicht. Der letzte Satz war an ihr vermutlich ebenso vorbeigerauscht, wie auch sonst alles, was mit anderen Menschen zu tun hatte, von ihr herausgefiltert wurde.

Er fand einen Radiosender, stellte die Musik auf dröhnende Lautstärke. Mit Musik konnte er sich betäuben, so sicher wie andere mit Alkohol. Es kam nicht darauf an, was er hörte. Es mußte nur laut genug sein.

Gegen achtzehn Uhr erreichte er den Rastplatz, von dem aus er Laura anrufen wollte. Wenn sie zusammen nach Südfrankreich fuhren, hielten sie stets an dieser Stelle an, stiegen aus und genossen den Blick auf die Bucht von Cassis mit ihren sie halbmondförmig umfassenden, sanft ansteigenden Weinbergen und auf die oberhalb der Bucht steil aufragenden Felsen. Fuhr er allein – zu dem alljährlichen Segeltörn mit Christopher –, dann rief er Laura von diesem Platz aus an. Dies gehörte zu den stillschweigenden Übereinkünften zwischen ihnen, von denen es viele gab. Laura liebte Rituale, liebte unverrückbar wiederkehrende Momente zwischen ihnen. Er selber hing nicht so daran, hatte aber auch nicht den Eindruck, daß ihre Vorliebe dafür ihn wirklich störte.

Er fuhr die langgezogene, ansteigende Kurve zum Parkplatz hinauf. Der Ort hatte keinerlei Ähnlichkeit mit den sonst üblichen Autobahnraststätten. Eher handelte es sich um einen Ausflugsplatz, um eine Art große Picknickterrasse mit steinernen Sitzgruppen, kiesbestreuten Wegen, schattenspendenden Bäumen. Der Blick war atemberaubend. Für gewöhnlich überwältigten ihn das Blau des Himmels und das Blau des Meeres. Heute jedoch würden sich die Wolken nicht mehr lichten. Grau und diesig hing der Himmel über dem Meer. Die Stille war schwül und bleiern. Die Luft roch nach Regen.

Ein trostloser Tag, dachte er, als er das Auto parkte und den Motor abschaltete.

Unweit von ihm saß ein anderer einsamer Mann in einem weißen Renault und starrte vor sich hin. Ein älteres Ehepaar hatte an einem der sechseckigen Tische Platz genommen und eine Thermosflasche vor sich hingestellt, aus der sie nun beide abwechselnd tranken. Aus einem Kleinbus quoll eine Familie, Eltern, dazu offensichtlich die Großeltern und eine unüberschaubare Schar von Kindern jeder Altersgruppe. Die Größeren trugen Pizzakartons, die Erwachsenen schleppten Körbe mit Wein- und Saftflaschen.

Wie idyllisch, dachte er, ein warmer Oktoberabend, und sie machen ein Picknick an einem wunderbaren Aussichtsort. Zwei Stunden können sie hier noch sitzen, dann wird es dunkel und kalt. Sie werden wieder alle in diesem Bus verschwinden und nach Hause fahren und satt und glücklich in ihre Betten fallen.

Er selber hatte eigentlich nie Kinder gewollt – sowohl sein Sohn aus erster Ehe als auch die zweijährige Tochter, die er mit Laura hatte, waren aus Unachtsamkeit entstanden –, aber manchmal überlegte er, wie es sich anfühlen mußte, Teil einer großen Familie zu sein. Er sah das keineswegs verklärt: Es bedeutete, ewig vor dem Badezimmer anstehen zu müssen und wichtige Dinge nicht zu finden, weil ein anderer sie ungefragt ausgeliehen hatte, es bedeutete jede Menge Lärm, Unordnung, Dreck und Chaos. Aber es mochte auch Wärme entstehen, ein Gefühl der Geborgenheit und Stärke. Es gab wenig Platz für Einsamkeit und die Angst vor der Sinnlosigkeit.

Zum zweitenmal tippte er eine Nummer in sein Handy. Er mußte nicht lange warten, sie meldete sich sofort. Offensichtlich hatte sie um diese Zeit mit seinem Anruf gerechnet und sich in der Nähe des Telefons aufgehalten.

»Hallo!« Sie klang fröhlich. »Du bist auf dem Pas d'Ouilliers!«

»Richtig!« Er bemühte sich, ihren heiteren, unbeschwerten Ton zu übernehmen. »Zu meinen Füßen liegt das Mittelmeer.«

»Glitzernd im Abendsonnenschein?«

»Eher nicht. Es ist sehr wolkig. Ich denke, es wird noch regnen heute abend.«

»Oh – das kann sich aber schnell ändern.«

»Natürlich. Da mache ich mir keine Sorgen. Sonne und Wind wären für Christopher und mich jedenfalls am schönsten.«

Sie war wesentlich feinfühliger als seine Mutter. Sie merkte, wie angestrengt er war.

»Was ist los? Du klingst merkwürdig.«

»Ich bin müde. Neun Stunden Autofahrt sind keine Kleinigkeit.«

»Du mußt dich jetzt unbedingt ausruhen. Triffst du Christopher noch heute abend?«

»Nein. Ich will früh ins Bett.«

»Grüße unser Häuschen!«

»Klar. Es wird sehr leer sein ohne dich.«

»Das wirst du vor lauter Müdigkeit kaum bemerken.«
Sie lachte. Er mochte ihr Lachen. Es war frisch und echt und
schien immer aus ihrem tiefsten Inneren zu kommen. Wie auch
ihr Schmerz, wenn sie Kummer hatte. Bei Laura waren Gefühle
niemals aufgesetzt oder halbherzig. Sie war der aufrichtigste
Mensch, den er kannte.

»Kann sein. Ich werde schlafen wie ein Bär.« Er schaute auf
das schiefergraue Wasser. Die Verzweiflung kroch bereits wieder langsam und bedrohlich in ihm hoch.

Ich muß, dachte er, von diesem Ort weg. Von den Erinnerungen. Und von dieser glücklichen Großfamilie mit den Pizzakartons und dem Gelächter und der Unbeschwertheit.

»Ich werde noch irgendwo etwas essen«, sagte er.

»Irgendwo? Du gehst doch sicher zu Nadine und Henri?«

»Das ist eine gute Idee. Eine leckere Pizza von Henri wäre
jetzt genau das Richtige.«

»Rufst du später noch mal an?«

»Wenn ich im Haus bin«, sagte er. »Ich melde mich, bevor
ich ins Bett gehe. In Ordnung?«

»In Ordnung. Ich freue mich darauf.« Durch das Telefon
hindurch und über eintausend Kilometer hinweg konnte er ihr
Lächeln spüren.

»Ich liebe dich«, sagte sie leise.

»Ich liebe dich auch«, erwiderte er.

Er beendete das Gespräch, legte das Handy neben sich auf
den Beifahrersitz. Die Pizza-Familie verbreitete jede Menge
Lärm, selbst durch die geschlossenen Wagenfenster drangen
die Fetzen von Gesprächen und Gelächter. Er ließ den Motor
wieder an und rollte langsam vom Parkplatz.

Die Dämmerung kam nun schnell, aber es lohnte sich nicht
zu warten; es würde keinen Sonnenuntergang über dem Meer
geben.